KB143983

육 안 검 사

한국비파괴검사학회

이종포, 문용식 共著

NODE MEDIA
노드미디어

| 머리말 |

1960년대 초에 도입되어 반세기의 역사를 지니고 있는 우리나라의 비파괴검사 기술은 원자력 발전설비, 석유화학 플랜트 등 거대설비·기기들에서부터 반도체 등의 소형 제품에 이르기까지 검사 적용대상도 다양해져 이들 제품의 안전성 및 품질보증과 신뢰성 확보를 위한 핵심 요소기술로서의 중심적인 역할을 분담하게 되었다.

특히 한국비파괴검사학회의 활동 중 비파괴검사기술자의 교육훈련 및 자격인정 분야에서는 그 동안 꾸준한 활동으로 산·학·연에 종사하는 많은 비파괴검사기술자를 양성하였고, ASNT Level Ⅲ 자격시험의 국내 유치, KSNT Level Ⅱ 과정의 개설을 위시하여 최근에는 ISO 9712에 의한 국제 표준 비파괴검사 자격시험의 도입을 준비 중에 있다.

이에 학회에서는 비파괴검사기술자들의 교육 및 훈련에 기본 자료로 활용하는 것 뿐만 아니라 비파괴검사 분야에 입문하는 분들이 비파괴검사를 체계적으로 이해하고 관련 실무지식을 체득할 수 있는 비파괴검사 이론 & 응용을 각 종목별로 편찬 보급하고 있다. 이 교재는 1999년도에 초판으로 발행된 비파괴검사 자격인정교육용 교재 7(육안검사)의 개정판이다.

책은 마음의 양식이요 지식의 근본이라 했다. 지식정보화의 시대를 살아가는데 지식은 미래의 값진 삶을 지향하기 위한 원천이다. 특히 전공 교재는 특정 영역의 체계적이고 가치 있는 내용을 담고 있는 지식의 근원이요 터전이다

본 비파괴검사 이론 & 응용은 비파괴검사 분야에 입문하는 자 및 산업체의 품질보증 관련 업무에 종사하는 초·중급 기술자는 물론 고급기술자 모두가 필수적으로 알아야할 비파괴검사 기술의 개요와 타 전문 분야와의 연관성 등에 한정하여 기술하고 있다. 아울러 이 교재에서는 현재 산업 현장에서 적용이 시도되고 있거나 연구개발 중에 있는 각종 첨단 비파괴검사 방법의 종류와 특징도 소개하고 있다

끝으로 본 교재의 출판에 도움을 주신 노드미디어(구. 도서출판 골드) 사장님과 자료 및 교정에 협조하여 주신 분들게 심심한 사의를 표하는 바이다.

2011년 10월
저자 씀

| 목차 |

CONTENTS

제 Ⅰ 편 일반(General)

제 1 장 ─ 육안검사의 체계

제 2 장 ─ 시각과 광학의 원리

제 3 장 — 육안검사 장비

제 4 장 ━ 제작 및 가공 공정

제 5 장 – 결함의 종류 및 특성

제 6 장 ─ 육안검사 기술

제7장 ― 육안검사 장비 개발

제8장 ― 안전

제Ⅱ편 전문(Specific) & 실기(Practical)

제 1 장 ─ 배관(Piping)과 부속품(Fittings)

제 2 장 ─ 밸브(Valves) 육안검사

제 3 장 ― 펌프 육안검사

제 4 장 ― 육안검사 절차서 작성

제 5 장 ― 용접부 육안검사

제 6 장 ― 규 격 및 표 준 개 요

제7장 — 육안검사 기록 및 합부 판정

기 타 — 찾아보기, 참고문헌

제Ⅰ편

일반(General)

제 1 장 육안검사의 체계

제 1 절 육안검사의 정의 및 목적

1. 육안검사의 정의

육안검사란 재료, 제품 또는 구조물(시험체)을 직접 또는 간접(원격)으로 관찰하여 시험체에 표면결함이 있는지 그 유무를 알아내는 비파괴 검사법이다. 여러 가지 비파괴검사법 중에서 육안검사는 시험체에 맨 먼저 적용해야 할 검사법이며, 육안검사 후 다른 검사를 추가로 수행해야 할 경우도 자주 있다. 넓은 의미에서 육안검사를 정의하면 재료, 제품 또는 구조물이 설계, 제작/가공 사양, 규격 등에 적합한 지, 허용한도 이내에 드는 지의 여부를 검사하는 것을 포함한다고 볼 수 있다.

2. 육안검사의 목적

육안검사는 비파괴검사 방법 중에서 가장 오래된 것 중의 하나이며, 대부분의 사람은 전문지식이 없이 누구나 다 할 수 있다는 인식을 가지고 있다. 사실 육안검사에 대한 전문지식을 가지고 훈련된 눈으로 검사 대상을 보는 것과 그렇지 않은 것에는 많은 차이가 있다. 이는 의사의 경우와 비교하면 쉽게 이해가 될 것이다. 병원의 외과의사는 환자의 진료나 수술을 용이하게 하기 위해 여러 가지 장비나 도구를 사용한다. 마찬가지로 비파괴검사자가 육안검사를 질적 및 양적으로 잘 수행하기 위해서는 여러 가지 육안검사 장비들을 사용해야하며, 필요한 경우 다른 비파괴 검사법들이 동원되기도 한다. 물론 아주 단순한 육안검사를 수행할 경우는 특별한 장비 없이도 검사가 가능할 경우도 있다. 육안검사의 사용 목적을 보면 다음과 같이 3가지로 크게 나눌 수 있다.

· 제품 생산에 사용될 재료, 생산 제품, 구조물 등이 설계, 제작, 가공 사양에 맞게 생산 또는 제작 가공되었는지를 검사할 때
· 상기 품목들이 사용 전 또는 사용 중에 검사하여 앞으로의 사용에 지장을 초래하거나 초래할 가능성이 있는 결함의 유무를 찾아낼 때
· 제품 또는 구조물이 파괴 또는 파손되어 그 원인 분석이나 재발 방지 예방 대책을 세울 때

육안검사의 적용 범위는 대단히 광범위하며, 우리의 생활 주변에서 생활 용품의 이상 유무를 점검하는 것은 대부분 전문적인 정도는 아니지만 육안검사에 많이 의존하고 있다고 해도 과언이 아니다. 육안검사가 적용 가능한 분야를 크게 다음의 4가지로 분류할 수 있다

· 제품 생산에 사용될 재료 (소재, 중간 가공 재료, 부품 등)
· 생산 제품 (제작 가공 중간 제품 또는 가공이 끝난 제품)
· 구조물
· 결함이 있는 제품 또는 파손된 제품 (사용했거나 사용 전인 제품)

3. 육안검사의 역사

가. 일반 역사

육안검사의 역사는 인간이 지구상에 존재하게 되고 눈으로 사물을 관찰하며 판단을 내리는 때로 거슬러 올라간 아주 먼 옛날이 될 것이다. 사냥감을 찾고, 먹을 것을 선별하고, 배우자를 선택하는 그 모든 것들이 육안검사의 시초라고 봐야 할 것이다. 그러나 산업적 또는 의학적으로 육안검사(광학검사 포함)는 1800년대에 광학장비가 발달하게 되고 산업 사회가 진전되면서 본격적인 검사가 이루어졌다고 봐야 할 것이다. 즉, 눈이 가진 여러 한계를 극복하기 위해 많은 장비들이 개발되고 특히 접근성이 제한된 부위를 검사하기 위한 내시경, 원격 카메라, 수중 카메라 등이 본격적으로 개발되면서 육안검사에 많은 발전을 이루었다고 볼 수 있다. 그래서 육안검사의 역사는 내시경 개발의 역사와 밀접한 관련이 있으므로 본 절에서 이에 대한 사항을 언급하고자 한다.

나. 내시경의 역사

자체 조명을 갖춘 내시경의 개발은 인체 내 해부를 탐색하기 위한 관심에서 출발하였다. 사물의 내부를 관찰하는 장비는 내시경이라고 불린다. 오늘날 내시경은 의료용 장비에 주로 적용이 된다. 거의 대부분의 의료용 내시경은 조명장치가 갖춰져 있으며, 외과용 족집게 또는 다른 장치를 갖추고 있다. 산업용 내시경은 보아스코프라고 불리는데 이는 원래 기계 가공한 총구 같은 구멍(bore) 내부를 관찰하였던 것에서 비롯된다. 이런 산업용 내시경은 딱딱한 것, 유연성이 있는 것, 조명이 있는 것 등 매우 다양하다.

(1) 방광경 및 보아스코프

1806년 Philipp Bozzini(독일)는 light guide 를 발명했다고 발표를 했다. 그는 나폴레옹

전쟁 때 외과의사로 복무했으며 의료 연구용으로 이 장치를 처음 개발하였다. 1876년 Max Nitze 비뇨기과 의사는 방광을 관찰하기 위해 처음으로 실제적인 방광경을 개발했다. 이는 조명장치를 갖추고 있었다. 2년 후, Thomas Edison은 미국에서 백열전구를 개발하였다. 짧은 시간 내 오스트리아 과학자들은 Nitze의 방광경에 조그마한 전구를 만들어 사용하였다. 1900년 Reinhold Wappler(미국)는 방광경의 광학시스템을 획기적으로 개선하여 미국 최초로 미국 모델을 선보였다. 나중에 전방 사각 관찰시스템을 소개하였으며 의료용 및 산업용으로 공히 유용하게 사용될 수 있게 하였다. 비파괴 검사용 보아스코프 및 관련기기는 방광경과 동일한 기본 설계를 따랐으며, 보아스코프의 직경이 다양해지고 산업용으로 다른 특수 장치도 개발되었다.

(2) 위 내시경 및 유연한 보아스코프

원래 위 내부를 관찰하기 위해 유연한 위 내시경은 1932년 Rudolph Schindler에 의해 개발되고 Georg Wolf가 생산하였다. 여러 개의 짧은 초점거리 렌즈를 이용하여 장비를 34도 각도로 구부릴 수 있게 하였다. 이후 내시경은 급속한 발전을 거듭하였으며 항공산업, 석유화학 산업 등 다양한 분야의 용도에 맞게 개발되고 개선되었다.

4. 육안검사의 용어

가. 용어 및 정의

(1) 시각(Angle of vision) : 시선과 물체표면이 이루는 각도(그림 1-1 참고)

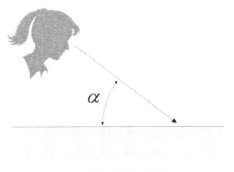

〔그림 1-1〕 시각

(2) 이미지 기록 보관 시스템(Archival image recording system) : 이미지를 기록하고 보관하는 시스템.

(3) 보조 조명(auxiliary lighting) : 자연 조명 또는 주 조명에 더하여 사용.

(4) 보아스코프(borescope) : 육안검사를 위해 상을 전달하는 내시경. (주) 참고 : 내시경, 파이버스코프, 비디오스코프, 산업용 내시경- 육안검사를 위하여 거울, 프리즘, 렌즈, 광파이버, 또는 텔레비전을 이용하여 접근이 불가능한 내부로부터 상을 전달하는 잠망경 또는 망원경.

(5) 색 구별(color discrimination) : 두 가지 또는 그 이상의 빛의 파장의 차이를 인지하는 것.

(6) 색온도(color temperature) : 절대 온도로 표시되는 색 스펙트럼에 대한 광원의 높낮이.

(7) 색시(color vision) : 다른 강도 및 파장을 갖는 빛의 구분.

(8) 명암 비(contrast ratio) : 영상(이미지)의 다른 부분에서 인지된 밝기의 정도에 대한 관계.

(9) 검증시험편(demonstration test piece) : 검사할 대상체에서 검출될 지시와 되도록 가까운 지시를 가지고 있는 시험편.

(10) 검출 기준(detection criteria) : 검출될 세부사항의 형태, 상태 및 크기를 결정하는 데 이용될 기준.

(11) 디지털 화상 처리 장비(digital image processing equipment) : 육안검사 판독을 돕기 위해 영상분석을 수행하기 위한 디지털 화상 측정, 조정, 또는 조작(변경) 시스템.

(12) 직접 육안검사(direct visual testing) : 관찰자의 눈으로부터 검사면적까지 방해받지 않은 광학경로가 있는 육안검사.
  · 주) 1- 이 검사는 나안 혹은 거울, 렌즈, 내시경 또는 파이버 옵틱과 같은 보조 도구의 도움을 받는다.
  · 주) 2- 원격육안검사와 대비된다.

(13) 내시경(endoscope) : 내부 또는 일반적으로 접근이 불가능한 물체 부분의 이미지를 전달하는 견고하거나 유연한 장치. 주) 참고 : 보아스코프, 파이버스코프, 비디오스코프. 물체의 내부를 관찰하는 장치. endoscope는 그리스말로 inside view 란 뜻이다. 내시경이라는 용어는 보아스코프와 동등한 의료용 장비로 주로 사용된다.

(14) 원거리 관찰(far vision) : 거리가 있는 물체의 관찰. 일반적으로 팔의 길이보다 먼 거리에서 물체를 관찰하는 것.
  · 주) 1- 직접육안검사의 경우 이것은 팔의 길이를 초과한다. 광학시스템에서 이

것은 초점거리의 10배를 초과한다.

· 주) 2- 근거리 관찰 참고.

(15) 광섬유 광학(fiber optics) : 유리나 수정과 같은 광섬유를 통해 이미지를 전달하는 기술로써 유리나 플라스틱 등 투명한 재료로 된 광섬유를 통해 빛을 전송시키는 것과 관련된 광학 기술의 한 분야.

(16) 파이버스코프(fiberscope) : 내부나 일반적으로 접근이 불가능한 물체 부분의 이미지를 정상적으로 전달하기 위한 광섬유 광학을 이용한 유연한 장치.

· 주) 참고 : 보아스코프. 내시경, 비디오스코프

(17) 시야(field of view) : 전형적으로 렌즈를 사용하는 육안검사 보조도구와 관련하여 고정된 위치에서 광학장비에서 얻어지는 파노라믹 관찰. 화상 시스템, 렌즈, 또는 구멍을 통해 사물을 관찰할 수 있는 범위 또는 면적. 참고 : 초점심도(depth of field).

(18) 일반육안검사(general visual testing) : 기기 전반에 걸쳐 전체적인 상태, 건전성, 열화의 정도를 관찰하는 육안검사.

· 주) 여기에는 전형적으로 표면마무리 또는 코팅, 비틀림 또는 손상, 일반적인 끼워맞춤 또는 정렬상태 그리고 기기의 망실 부분의 식별 등을 관찰하는 것이 포함된다.

(19) 눈부심(또는 현휘, glare) : 명료한 관찰을 방해하는 시야 내에서 지나친 밝기(휘도). 명료한 관찰, 중요한 관찰 및 판단을 방해하는 과도한 밝기(휘도), 시야 내에서 10 : 1 이상으로 변하는 지나친 밝기(휘도).

(20) 계수선(graticule) : 측정 또는 비교할 수 있도록 장비의 광학 통로 상에 놓인 미세한 선의 척도 또는 격자

(21) 그레이스케일(gray scale, grey scale) : 빛의 반사 정도에 따라 이미지 센서, 광학장치, 또는 광전 장치에 대해 시험하기 위한 기준 차트. 상의 밝기를 영상화하는 물체의 밝기의 함수로 정의하는 수단. 이는 최고의 밝기(휘도), 명암 비 및 감마로 규정된다.

(22) 영상, 이미지(image) : 물체의 시각적 또는 특정한 표시. 시험체 또는 장면을 시각적으로 표시.

(23) 영상 센서(image sensor) : 이미지를 전기적 신호로 바꾸어주는 센서.

· 주) : 비디오스코프 참고

(24) 렌즈(lens) : 목표물에 빛을 집중시키기 위해 빛을 굴절시켜 투과시키는 투명한 물체.

· 주) 예 : 굴절광학 시스템(dioptric system)

(25) 광원(light source) : 조명원

(26) 선 차트(line chart) : 적절히 명암이 있는 배경에 점진적 거리와 폭을 갖는 선이 있는 분해용 타겟(목표물)의 한 형태.

· 주) 광학시험 차트(optical test chart), 분해능 타깃(resolution target)

(27) 직선성 표시자(linearity indicators) : 광학시스템의 직선성을 시험하는 분해능 타깃의 형태.

(28) 거울(mirror) : 반사를 일으키는 광학시스템에 기반을 둔 장비.

· 주) 반사망원 시스템(catadioptric system)

(29) 근거리 관찰(near vision) : 근거리 물체의 관찰.

· 주 1) 직접육안검사에서 일반적으로 팔 길이 이내이다. 광학시스템에서 이는 초점거리의 10배 이내이다.

· 주 2) 원거리 관찰(far vision) 참고.

(30) 광학 감쇠기(optical attenuator) : 광학시스템 또는 검출기에 전달되는 에너지를 감소시키는 광학 장치.

· 주) 이것은 특정 스펙트럼 밴드 폭을 위한 것일 수 있다.

(31) 광학 장치(optical device) : 기능이 영상(이미지) 표시에 근거한 장치.

(32) 광학 필터(optical filter) : 신호 또는 신호 일부분의 선택된 스펙트럼 밴드 폭을 감쇠시키는 기능 또는 처리 항목.

(33) 광학 시험 차트(optical test chart) : 광학장치의 특성을 정량화, 정성화 하는 데 이용할 수 있는 차트.

· 주) 라인 차트 또는 분해능 타깃 참고.

(34) 광전 장치(opto-electronic device) : 광에서 전자적 변환에 근거한 기능을 하는 장치.

(35) 영상 기록(record of image) : 육안검사 영상을 기록하는 수단. 보기: 비디오테이프, 사진, 디지털 보관 장치.

· 보기 : 비디오테이프, 사진, 디지털 스토리지

(36) 상대 반사율(relative reflectivity) : 표면의 다른 부분으로부터 반사된 또는 동일 이미지(영상)내의 다른 표면과 비교해서 전자복사의 상대적인 양.

(37) 원격 육안검사(remote visual testing) : 관찰자의 눈과 피검사체 사이에 방해받는 광학 통로가 있는 육안검사.

· 주) 1- 원격육안검사는 사진, 비디오 시스템, 자동 시스템 및 로봇을 이용하는 것이 포함된다.

· 주) 2- 참고 직접육안검사.

(38) 표면복제 (replication) : 시험체 표면의 불균질, 기계적 및 금속학적인 것을 찾는 것을 비롯해 표면 미세구조를 기록 또는 분석하기 위해 시험체 표면에 몰딩 하는 연성 재료를 이용하는 기술.

(39) 분해 능력, 분해능(resolution capability) : 물체의 세부사항을 분해해 내는 시스템의 능력.

(40) 분해 타깃(resolution target) : 분해능을 측정하기 위한 기준점으로 사용되는 마커.
· 주) 1- 또한 검증시험편을 사용할 수도 있음.
· 주) 2- 선 차트, 광학 시험 차트 참고.

(41) 로봇 시스템(robotic system) : 프로그램된 기계적 운동을 수행하는 자동 시스템.

(42) 스크린(screen) : 영상을 표시하는 영역

(43) 감도 크기(sensitivity level) : 지시를 검출하기 위한 시스템 분해능에 대한 상대적 크기.

(44) 슬롯(slot) : 시편의 표면에 심어 넣은 기지의 치수를 가진 길고 좁은 개구.

(45) 고체 카메라(solid state camera) : 고체 상태 센서를 이용하는 카메라.
· 주) CCD(charged coupled device) 카메라.

(46) 기준 시스템(system of reference) : 특정 영상 또는 확인된 불연속부 기준으로부터 나온 지시를 보여주는 물리적 증거. 예) 비디오 테이프, 사진

(47) 열화상 카메라(thermal imaging camera) : 방출된 적외선 복사를 검출하고 그것을 이미지 형태인 전기적인 신호로 바꿔주는 카메라.

(48) 튜브 카메라(tube camera) : 튜브 형태의 이미지 센서를 이용하는 카메라.

(49) 검증(verification) : 장비가 VT 기능을 만족시키는 것을 보증하는 작업.

(50) 비디오 모니터(video monitor) : 전기적 이미지를 나타내는 장치.

(51) 비디오스코프(videoscope) : 끝단의 이미지 센서를 이용하여 내부나 일반적으로 부품의 접근 불가능한 부위의 이미지를 전달하는 유연한 장치.
· 주) 보아스코프, 내시경, 파이버스코프 참고

(52) 육안검사(visual testing) : 광학 범위 내의 전자기 복사를 이용한 비파괴검사 방법

제 2 절 육안검사의 기본

1. 육안검사의 기본요소

육안검사를 수행하는데 있어서 중요한 요소들은 (1) 검사자, (2) 피검사체, (3) 검사장비; 시력 보조 도구 및 기계 보조 도구, (4) 조명, (5) 기록 방법 등 5가지로 나눌 수 있다. 상기 각 요소들은 서로 밀접한 관련이 있으며 최종검사 결과에도 많은 영향을 미친다. 이들 각각에 대해 구체적으로 살펴보자.

가. 검 사 자

상기 다섯 가지 요소 즉, 검사자, 피검사체, 보조도구, 조명, 기록 방법 중에서도 가장 중요한 요소는 검사자이다. 다른 비파괴 검사법과 마찬가지로 육안 검사자는 검사를 수행하기 위해서는 일정한 훈련 과정을 이수하고 필요한 자격을 갖추어야 한다. 현재 국내 국가 비파괴 검사 자격 종목에는 육안검사가 포함되어 있지 않은 상태이고, 육안검사에 대한 뚜렷한 KS 등의 규격이 확립되어 있지 못하다. 또한 미국의 비파괴검사학회(ASNT)의 SNT-TC-1A의 비파괴검사자 자격 발급 지침에 육안검사 자격 종목이 없었으나 1988년 SNT-TC-1A에 비로써 육안검사 자격종목이 생겼다. 그러나 일찍이 미국기계학회 규격 (ASME Code) 및 기타 규격에는 원전 부품 구조물에 대해 육안검사를 하도록 규정하고 있었고, 육안 검사자도 일정한 자격 부여 절차를 거쳐 자격이 부여되도록 하고 있었으며, 해가 갈수록 그 요건은 강화되었다. 육안검사를 수행하는데 있어 무엇보다도 중요한 것은 검사자의 눈이다. 눈에 관한 사항으로써 꼭 염두에 두거나 정기적으로 점검해야 할 사항은 (1) 근거리 시력, (2) 원거리 시력, (3) 색맹 여부, 그리고 (4) 안전 예방 조치이다.

(1) 근거리 시력

직접육안검사의 경우, 근거리 시력은 최소 한쪽 눈의 나안 또는 교정시력이 표 1-1 의 'Jaeger 1 test'를 읽을 수 있거나 이와 동등한 시력이 20/25 이상이어야 한다. 근거리 시력은 매년 재검사해야 한다.

(2) 원거리 시력

원거리(원격) 육안검사의 경우, 원거리 시력은 최소 한쪽 눈의 나안 또는 교정시력이 610cm(20ft) 떨어진 지점에서 "Snellen fraction" 20/30을 읽을 수 있어야 한다. 원거리 시력도 매년 재검사를 받아야 한다.

(3) 색맹 여부

육안 검사에 있어서 색맹 여부는 액체침투검사 또는 자분탐상 검사에서와 같이 매우 중요하다. 검사자는 실제 검사 시 색깔을 인지하고 구분할 수 있는 능력을 갖추어야 한다. 부식 여부, 부식 생성물, 변색, 피검사체의 색상 등 여러 검사 제반 여건에 따라 거의 대부분의 경우 색을 판별하고 구분할 수 있는 능력이 필요하다. 특히, 최근에는 육안검사 장비의 발달로 인해 육안검사를 Video Camera를 이용, 천연색으로 촬영하고 이를 평가함과 아울러 영구 기록으로 보존하게 되므로 검사자의 색 분별 능력이 더욱 중요해졌다.

(4) 안전 예방 조치

육안 검사를 수행할 때 눈에 대한 안전을 고려하여야 한다. 이는 검사 환경에서 오는 위험과 검사 시 이용하게 되는 강한 자연 또는 인공의 광원이 눈을 해칠 수도 있기 때문이다. 인간의 눈은 태양광선의 직접 또는 간접적으로 비춰지는 환경에서 작용하게 되며 검사 시는 광도 또는 주파수가 광범위한 인공광원을 사용할 때도 있다. 정상적인 낮의 조명에도 눈에는 사진 화학적인 변화를 일으키며, 장/단기적인 망막의 손상이 관찰되기도 한다. 또한 자외선, 파장이 짧은 전자기파 등은 눈에 치명적이기도 하다. 고온이라든지 나쁜 검사 환경 조건 등에서는 눈을 보호키 위해 보호 장구를 착용하고 기타 신체 보호를 위한 필요성이 있는 경우, 안전 예방 조치를 필히 하여야 한다. 특히 원자력 발전소 수압 시험 시 또는 연차 보수기간 중 고방사선 구역에서의 육안 검사 시는 피폭 감소뿐만 아니라 만일의 사고에 대비해 안전 예방 조치를 하여야 한다. 육안검사에서 고려하는 각종 위험은 아래와 같다.

· Laser 위험 - 태양 빛을 직접 오랫동안 바라보면 망막에 화상을 입어 시력을 잃는 것과 마찬가지로 레이저 광원을 쳐다보면 망막이 손상을 입어 시력을 잃을 수도 있다. 레이저에 대한 위험관리는 첫째, 레이저빔이 지나가는 데 사람이 들어가지 않게 하는 것이고 두 번째, 사람이 있는 곳에 레이저빔이 직접 또는 간접(반사된 빔)적으로 비치지 않게 하는 것이다.

· 자외선 위험 - 레이저가 발달하기 전에는 주로 자외선에 의한 눈과 피부의 손상이 주였다. 자외선은 파장이 185nm 미만으로 짧아 눈에 보이지 않고(invisible) 눈의 수정체(lens)와 각막(cornea)에 강하게 흡수된다. 따라서 결막염을 일으킬 수도 있으며, 결국 백내장(cataracts) 및 홍반(erythema)을 일으킬 수 있다.

· 적외선 위험 - 적외선은 가시 스펙트럼의 붉은 색에서 파장이 1 mm까지이다. 적외선은 많은 물질에 의해 흡수되며, 주요한 생물학적 영향은 열에 의해 세포에 치명적인 영향을 미칠 수도 있다.

- 열적인 요소 - 가시영역 및 적외선 영역의 빛은 망막에 흡수되며 일부는 망막내의 간상체(桿狀體, rod)와 추체(錐體, cone)에 흡수되고 나머지는 열로 바뀌어 온도 변환을 일으킨다.
- 눈에 이롭지 못한 광원으로부터 눈과 피부를 보호하기 위해 조치를 강구하여야 한다. 눈 보호 필터가 그 대표적인 것이며 눈에 해로운 광선이 눈과 피부에 닿는 것을 차단하게 된다.

나. 피검사체

육안검사의 기본요소 5가지 중에서 검사자 다음으로 가장 중요한 것이 바로 피검사체이다. 검사자가 검사하고자 하는 대상물이 피검사체이므로 검사자는 다음의 여러 관점에서 피검사체에 대해 알고 있어야 훌륭한 육안검사가 가능하다.

- 피검사체의 기능, 용도
- 피검사체의 재료 특성
- 피검사체의 제작/가공과정
- 검출 예견되는 각종 결함의 종류 및 특성
- 피검사체 검사 시 적용하게 될 각종규격, 설계사양 및 합격기준
- 피검사체의 사용이력 (사용조건, 사용 환경 등)

또한 검사하고자 하는 피검사체 및 검사 환경에 따라 사용해야 할 장비, 필요한 조명 등이 결정된다. 특히 직접 육안검사가 불가능하여 원격 또는 간접 육안 검사를 수행할 경우 보아스코프, 또는 파이버스코프 등을 사용하여 육안검사를 수행할 때, 피검사체와 관련하여 이들 장비를 선정 사용함에 있어 다음 사항을 구체적으로 고려하여야 한다. 즉,

- 피검사체와의 거리
- 피검사체의 크기
- 결함의 크기
- 반사율
- 투입구 크기
- 피검사체의 깊이
- 관찰 방향(각도)

표 1-1 Jaeger 시력검사표

No. 1.
.37M

I was dirty from my journey and I know no soel nor where to look for lodging. I was very hungry and my whloe stock of cash consisted of a Dutch doliar and about a shilling. I walked up the street gazing about until near the

No. 2.
.50M

market house I met a boy with bread. I had made many a meal on bread and asked him where he got it. I then went to the baker's and asked for biscuit such as we had in Boston. I asked for a three penny loaf and was told that they had none such.

No. 3.
.62M

Not knowing the difference of money and the greater cheapness. I bade him give me three penney worth of any sort. He gave me three great puffly rolls. I was surprised at the quantity but

No. 4.
.75M

took it and having no room in my pockets. I walked off with a roll under each arm. Thus I went up Market Street as far as Fourth Street passing by the house of Mr. Reed my future wife's father.

No. 5.
1.00M

She saw me and thought I mede a most awkwad appearance. Then I turned and went down Chestnut Street and a part of Walnut Street, eating my roll all

No. 6.
1.25M

the way, and found myself again at Market Street wharf near the boat I came in. Being filled with one of my rolls. I gave the other two to a woman and her child

No. 7.
1.50M

By this the street had many clean and well dressed people in it, all walking the same way. I joined them and was led into the great meeting house of the Quakers. I sat down

No. 8.
1.75M

This was first house I was in, or slept in, in Philadelphia. Looking in the faces of people, I met a young man whose countenance I liked,

No. 9.
2.00M

"If thee wilt walk with me, I will show thee a better." He brought me then to a place in Water Street, where I got dinner.

No. 10.
2.25M

Then after dinner, I lay down without undressing and slept till six in the evening. Our city, though laid out

No. 11.
2.50M

In wet weather the wheels of heavy carriages plowed them into a quagmire and in dry weather

(1) 피검사체와의 거리 (그림 1-2)

피검사체와의 거리는 필요한 조명을 어떤 것으로 해야 할 것인지, 최대 출력 및 최대 배율을 얻기 위해 필요한 초점거리를 어떻게 결정할 것인지를 고려할 때 매우 중요하다.

(2) 피검사체의 크기 (그림 1-3)

피검사체와의 거리와 함께 피검사체의 크기는 전 검사표면을 관찰하는데 필요한 (특히 측면 관찰용 보아스코프) 렌즈의 각도를 결정하는 데 관계된다.

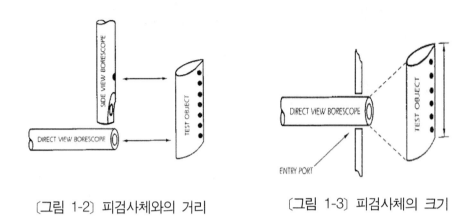

〔그림 1-2〕 피검사체와의 거리 　　　　 〔그림 1-3〕 피검사체의 크기

(3) 결함의 크기 (그림 1-4)

어떤 크기의 결함까지를 찾아야 하느냐에 따라 필요한 배율과 분해능이 결정된다. 예를 들면 아주 미세한 결함을 찾을 때는 그렇지 않을 때 보다 높은 분해능이 필요하다.

(4) 반 사 율 (그림 1-5)

탄소로 흡착 도포된 피검사체와 같이 빛을 흡수하거나 검은 표면을 관찰할 때는 보다 밝은 조명이 필요하다.

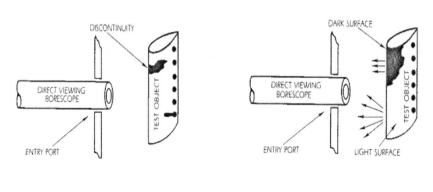

〔그림 1-4〕 결함의 크기 　　　　　 〔그림 1-5〕 반사율

(5) 투입구의 크기 (그림 1-6)

피검사체 안쪽으로 삽입할 수 있는 장비의 최대 지름은 바로 이 투입구의 크기와 관계된다.

(6) 피검사체의 깊이 (그림 1-7)

만약 피검사체의 여러 부분, 즉 서로 다른 깊이의 표면을 관찰해야 할 경우 전 부분을 단계적으로 잘 볼 수 있도록 초점 또는 보고자 하는 지점의 깊이를 잘 조절할 수 있어야 한다.

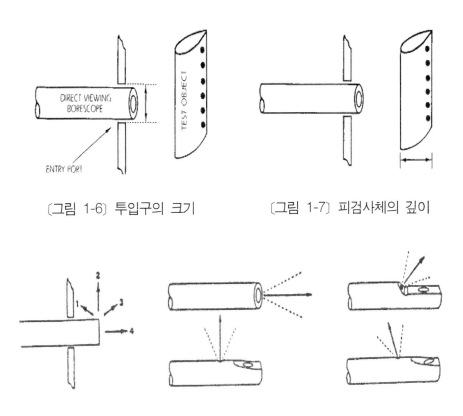

〔그림 1-6〕 투입구의 크기   〔그림 1-7〕 피검사체의 깊이

〔그림 1-8〕 관찰방향 (1:후방, 2:측방, 3:전방사각, 4:정면)

(7) 관찰 방향 (각도)

스코프의 관찰 방향에 따라 다음의 4가지로 분류할 수 있다. (그림 1-8)

상기와 같은 여러 가지 요소들을 잘 고려하여 실제 각 검사 시에는 어떤 특징을 가진 장비를 적절히 사용해야 할 것인지를 결정하여야 한다. 즉, 장비의 구경, 길이, 조명, 관찰 방향, 배율, 분해능, 피검사체 검사 깊이 등 등. 그러나 이와 같은 특성들의 일부는 서로 상충되기 때문에 이들 모두를 충족시키기는 어려우므로 필요에 따라 적절히 잘 조합하여 사용하여야 한다. 즉, 예를 들면 보는 각도를 크게 할 경우, 배율은 줄어들게 되나 볼 수 있는 깊이는 커진다. (그림 1-9)

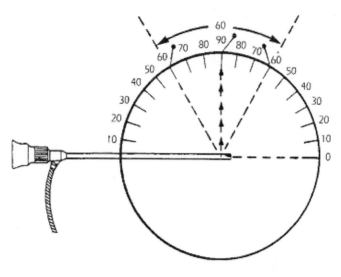

〔그림 1-9〕 관찰방향 및 각도

다. 육안검사 장비 : 시력 보조 도구 및 기계 보조 도구

육안검사를 수행할 때 사용되는 장비는 아주 다양하다. 거울, 확대경, 줄자 등과 같이 간
단한 장비에서부터 보아스코프, 파이버스코프, 마이크로미터 (Micrometer), 용접게이지 등
에 이르기까지 매우 다양하다. 육안검사 장비는 크게 시력보조 도구(Visual and Optical
Aids) 및 기계장비 (Mechanical Aids)로 구분할 수 있으며 여기서는 도구의 종류 정도만
나열하고 그 구체적인 사항은 제 3장에서 다루기로 한다.

(1) 시력 보조 도구

시력보조도구로 주로 사용되는 기기에는 거울, 파이버스코프, 확대경, 망원경, 보아스코
프, 현미경, 카메라, 비디오 장비, optical flat 등이 있다.

(2) 기계 보조 도구

기계보조도구로 사용되는 기기에는 자, 캠브리시 게이지, 버니어 캘리퍼, 필렛 용접 게
이지, 다이얼 캘리퍼, 하이-로우 게이지, 마이크로미터, 용접 게이지, 다이얼 인디케이
터, 온도 측정용 크레용, 콤비네이션 스퀘어 세트, 2중 금속 온도계, 스레드피치 게이지,
수준계, 갭 측정 게이지, 표면 거칠기 측정 장비가 있다.

라. 조명

(1) 조명 기구

일반적인 실내조명은 육안 검사를 수행하는데 충분하지 못하다. 따라서 육안검사 시 조명기구가 필요할 때가 많으며, 조명 정도는 어떤 검사체를 얼마만큼 정밀하게 검사하느냐에 따라 달라질 수 있다. 고밀도 형광등, 손전등 등은 일반 육안검사 시 조명 기구로 사용 가능하며, 보다 정밀한 검사를 수행하기 위해서는 특수한 조명이 필요하다. 이들 중에서 백열등 스탠드, 사진사들이 흔히 사용하는 전등 등은 넓은 부위에 고강도의 조명을 얻을 때 사용된다. 그림 1-10은 조명에 따른 물체의 효과를 보여주고 있다. 내부를 검사하는 검사 보조 도구인 보아스코프나 파이버스코프 등은 특별한 조명 장치가 필요하다. 그림 1-11 은 이들 특별 조명장치 들을 나타내고 있다.

〔그림 1-10〕 조명효과

〔그림 1-11〕 특별조명기구

(2) 필요한 표면 조도(밝기) 정도

미국 기계학회 규격 ASME B & PV Code, Section V, Article 9, "육안검사"의 경우 2007년판에서는 직접 육안검사 수행 시 필요한 조명 정도를 검사 표면에서 최소 100 footcandle(1000 lux) 이상 되어야 한다고 규정하고 있다. 또 원전 가동중 검사 요건을 규정한 규격인 ASME B & PV Code, Section XI, 2007년판에서는 필요한 조명 정도를 최소 50 footcandle (550 lux) 이상 되어야 한다고 규정하고 있다. 참고로 빛의 밝기를 나타내는 foot-candle에 대해 자세히 살펴보면, 태양 광선이 비추는 실외의 경우 약 5,000~9,000 foot-candle 정도이며, 실내 창문가의 밝기는 약 100 foot-candle, 시계수리, 기계 가공작업도 이정도의 표면밝기(조도)가 필요하다. 원격 육안검사 시는 직접 육안검사 시와 동등 이상의 분해능을 얻을 수 있는 조건이면 직접 육안검사를 대신하여 원격 육안검사를 할 수 있다고 규정하고 있다. ASME 규격의 위에 언급한 2007년판 이전 판들에서는 즉 반사율이 18%이고 선폭이 1/32인치인 Neutral Gray Card를 사용하여 표면에서의 적절한 조도를 판정하도록 하였으나 이는 상당히 주관적일 수 있어 현재는 거의 인용되지 않고 있다. 대신 육안검사 절차서 검증(Demonstration)에서는 선폭이 1/32 인치인 미세한 결함을 검출할 수 있는 지 검증하도록 요구하고 있다.

〔그림 1-12〕 Neutral Gray Card

(3) 조명(조도, 조명도) 측정 장비

필요한 표면 조도(조명도)의 측정에서 18% 회색 카드를 사용할 경우 조명도의 정도는 주관적으로 판정할 수밖에 없다. 빛의 밝기를 일정 이상의 foot-canlde 또는 룩스 (Lux) 로 할 경우, 빛의 밝기를 측정하는 장비가 필요하다. 그림 1-13은 표면 조도를 측정하는 장비(lux-meter) 이다.

〔그림 1-13〕 조도 측정 장비

마. 기록 방법

육안검사를 수행한 후 검사 결과를 기록으로 남겨야 한다. 육안검사에서 얻어진 정보를 기록으로 남기는 방법에는 크게 주관적인 방법(Subjective Method)과 하드카피법(Hard Copy Method)이 있다.

(1) 주관적인 방법

검사자가 실제 관찰한 것에 근거하여 일정 양식에 따라 필요한 정보를 기록하고 결함에 대해서 일정한 기호로 분류, 기록하든지 스케치하는 방법이다. 이 방법은 느리고 불편할 뿐만 아니라 제 3자가 판독하기 어려운 때가 많다. 또한 검사 결과가 검사자의 시력 및 검사자 능력 등에 크게 좌우되며 그 정확도는 다음에 나오는 하드 카피법보다 훨씬 떨어진다. 그러나 비용이 적게 들고 간편한 점 때문에 아직까지는 실제로 많이 사용되고 있다.

(2) 하드 카피법

이 방법은 사진, 비디오 녹화 등을 이용하여 육안검사 기록을 영구적으로 남기는 것으로 여러 가지 장점이 있다. 즉, 하드 카피 결과를 표준과 (정상적인 것 및 그렇지 않은 것) 쉽게 비교 가능하며 균열 등이 성장했는지, 검사 때마다 이전의 검사 결과와 비교함으로써 어떤 변화가 생겼는지를 쉽게 알 수 있다. 따라서 검사 결과가 보다 객관적이라 할 수 있다.

· 사진

사진은 기록을 남기는데 아주 좋은 방법 중 하나이다. 실제 서면 기록과 함께 사진을 첨부하면 아주 효과적인 기록이 될 것이다. 현장에서 즉시 촬영하고 확인하기 위해서는 폴라로이드 형의 카메라 또는 디지털카메라를 사용한다. 요즘은 디지털카메라가 일반화되어 있고 성능도 뛰어나 검사결과의 판정과 보고서 작성 등에 매우 편리하다. 다양한 성능의 여러 가지 카메라가 있으므로 필요에 따라 선택하여 사용 할 수 있다.

· 비디오 녹화

비디오로 녹화하여 기록을 보존하는 것이다. 몇 년 전까지만 해도 비디오 기기는 보편화가 되지 않았지만 요즘은 일반화 되어 있고 성능도 뛰어나 쉽게 이용할 수 있다.

2. 육안검사의 장단점

검사 절차는 비교적 간단하며 통상 (1) 표면세정, (2) 적절한 조명, (3) 관찰, 3단계로 구분할 수 있다. 이의 구체적 절차는 다음 장에서 언급하기로 하고 육안검사의 장점 및 그 단점을 살펴보면 다음과 같다.

가. 장점

- 검사가 간단하다.
- 검사 속도가 빠르다.
- 비용이 저렴하다.
- 적은 훈련으로 검사가 가능하다.
- 장비를 비교적 적게 사용한다.
- 피검사체 사용 중에도 검사가 가능하다.

나. 단점

- 표면 결함만 검출 가능하다.
- 눈의 분해능이 약하며 가변적이다.
- 일부 장비는 고가이다.
- 검사 시 산만하기 쉽다.
- 눈이 피로하기 쉽다.

【 제3절 연습문제 】

1. 육안검사를 정의하고 그 적용 범위, 사용 목적에 대해서 설명하시오.

2. 육안 검사자가 훌륭한 검사를 수행하기 위해서 기본적으로 알아야 할 사항에 대해서 기술하시오.

3. 육안검사에 대해 장·단점을 각각 3가지 이상 기술하시오

4. 다음 중에서 육안검사에 대한 올바른 설명이 아닌 것은 ?
  A. 표면 결함만 검출 가능하다.
  B. 표면 및 표면하 결함만 검출 가능하다.
  C. 표면은 깨끗해야 한다.
  D. 좋은 조명이 필요하다.

5. 육안 검사의 문제점 또는 단점이 아닌 것은 ?
  A. 눈의 피로
  B. 눈의 분해능
  C. 일부 장비의 고가
  D. 검사자의 산만함
  E. 눈의 색깔

6. 보아스코우프 또는 파이버스코우프 등을 사용하여 육안검사를 수행할 때, 피검사체와 관련하여 고려해야할 7가지 사항들에 대해서 기술하시오.

7. 육안검사 수행에 있어 5가지 기본 요소들은 무엇인가 ?

8. 육안검사 기록 중 일반적인 기록이나 스케치 이외에 영구 보존키 위한 것으로 어떤 것이 있는가 ?

9. 육안검사 결과를 기록으로 남기는 방법 2가지를 쓰시오.

10. 육안검사 결과를 기록하는 방법으로 가장 많이 쓰이는 방법은 다음 중 어느 것인가 ?
  A. 주관적 방법   B. 사   진
  C. 비디오 녹화   D. 하드 카피법

제 2 장 시각과 광학의 원리

육안검사는 여타 검사 보조도구를 사용할 수도 있으나, 본질적으로는 사람의 육안, 즉 시각(視覺) 또는 시지각(視知覺; Vision or visual perception)에 의존하여 검사를 수행한다. 그러므로 육안검사의 효율적인 수행을 위해서는 육안검사를 수행하는 검사자가 시각의 생리적 특성에 대하여 숙지하고 있어야 하며, 더불어 검사보조도구에 대한 이해를 높이기 위하여 기초적인 광학이론, 기하광학, 그리고 측광학(photometry)에 대한 이해가 필요하다. 여기에 추가하여 검사대상에 발생할 수 있는 지시(indication)와 결점(imperfection)에 대한 이해가 필요하겠으나 후자에 대한 내용은 제 4 장에서 자세히 다루도록 하고, 본 장에서는 시각에 대한 생리적 특성과 검사보조도구의 물리적 원리, 그리고 실제로 검사보조도구로 사용되는 기기들에 대한 설명을 한다.

제 1 절 시각 (Vision or visual perception)

시각은 눈을 통해 인지하는 감각들을 일컫는 말이다. 눈으로 인지하는 감각에는 사물의 크기, 모양, 색, 그리고 원근 등 여러 가지가 있겠으나, 통상 시각의 하위 지각으로 표 2-1에 제시한 것이 포함된다. 심리학의 연구 결과에서는 인간이 시각을 통하여 사물을 인지하는 기본적인 기준을 크게 두 가지로 나누어, 색체지각과 깊이 및 거리의 지각을 제시하고 있다. 색체지각을 통해 색상을 구분하며, 상대적 기준에 의해 판단되는 깊이 및 거리 지각으로 사물의 모양, 크기, 멀고 가까움을 구분한다. 여기서 깊이 및 거리에 대한 지각의 상대적인 기준은 표 2-2에 나열한 것들이다.

이 외에도 주관적 윤곽현상 및 착시로 대표되는 체계화 역시 시각을 형성하는 주된 요소이다. 여기서 체계화라 함은 인간은 눈으로 본 것을 이해하기 위해 본 것을 해석한다는 것이다. 좀 더 상세한 설명을 위하여 그림 2-1에 제시한 예시를 보자. Kanizsa 삼각형으로 알려진 이 그림을 보고서 두 개의 삼각형이 있다고 인지하는 것을 주관적 윤곽현상이라고 한다. 이와 같이 인간은 자신이 본 것을 종합적으로 인식하려는 경향이 있다. 착시 역시 심리적 요인, 체계화에 의한 시각의 형성 방법의 하나로 주관적 윤곽현상과 다소 그 범위가 중첩되는 부분이 있다. 착시는 인간의 시각은 상대적 기준에 따라 사물을 인지하므로 특정한 조건에서 여러 가지 착시 현상을 겪는다. 즉, 앞서 설명한 바와 같이 주관적 윤곽현상 역시 착시의 일종으로 볼 수 있다.

표 2-1 시각의 하위 지각

색각	색(color)에 대한 인지
양감	사물의 형태(shape)에 대한 인지
원근감	멀고 가까움(perspective)에 대한 인지
질감	표면의 결(texture)에 대한 인지

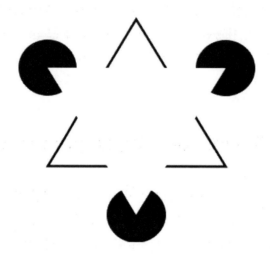

〔그림 2-1〕 Kanizsa triangle

육안검사와 관련된 발주자의 사양서, 규정, 규격에서 일부 정량적인 요건을 제시하고 있으나, 육안검사 현장의 환경은 매우 다양하고 검사자의 개인차도 고려할 만한 요소이다. 즉, 실제 육안검사에 영향을 미치는 대부분의 환경적 요인은 검사자 스스로 판단하여 검사에 적합하도록 준비 또는 조정해야하는 경우가 많으므로, 육안 검사자는 레이저나 강한 빛에 의해 발생할 수 있는 시각장애를 방지하기 위한 목적뿐만 아니라 검사의 효율성 제고를 위한 목적으로도 시각의 원리에 대하여 숙시하고 있어야 한다. 환경적요인과 관련한 시각 및 안구가 한정된 성능을 가질 뿐만 아니라, 결(texture), 결함의 형상, 검사자가 예상하는 결함의 크기/형태 등에 의하여 주관적인 시각이 형성될 수 있다. 이를 방지하기 위해서는 적절한 조명, 눈의 피로 방지, 정량적 측정을 위한 보조도구 사용 등 육안 검사자가 적절한 방안을 채용하여 검사를 수행해야 한다.

표 2-2 깊이 및 거리지각에 대한 시각의 상대적 기준

중첩	두개의 사물이 겹쳐 보이면 가려져 있는 것이 멀리 있다고 판단한다.
상대적 크기	동일한 모양의 사물들이 있다면 작은 것이 멀리 있다고 판단한다.
상대적 높이	동일한 모양의 사물들이 있다면 시야에 들어오는 각도가 큰 것이 높다고 판단한다.
표면의 겉	겉을 이루는 무늬가 촘촘할수록 멀다고 판단한다.
크기에 대한 친숙성	익숙한 물건으로 크기를 판단한다.
직선조망	곧게 뻗은 길 옆의 가로수는 마주 보는 사이가 짧을수록 멀다고 판단한다.
대기조망	주변의 풍경을 보며 흐릿하게 보이는 것이 멀리 있다고 판단한다.
운동단서	차를 타고 가며 보이는 빠르게 지나가는 가로수가 천천히 지나가는 것보다 가까이 있다고 판단한다.

1. 안구의 구조 및 결상의 원리

가. 안구의 구조

그림 2-2는 사람의 안구 구조를 보여준다. 사람의 안구와 가장 닮은 기계로 흔히 볼 수 있는 사진기가 있으며, 이와 사람의 안구를 비교함으로써 안구 및 결상의 원리에 대한 이해를 쉽게 할 수 있다. 사진기의 경우, 피사체에서 반사된 빛은 렌즈를 통해서 감광체에 결상시키는데, 렌즈를 통과한 빛만 감광체에 결상하기 위해서는 렌즈와 감광체 사이를 외부와 차단하고 어두운 공간으로 만들 필요가 있으며, 이러한 역할은 사진기의 몸체에서 한다. 렌즈, 실, 감광체 이 세 가지 요건만 갖추어도 감광체에 상을 만들 수 있으나, 조명의 정도, 감광체가 가지는 특성에 의하여 조리개 및 셔터가 추가로 필요하게 된다. 사람의 눈 역시 이와 유사한 구조로 되어 있으며 표 2-3에서 사람의 안구와 사진기의 각 부분을 비교하여 제시한다.

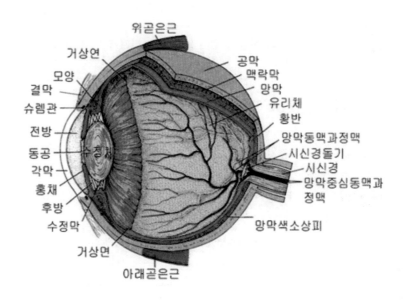

〔그림 2-2〕 안구의 구조

나. 결상

사람의 눈이 반응하는 영역을 가시광선 영역이라 하며 대략 360~700nm의 파장을 가지는 빛에 해당한다. (그림 2-3) 이 영역에 해당하는 빛은 망막의 시세포에 의하여 검출되며 시세포는 빛에 반응하여 전기적/화학적 신호를 시신경에 전달한다. 적절한 상을 망막에 결상하기 위해 안구에 의하여 조절되는 것은 원근 및 명암, 즉, 안구는 원근 및 명암을 조절하기 위한 일련의 광학계로 볼 수 있다. 원근은 모양체, 진대 그리고 수정체에 의하여 이루어지며 명암조절은 조리개 역할을 하는 홍채에 의하여 이루어진다.

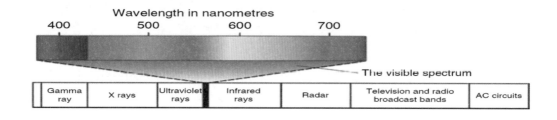

〔그림 2-3〕 파장에 따른 전자기파의 분류 및 가시광선 영역 분포

표 2-3 사람의 눈과 사진기의 비교

눈	사진기	기 능
망막	필름 CCD	안구의 가장 안쪽에 위치한 막 구조, 실제로 결상이 되는 부분이며 시세포가 빛의 자극을 수용한다.
맥락막	몸체	공막의 안쪽에 위치한 막 구조, 멜라닌 색소가 빛의 투과를 막아 유리질 내부가 암실 역할을 할 수 있도록 한다.
공막		안구의 가장 바깥쪽에 위치한 막 구조, 흰색의 질긴 막으로 눈의 내부를 보호하는 역할을 한다. 눈의 흰자위는 공막에 해당한다.
수정체	렌즈	투명한 볼록렌즈 모양으로 탄력성이 있다. 모양체에 의해 두께가 조절되어 빛을 알맞게 굴절시켜 망막에 상이 맺히도록 한다. 안구 전체 굴절력의 30%가 수정체에 의하여 굴절된다.
각막		안구의 앞쪽에 있는 투명한 막으로 공막이 변형되어 생긴 것. 전체 굴절력의 70%가 각막에 의하여 굴절된다.
홍채	조리개	맥락막의 앞부분이 변형되어 생긴 것으로 눈의 검은자위에 해당한다. 수정체로 들어오는 빛의 양을 조절하며 홍채 열린 부분을 동공(눈동자)이라 한다.
모양체		맥락막의 일부가 변한 것으로 수정체 변두리에서 진대에 의해 수정체에 연결되어 수정체의 두께를 조절한다.
진대(인대)		수정체와 모양체를 연결하는 질긴 막.
수양액		각막과 수정체 사이의 림프액, 각막과 수정체에 양분을 공급한다.
유리체		안구내부를 채우고 있는 반 유동성의 투명한 물질로 수정체에서 굴절된 빛이 망막까지 도달하는 경로를 제공.

(1) 원근조절

후에 기술할 기하광학의 단 렌즈 방정식에서 알 수 있듯이, 피사체와 렌즈사이의 거리가 달라지면 렌즈에 의하여 결상되는 위치 즉 초점거리 또한 달라진다. 안구 및 대부분의 사진기에서는 렌즈와 상이 맺히는 부분의 거리가 고정되어 있으므로 피사체의 거리에 따라 초점거리를 조절할 수 있는 적절한 방법이 요구된다. 사진기의 경우 복수의 렌즈를 사용하여 그 간격을 조절하는 방식으로 초점거리를 조정한다. 안구는 두 개의 렌즈 즉, 각막과 수정체를 가지고 있으나 원근조절을 하는 방법은 사진기와 다르다. 복수개의 렌즈 사이거리를 조절하여 초점거리를 조절하는 사진기와는 달리 안구는 수정체의 모양을 조정하여 초점거리를 조절한다. 원근 조절에 대한 안구의 성능은 굴절력 (dioptric power) 및 조절력(accommodation)으로 나타낼 수 있으며 원근 조절 기능에 이상이 있는 경우, 흔히 원시 또는 근시 장애를 보인다.

(2) 명암조절

명암의 조절은 수정체를 통과하는 빛의 양을 조절하는 것으로 홍채의 수축 및 이완에 의한 조리개 작용으로 이루어진다. 어둡고 빛의 양이 부족한 곳에서는 홍채가 축소되어 동공이 확대되어 망막에 도달하는 빛의 양이 증가한다. 빛의 양이 풍부한 곳에서는 반대로 작용하여 망막에 도달하는 빛을 줄여 시세포를 보호한다.

(3) 망막

망막은 사진기의 필름 또는 CCD와 같이 안구에서 실제로 상이 맺히는 부분으로 시세포 (원추세포, 간상세포)가 분포한 막이다. 시세포는 빛에 반응하는 세포로 빛이 세포에 닿으면 전기반응과 화학반응을 일으켜 시신경으로 정보를 전달한다. 색에 대하여 반응하는 즉 서로 다른 파장의 빛을 인지하는 시세포는 원추세포로 그림 2-4에 나타낸 바와 같이 빨강, 초록, 파랑 세 가지 색을 구분할 수 있으며 그 외의 색은 이들 세 가지 색의 여러 비율로 흥분을 일으켜 인지하는 것이다. 원추 세포는 황반을 중심으로 망막의 중앙부에 많이 분포하며, 0.1 Lux 이상의 밝은 빛을 감지, 물체의 형태 외에 색깔을 구별한다. 사람의 경우 망막에 약 700만 개 정도의 세포가 있다. 이에 비해 간상세포는 망막의 주변부에 주로 분포하고 0.1 Lux 이하의 약한 빛을 감지하여 빛의 밝기만 감지하므로 명암이나 물체의 형태를 구별한다. 사람의 간상세포는 망막에 약 1억 3,000만 개 정도기 있다. 원추세포와 간싱세포 모두 광 감수성을 가시고 있는 수용체이나 서로 다른 특성을 보이며 망막에서의 분포 또한 서로 다르다. 표 2-4에서 두 세포를 비교하여 설명한다.

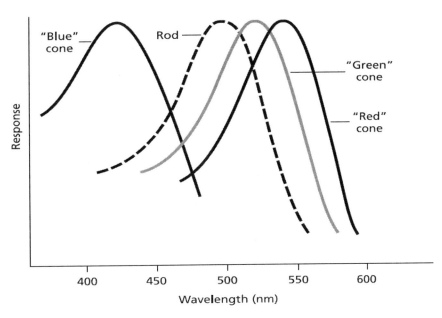

〔그림 2-4〕 빛의 파장에 따른 시세포의 민감도

표 2-4 원추세포와 간상세포의 비교

	원추세포	간상세포
분포	황반을 중심으로 망막의 중앙에 많이 분포, 약 700만개	망막의 주변부에 많이 분포, 약 1억 3000만개
접합자극	0.1 lux 이상의 밝은 빛	0.1 lux 이하의 약한 빛
감각	물체의 형태와 색각	물체의 형태
감광색소	요돕신 (iodopsin)	로돕신 (rhodopsin)
이상	색맹	야맹증
비고	주행성 동물에 발달	야행성 동물에 발달

망막에는 시세포 신경다발이 연결된 부분이 있으며 이곳에는 시세포가 분포하지 않으므로 맺힌 상을 검출하지 못한다. 이 부분을 맹점이라고 하며 간단한 테스트로도 확인할

수 있다. 실제 육안검사의 경우 두 눈을 활용하므로 맹점이 문제시되는 경우는 없다. 수정체의 광축이 도달하는 지점에는 시세포가 밀집한 부분이 있으며 이를 황반이라 한다. 황반에서는 상이 선명하게 맺힐 뿐만 아니라 밀도 높은 시세포로 인하여 상에 대한 인식의 정도가 높다.

다. 암순응

그림 2-5는 암순응을 보여주는 것으로, 그림에서 알 수 있듯이 시간이 증가할수록 시신경이 빛을 검출하는 감도가 높아짐을 보여준다. (또는 문턱 값이 낮아짐을 보여준다) 그래프 좌측의 급히 변하는 부분은 원추세포에 의한 암순응에 해당하며 약 5분의 시간이 소요됨을 알 수 있다. 간상세포에 의한 암순응은 그 이후 서서히 변하는 부분에 해당하며 오른쪽 끝단부에 해당하는 점근영역(asymptote)은 대략 30분 정도의 시간이 지난 후에 도달할 수 있다.

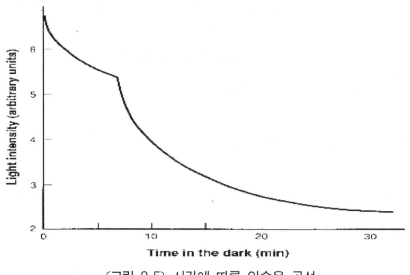

〔그림 2-5〕 시간에 따른 암순응 곡선

라. 명소시(Photopic vision)와 암소시(Scotopic vision)

명소시란 밝기가 어느 정도 이상 높은 상태 또는 명순응 아래서의 시각으로 낮의 밝은 장소에서의 눈의 보통 상태를 일컫는다. 세부적인 부분에 대한 식별이 우수하고 빛깔의 판별이 이루어지는 상태이다. 이러한 조건하에서는 망막의 빛 수용세포 중의 원추세포가 주로 활동하며 가장 밝게 느껴지는 빛깔은 그림 2-6에서 알 수 있듯이 스펙트럼 중에서

550nm 정도의 파장인 빛이다. 암소시에 비하면 백색광에 대한 감수성은 떨어지나 세부적인 부분에 대한 식별은 명소시가 우수하며, 색채의 판별은 이 상태에서 비로소 이루어진다. 일반적인 조명조건 $1 \sim 10^6 \; cd/m^2$에서는 명소시가 지배적이다. 반면 암소시는 빛의 양이 부족한 상태에서 원추세포에 의하여 형성되는 시각으로 색상에 대한 구별이 불가능한 상태이다. 암소시는 $10^{-2} \sim 10^{-6} \; cd/m^2$의 조명에서 형성된다. 표 2-5에서 명소시와 암소시에 대응하는 빛의 세기 및 일상생활에서 접할 수 있는 상황을 제시하였다.

표 2-5 가시광선의 세기

Intensity ($candela/m^2$)		
정오 때 햇빛	10^{10}	
	10^{9}	손상위험
	10^{8}	
	10^{7}	
100와트 전구	10^{6}	
	10^{5}	
태양광 아래의 흰 종이	10^{4}	명소시
	10^{3}	
	10^{2}	
독서에 적당한 조명	10^{1}	
	10^{0}	박명시 (mesopic vision)
	10^{-21}	
달빛 아래의 흰 종이	10^{-22}	
	10^{-23}	
별빛 아래의 흰 종이	10^{-24}	암소시
	10^{-25}	
육안으로 식별 가능한 가장 약한 빛	10^{-26}	

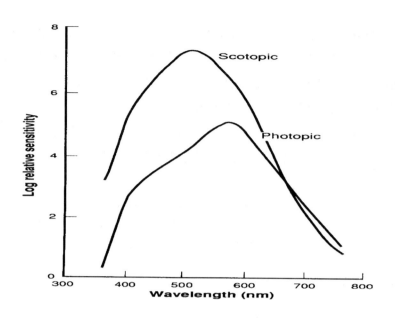

〔그림 2-6〕 간상세포에 의한 암소시와 원추세포에 의한
명소시의 주파수 스펙트럼

망막에서 시세포의 분포는 그림 2-7과 같다. 색을 구분하는 원추세포는 황반에 집중되어 있고 간상세포는 주변시를 형성하는 넓은 영역에 분포되어 있다. 특히 간상세포는 황반근처에 거의 존재하지 않는 것을 볼 수 있다. 이는 빛의 양이 부족한 경우 즉 암소시의 경우 황반에 맺히는 상은 인지하기 어려우며 주변시에 의하여 정보가 수집될 것임을 의미한다. 반면, 빛의 양이 풍부한 경우에는 황반에 맺히는 상의 색상에 의하여 주된 정보가 전달 될 것임을 알 수 있다.

마. 시력 결함

안구의 각 부분 중 일부가 제 기능을 수행하지 못하는 경우 정상적인 시각을 형성하기 어려우며 이는 선천적 요인, 사고, 노령화 등 다양한 원인에서 발생할 수 있다. 일반적으로 잘 알려진 이상의 예는 근시, 원시, 난시, 전색맹, 부분색맹, 색약이 있으며, 사고 등에 의한 특수한 경우에는 표 2-5의 상단부에 제시한 바와 같이 강한 빛에 의한 시세포 손상이 있다. 시세포는 가시광선뿐만 아니라 적외선, 자외선, 레이저 등에 의해서도 발생 할 수 있으므로 이러한 광원을 사용하는 경우 보호 장구를 반드시 사용해야 한다. 일반적으로 알려진 시각장애에 대한 간략한 설명을 표 2-6에 제시하였다.

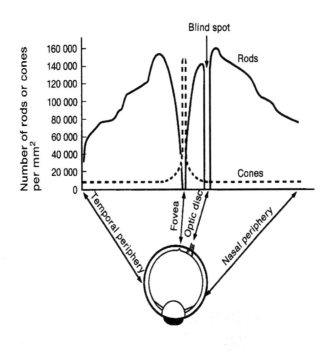

〔그림 2-7〕 망막에서 간상세포 및 원추세포의 분포

표 2-6 시각장애의 예

근시	먼 거리를 주시할 때 안 축(안구의 앞 뒤 지름)이 너무 길어 망막 앞에서 상이 맺히는 현상. 오목렌즈를 이용하여 교정할 수 있다.
원시	가까운 거리를 주시할 때 안축이 너무 짧아 망막 뒤에 상이 맺히는 현상. 볼록렌즈로 교정할 수 있다.
난시	각막 또는 렌즈의 면이 정상적 구면을 이루지 못하거나 렌즈의 중심이 안축에서 벗어나 상이 부분적으로 흐리게 보이는 경우에 해당하며 원주렌즈로 교정할 수 있다.
전색맹	원추세포 전체에 이상이 있는 경우로 색에 대한 지각이 전혀 없고, 명암에 대한 지각만 있는 경우.
부분 색맹	원추세포의 일부에 이상이 생겨 일부 색을 구별하지 못하거나 또는 판단이 다른 색으로 나타나는 경우. 빨간색과 녹색을 분리해서는 구별이 되나 혼합시켜 놓으면 혼동하는 경우를 적록색맹이라고 한다.
색약	3색계 원추세포 중 하나 또는 두 종류의 원추세포가 기능적으로 부실하여 발생.

2. 시력의 측정

가. 시력 (Visual Acuity)

시력은 그림 2-8에서 보인 스넬렌 차트(Snellen chart)와 같이 흰색바탕에 검은색 그림 또는 문자로 구성된 표준 표식(그림 2-9)을 구분하는 능력을 측정한 정량적 값이다. 서로 다른 두 점이 눈의 광학적 중심과 연결되어 이루는 각을 시각이라 하며, 그 중 눈이 두 점을 구별할 수 있는 최소의 시각(視角, Angle of view)을 최소시각이라 한다. 시력이란 최소시각이 어느 정도인가를 말하는 것으로서, 일반적으로 쓰이는 0.5라든가 1.2라는 값은 최소시각을 60분도(1/60도) 또는 20분도(1/20도)의 역수로 나타낸 것이다. 시력은 여러 가지 굴절 이상, 그 밖의 안질환으로 저하되지만, 이외에도 시표의 밝기, 배경과의 대조 등에 의해서도 달라진다. 일반인의 건강한 눈의 시력은 500lux의 표준 조도에서 1.2~1.5로 알려져 있다.

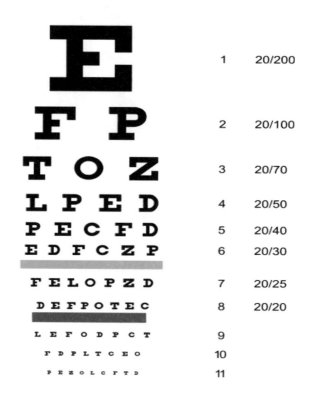

〔그림 2-8〕 시력검사에 주로 사용되는 Snellen Chart의 예시
; image courtesy of Wikipedia

일반적으로 시력이라 하면 망막의 중심와에서의 시력을 말하며, 이 부분은 가장 좋은 값

을 나타내지만, 망막 주변에서의 시력은 황반에서 멀어짐에 따라 급격히 감소한다. 최대의 시력이 나올 수 있는 조명과 측정법을 사용한 실험실적 검사에서 최소 시각은 20~30초로 시력으로는 2.0~3.0에 해당한다. 시력의 극대는 중심와에서의 시세포; 원추세포의 크기에 의존하며, 일반적으로 두 선 또는 두 점을 식별하려면 선(또는 점)의 중심간 거리가 적어도 추상체세포의 지름의 2배가 되어야 한다고 한다. 그러나 실제로는 망막에 비치는 영상의 윤곽은 눈의 수정체, 그 밖의 굴절계의 수차나 산광, 동공에 의한 회절 등으로 인하여 선명하게는 되지 않으므로, 이론값과 실측값의 차이가 생긴다.

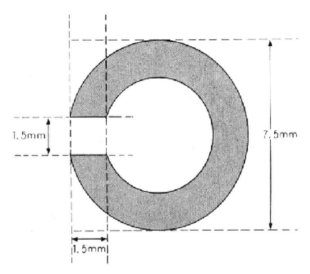

〔그림 2-9〕 시력 1.0에 해당되는 란돌프 고리

나. 시력검사

의료분야에서 표준으로 사용하고 있는 방법은 시력을 20/20으로 표시하는 방법으로 여기서 분모는 1 arc minute 떨어진 두 물체를 구분할 수 있는 feet 단위의 거리이며, 분자는 표준 시력을 가진 사람이 같은 조건의 두 물체를 구분할 수 있는 feet 단위의 거리이다. 즉 1.0 (=20/20)의 시력은 일반적인 사람들이 가지는 표준 시력에 해당한다고 할 수 있다. 미터단위에서 이에 상응하는 표기법은 6/6법으로 6미터의 거리에 해당한다. 안구의 광학계에 있어서 20 feet (또는 6m)의 거리와 무한대의 굴절력 차이는 불과 0.164D이므로 두 경우는 거의 동일하게 취급할 수 있다. 이러한 이유로 20/20 법에 의해 측정된 시력은 원거리 시력을 대변한다. 시력측정은 통상 한쪽 눈을 이용하여 수행해야 하며 아래의 절차에 따른다.

- 스넬렌 차트를 20 feet (또는 6m)의 거리에 두고 조명을 480~520 lux로 유지한다.
- 피검사자가 안경을 쓴다면 안경을 쓴 채 검사한다.
- 가리개를 이용하여 검사하지 않는 눈을 가린다. 이때 시력이 나쁜 눈을 먼저 검사한다.
- 큰 표식들부터 시작하여 순차적으로 작은 표식들을 읽어 간다. 피검사자는 각 열에 있는 모든 표식들을 읽고 분별해야하며 이를 시력 검사자에게 알려준다.
- 시력이 20/20이라고 판단되면, 가리개의 핀홀(pin hole)을 이용한 검사를 수행해야하며 피검사자의 시력은 이 검사에서 얻은 값이다.
- 반대쪽 눈에서 똑같은 절차로 검사한다.
- 원거리 시력을 검사한 후, 15.7 inch (또는 40cm)의 거리에 근거리 검사용으로 수정된 스넬렌 차트를 두고 근거리 시력을 검사한다.
- 어떤 경우에는 두 눈을 동시에 이용한 시력검사를 수행할 수도 있다. 두 눈을 이용하는 경우 한쪽 눈씩 검사하는 것 보다 조금 나은 시력으로 측정되는 것이 대부분이다.

시력측정은 표식을 보고 읽는 것 이상이 포함되는데, 피검사자의 협조, 표식에 대한 이해, 시력 검사자와 소통여부가 그것이다. 이러한 요건이 충족되지 않은 상황에서 측정된 시력은 정확하다고 보기 어렵다. 그 예로 피 검사자가 자의에 의해서 또는 신체적/정신적 요인에 의해서 협조할 의사를 보이지 않을 경우이다. 잠이 오거나 술 또는 약물에 취해있는 경우 수행한 시력검사는 신빙성을 가지지 않는다. 육안검사자에 대한 시력검사는 의사, 간호사, 또는 시력검사에 대한 사전 지식을 가진 NDT Level III에 의하여 수행되는 것이 바람직하다.

3. 시력의 한계

앞선 설명들에서 암순응, 착시, 가시광선 영역 등은 모두 시각의 한계에 대한 내용을 포함하고 있다. 이러한 요소들이 적절할 경우, 즉 적절한 검사환경이 조성되어 있으며 검사자의 신체적/심리적 상태가 건전할 경우 안구의 광학적 생리적 원리에 의하여 근본적으로 발생하는 시력의 한계를 살펴보면, 시력은 크게 안구 광학계의 성능과 망막의 시신경의 분포에 의하여 그 한계가 정해진다. 사진기의 경우와 비교하여 설명하면, 전자는 렌즈의 성능에 의한 한계, 후자는 필름, CCD와 같은 수광체에 의한 한계에 해당한다.

가. 안구 광학계의 왜곡

각막과 수정체를 포함하는 안구의 광학계를 통과하여 망막에 맺히는 상은 빛의 반사, 흡수, 회절, 수차, 산란 등에 의해 영향을 받는다. 회절과 수차는 망막의 이미지에 직접적 영향을 미치며 동공의 크기에 따라 영향을 받는다. 그림 2-10에 보인 바와 같이, 수정체의 중심을 통과하여 망막에 결상되는 경우 수정체 곡률이 일정치 않음으로 인하여 발생하는 수차가 적다. 그러나 동공이 확대되어 수정체의 전반에 걸쳐 빛이 입사되고 망막에 결상될 경우 이러한 수차의 영향은 체감할 수 있을 정도로 커지게 되며 그 결과 결상된 상의 선명도는 떨어지게 된다.

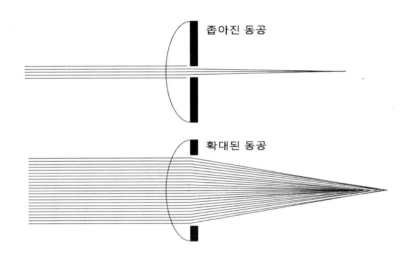

〔그림 2-10〕 동공의 확대에 따른 빛의 양의 증가 및 수차 증가

나. 망막의 광수용체의 한계

황반의 광수용체의 통상적인 크기는 약 2 μm이다. 즉, 안구의 광학계가 수차나 회절의 영향 없이 정확하게 결상한다 하더라도, 시세포는 일정크기를 가지므로 황반, 중심와에서 시세포의 밀도에 의하여 시력의 한계가 결정된다. 이 값은 대략 20/8(2.5)에서 20/10(2.0) 정도로 알려져 있다. 즉, 안구의 광학계를 정밀하게 교정하는 방법이 있다 하더라도 근본적으로 육안이 도달할 수 있는 시력은 약 2.5가 최대값이라 할 수 있다.

이상 설명한 시력의 한계는 안구 및 망막의 시세포에 의해 결정되는 극한값이다. 그러나 시력은 환경적 요인, 심리적요인, 그리고 특히 조명의 요건에 따라 크게 변할 수 있으며 그 예는 암소시, 명소시, 주변시, 암순응 등이 있다. 육안검사자는 여러 요건 특히 조명요건에 의하여 발생할 수 있는 시각의 한계를 숙지해야하며 이를 방지하기 위한 노력을 지속적으로 유지하면서 검사에 임해야 한다.

제 2 절 광학

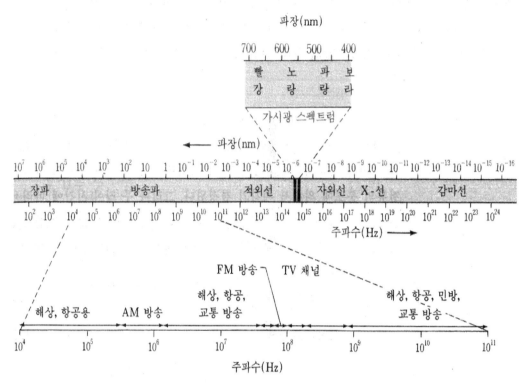

〔그림 2-11〕 적외선, 가시광선, 자외선의 파장 및 공업적 사용의 예

과거에는 가시광선만 빛이라고 생각하였으나 현대에는 빨간색 가시광선보다 파장이 긴 적외선(750nm～1mm)과 보라색 가시광선보다 파장이 짧은 자외선(10～390nm), 자외선보다 파장이 더 짧은 X선 등의 전자기파를 포함한다. 특히 사람의 육안과 관계되는 빛은 가시광선으로 파장의 범위는 분류방법에 따라 다소 차이가 있으나, 대체로 380～770nm이다. 가시광선 내에서는 파장에 따른 성질의 변화가 각각의 색깔로 나타나며 빨강색으로부터 보라색으로 갈수록 파장이 짧아진다. 단색광인 경우 700～610nm는 빨강, 610～590nm는 주황, 590 - 570nm는 노랑, 570～500nm는 초록, 500～450nm는 파랑, 450～400nm는 보라로 보인다. 육안이 가장 민감하게 반응하는 빛은 550nm의 파장을 가지는 빛으로 이는 노란색과 녹색의 사이 연두색 정도에 해당한다. 분홍, 자주 등 시각을 통하여 분별할 수 있는 색에는 빛의 스펙트럼에 없는 것도 있는데, 이는 두 가지 이상의 빛을 인위적으로 섞어 만든 것으로 가시광선의 스펙트럼 영역에는 존재하지 않는다. 빨강보다 파장이 긴 빛을 적외선, 보라보다 파장

이 짧은 빛을 자외선이라 하며 육안으로 볼 수 없다. 대기를 통해서 지상에 도달하는 태양 복사의 광량은 가시광선 영역이 가장 많다. 자연광을 포함한 대부분의 광원은 백색에 가까우며 이는 앞서 설명한 시세포가 구분 가능한 세 가지 색채에 해당하는 빛이 모두 섞여 있는 경우에 해당한다. 이러한 백색광을 각각의 색채에 해당하는 빛으로 분해하는 것을 분광이라 하며 프리즘(prism)으로 간단히 수행할 수 있다. 그림 2-11은 적외선, 가시광선, 자외선의 파장 및 공업적 사용의 예를 보여주고 있다.

1. 빛의 전파

빛의 일정 스펙트럼 영역에 속하는 전자기파로 그 물리적 특성은 전자기학에서 말하는 전자기파와 완전히 같다. 빛이 물질과 상호작용하는 방법으로 투과, 반사, 굴절, 회절이 대표적이며 이는 비단 빛뿐만 아니라 모든 종류의 파동에 공통적으로 나타나는 현상이다.

가. 투과와 반사

투과 반사에 의한 빛의 분리, 즉 빛의 투과/반사 계수는 프레넬 방정식(Fresnel equations)으로 나타 낼 수 있다. 여기서, 투과/반사 계수는 굴절률이 서로 다른 두 매질의 경계에서 입사된 빛의 투과/반사되는 빛의 양을 입사된 빛의 세기로 나눈 것을 의미한다.

$$R_s = \left[\frac{\sin(\Theta_t - \Theta_i)}{\sin(\Theta_t + \Theta_i)} \right]^2 = \left[\frac{n_1 \cos\Theta_i - n_2 \sqrt{1 - \left(\frac{n_1}{n_2} \sin\Theta_i\right)^2}}{n_1 \cos\Theta_i + n_2 \sqrt{1 - \left(\frac{n_1}{n_2} \sin\Theta_i\right)^2}} \right]^2 \quad \text{(식 2-1)}$$

$$R_p = \left[\frac{\tan(\Theta_t - \Theta_i)}{\tan(\Theta_t + \Theta_i)} \right]^2 = \left[\frac{n_1 \sqrt{1 - \left(\frac{n_1}{n_2} \sin\Theta_i\right)^2} - n_2 \cos\Theta_i}{n_1 \sqrt{1 - \left(\frac{n_1}{n_2} \sin\Theta_i\right)^2} + n_2 \cos\Theta_i} \right]^2 \quad \text{(식 2-2)}$$

여기서, 첨자 p 와 s 는 빛의 편광방향을 의미하며 R_s 는 반사면에 수평한 편광의 반사율, R_p 는 반사면에 수직한 편광의 반사율, n_1 은 입사매질의 굴절률, 그리고 n_2 는 투과매질의 굴절률이다. 투과/반사면에 수직으로 입사하는 경우 편광방향에 대한 차이는 없으며 프레넬 방정식은 식 2-3 및 2-4와 같이 간단히 쓸 수 있다.

$$R = R_s = R_p = \left[\frac{n_1 - n_2}{n_1 + n_2} \right]^2 \quad \cdots\cdots\cdots\cdots\cdots\cdots\cdots\cdots\cdots\cdots\cdots\cdots\text{(식 2-3)}$$

$$T = T_s = T_p = [1 - R] = \frac{4 n_1 n_2}{(n_1 + n_2)^2} \quad \cdots\cdots\cdots\cdots\cdots\cdots\cdots\cdots\text{(식 2-4)}$$

그림 2-12는 굴절률이 두 배 차이나는 경우, 굴절률이 낮은 매질에서 높은 매질로 입사되는 경우와 그 반대의 경우에 대하여 식 2-1 및 2-2로 표현되는 입사각에 따른 각 편광의 반사계수를 나타낸 것이다. 전자의 경우 좌측의 그림에 해당한다. Brewster각으로 알려진 $64°$부근에서 p 편광은 반사가 되지 않는 것을 알 수 있으며, 두 편광 모두 입사각이 증가함에 따라 반사계수가 증가한다. 후자의 경우는 두 번째 그림에 해당하는데, 임계각 (Critical angle)으로 알려진 $30°$부근의 입사각 이상에서는 두 편광 모두 완전히 반사함을 알 수 있다. 이 두 그림은 육안검사자에게 시사하는 바가 큰데, 조명의 각도나 육안검사자의 시선이 표면과 이루는 각도가 적절하지 않은 경우 전반사 또는 반사가 일어나지 않음으로 인하여 검사결과에 영향을 초래할 수 있음이다. 공기 중의 굴절률은 1로 근사할 수 있으며 모든 매질에서 굴절률은 1보다 크므로 육안검사가 수행되는 대부분의 경우는 전자에 해당한다.

반사의 경우 빛의 세기와는 별도로 투과/반사된 빛의 진행방향을 기준으로 하여 몇 가지로 분류할 수 있다. 반사는 파면의 방향이 바뀌는 것으로 서로 다른 굴절률을 가지는 두 매질의 경계에서 발생하므로 반사파의 파면을 기준으로 하여, 반사는 크게 정반사 (Specular reflection), 난반사(Scattered reflection) 두 종류로 나눌 수 있으며, 특수한 경우에 발생하는 현상으로 퍼짐반사(Diffuse reflection), 임계각 반사(Critical angle reflection) 및 역반사(Retro-reflection)가 있다. 통상 반사라 함은 그림 2-13에 나타낸 바와 같은 정반사를 말하며 반사면이 매끈하고 굴곡이 거의 없는 경우에 발생하며 아래의 세 가지 규칙을 따른 경우이다.

· 입사파과 반사파 그리고 입사점은 한 평면에 있다
· 입사파와 반사파의 각도는 같다
· 빛의 경로는 가역적이다.

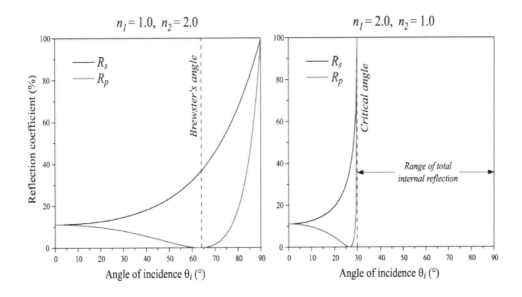

〔그림 2-12〕 프레넬 방정식의 도식; 굴절률 및 입사각에 따른 반사계수의 변화

(1) 난반사

정반사의 경우에 해당되지 않는 반사를 모두 난반사라 한다. 특히, 반사되는 빛이 모든 방향으로 동일한 휘도(luminance)를 가지는 경우 퍼짐반사(diffused reflection) 또는 Lambertian 반사라 한다.

(2) 역반사 (Retro-reflection)

빛이 입사된 방향으로 다시 되돌아가는 형태의 반사를 말한다. 그림 2-15와 같이 두 개의 거울을 이용하여 역반사를 쉽게 만들 수 있으며, 굴절률이 입사매질의 두 배가 되는 투명한 구의 경우에도 역반사를 얻을 수 있다. 흔히 볼 수 있는 예로 도로의 표지판이나 안전표시판 등이 있다.

(3) 전반사(Total reflection)

그림 2-16에서 보인 바와 같이 굴절률이 작은 매질에서 굴절률이 큰 매질로 빛이 입사되는 경우 굴절률이 큰 매질이 투과성임에도 불구하고 입사된 빛이 투과하지 못하고 모두 반사되는 현상을 말한다. 임계각 이상의 각도에서 반사된 빛은 반사면에 수직한 편

광이며 흔히 볼 수 있는 예로 물결, 거친 금속 표면, 모래 등에서 반사되는 빛의 반짝임
이 있다. 임계각 반사에 의한 빛은 육안검사에 악영향을 미치므로 규격 또는 절차서에
서 제시하는 사항을 준수하여 이러한 빛이 발생하지 않도록 해야 한다. 편광은 편광필
터를 이용하여 차단할 수 있으므로 피할 수 없는 경우 편광필터를 이용하여 육안검사를
수행해야 한다.

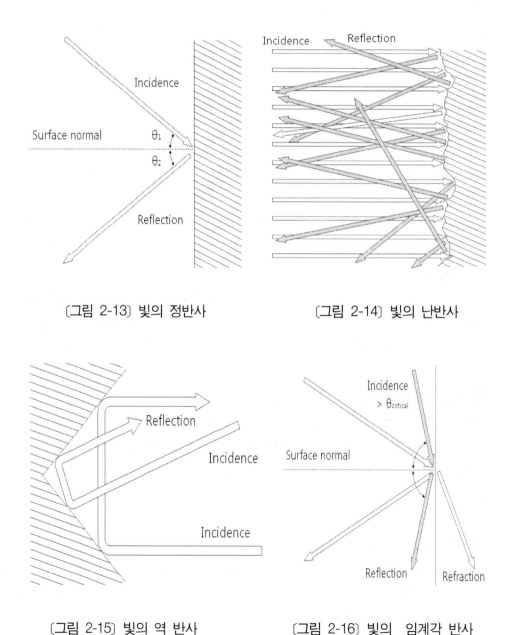

〔그림 2-13〕 빛의 정반사   〔그림 2-14〕 빛의 난반사

〔그림 2-15〕 빛의 역 반사   〔그림 2-16〕 빛의 임계각 반사

나. 굴절

굴절률이 서로 다른 두 매질의 경계를 빛이 투과할 때 발생하는 현상으로 그림 2-16에서 보인 바와 같이 두 매질의 경계를 통과하면서 파면 즉, 빛의 진행방향이 바뀌는 현상을 말한다. 입사각과 굴절각의 관계는 스넬(Snell)의 법칙에 의하여 결정된다.

$$\frac{\sin\theta_1}{\sin\theta_2} = \frac{v_1}{v_2} = \frac{n_2}{n_1} \quad \cdots\cdots\cdots\cdots\cdots\cdots\cdots\cdots\cdots\cdots\cdots\cdots\cdots\cdots\cdots\cdots(2\text{-}5)$$

다. 회절

빛을 포함하는 파동의 전파는 호이겐스-프레넬 원리에 의하여 설명될 수 있으며, 이는 회절을 설명하는 기본 원리이기도 하다. 그림 2-17의 단일 슬릿 회절에서 보인 바와 같이 파면이 차단되고 그 일부가 개방될 경우 호이겐스-프레넬 원리에서 말하는 소파면 (Secondary radial wave) 극히 일부만 진행하게 되며 이들 각각의 소파면의 간섭으로 인하여 관찰자는 주기적인 굴곡을 가진 회절 양상을 보게 된다. 단일 슬릿과 같이 파면의 일부에서만 전파가 허용된 경우 외에도 매우 좁고 첨예한 모서리 등 역시 회절을 발생시키는 요인이 될 수 있다. 이와 같이 매우 작은 또는 빛을 반사하는 면의 크기가 매우 작은 경우를 고찰하는 것은 광학계에 의하여 만들어질 수 있는 영상의 질에 대한 설명으로 이어진다.

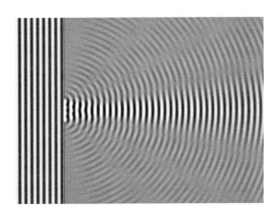

〔그림 2-17〕 단일 슬릿에 의한 회절

〔그림 2-18〕 에어리 디스크의 예

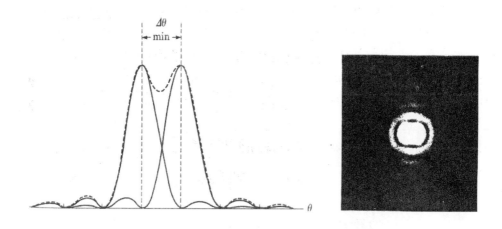

〔그림 2-19〕 두 개의 에어리 원에 대한 레일리 분리요건

육안의 동공 및 렌즈를 사용하는 인공적인 광학계의 조리개를 통과하는 빛 역시 위에서 설명한 바와 같은 회절 현상을 일으키며 이와 같은 광학계의 궁극적인 분해능은 회절현상에 의하여 결정된다. 그림 2-18에서 보인 바와 같이 개구를 통과한 평면파는 렌즈에 의하여 한 점으로 집속되는 것이 아니라 일정 크기의 원을 형성하고 그 주위에 주기적으로 반복되는 고리가 생긴다. 이 원을 에어리 디스크(Airy disk)라 하며 그 직경 d는

$$d = 1.22\lambda N \quad\cdots\cdots\cdots\cdots\cdots\cdots\cdots\cdots\cdots\cdots\cdots\cdots\cdots\cdots\cdots\cdots\cdots\cdots\cdots\cdots\cdots\cdots\cdots\cdots\cdots(2\text{-}6)$$

으로 주어진다. 여기서 λ는 빛의 파장, N은 F수이다. 그림 2-19와 같이 두 개의 광원이

개구를 통과하여 집속되는 경우 두 개의 광원 모두 각각의 에어리 디스크를 형성한다. 두 개의 광원이 서로 분리될 수 있기 위해서는 최소한 아래의 조건을 만족하도록 서로 떨어져 있어야 하는데, 이를 레일리 조건이라 하며 광학계의 선예도를 나타낸다.

$$\sin \Theta = 1.22 \frac{\lambda}{D}$$ ·······································(2-7)

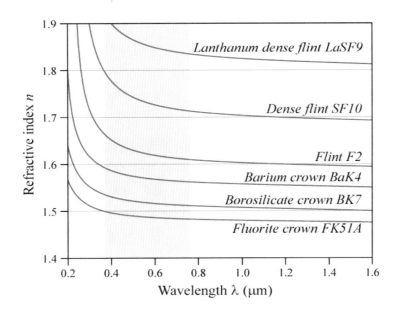

〔그림 2-20〕 여러 가지 유리에 대한 굴절률 대 파장 변화
(가시광 파장은 색 표시가 됨)

여기서 D는 개구의 크기이다. 식 2-6과 2-7에서 알 수 있듯이, 개구의 크기가 클수록 결상된 상의 선예도는 낮아진다. 사진기와 같은 검사 보조도구를 이용하는 경우 선예도와 개구의 크기간의 상호 관계를 숙지하고 있어야 할 뿐만 아니라, 육안의 경우 광량이 적은 경우 동공의 크기가 커져 선예도는 낮아지므로 충분한 광량을 유지하는 것이 매우 중요하다.

라. 분산(Dispersion)

그림 2-20에 보인 바와 같이 매질 속 빛의 속도, 즉 빛의 굴절률이 파장에 따라 달라지는 현상을 분산이라 한다. 프리즘에 백색 평면 광을 입사시키면 각 파장의 빛은 굴절각을 달리하여 분광되는데, 이는 빛의 굴절률이 파장에 따라 다르기 때문에 발생하는 현상이다.

빛의 분산은 빛이 매질 안을 전파할 때 매질 원자의 전자에 의하여 산란되어 그 진행거리가 결과적으로 직선보다 긴 진행거리를 가지게 되어 발생하는 것으로 알려져 있다. 파장이 짧을수록 굴절률이 커지는 경우를 정상분산이라고 하며, 매질의 흡수대로부터 다소 떨어진 영역에서 발생한다. 대부분의 투광성 매질; 유리, 수정 등의 굴절률은 파장이 짧아짐에 따라 커지므로 정상분산에 해당한다. 반면 적외선, 자외선 영역에 주로 위치하는 흡수대 부근의 파장에서는 파장이 길수록 굴절률이 커지며 변칙분산이라 한다. 프리즘을 이용한 분광실험에서, 흡수대 근처의 파장에서 스펙트럼 배열순서가 바뀌는 것으로 부터 알수 있다.

2. 렌즈계

그림 2-21은 다양한 형태의 렌즈를 보여준다. 이와 같이 많은 형태의 렌즈가 있지만 렌즈의 두께가 그 반경에 비하여 얇아서 두께가 주는 효과를 무시할 수 있고 또한 렌즈에 입사하는 광선이 렌즈의 중심축과 크게 벗어나지 않는 경우 광선이 이 렌즈에 의해 굴절되는 형태는 간단하게 작도해 낼 수 있다. 이러한 조건의 렌즈를 얇은 렌즈(Thin lens)라 하고, 이와는 반대로 렌즈의 두께를 무시할 수 없는 일반적인 렌즈를 두꺼운 렌즈(Thick lens)라고 한다. 안경이나 확대기 등은 얇은 렌즈로 쉽게 취급할 수 있으나 고급 광학기기로 사용되는 렌즈들은 두꺼운 렌즈로서 결상의 과정을 이해하기가 다소 어렵다.

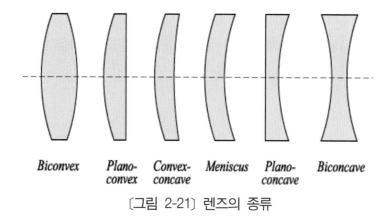

Biconvex   *Plano-*   *Convex-*   *Meniscus*   *Plano-*   *Biconcave*
convex   *concave*   *concave*

〔그림 2-21〕 렌즈의 종류

가. 얇은 렌즈 공식

볼록렌즈는 양쪽이 볼록하거나 한쪽은 평평하고 다른 한쪽이 볼록한 경우도 있고, 안경처럼 한쪽은 볼록하고 다른 한쪽은 오목한데 이 면의 곡률반경이 볼록한 면의 곡률반경보다 더 큰 경우도 있다. 일반적으로 볼록렌즈는 가운데가 가장자리보다 더 두꺼운 렌즈를 말한다. 이 볼록렌즈의 초점거리 f 는 아래와 같이 주어진다.

$$(n - 1)\left(\frac{1}{R_1} - \frac{1}{R_2} \right) = \frac{1}{f}$$ ·······························(식 2-8)

여기서 R_1과 R_2는 왼쪽과 오른쪽의 곡률반경 (이때 구의 중심이 경계면의 오른편은 +로, 왼편은 -로 한다), n은 렌즈 재질의 굴절률이다.

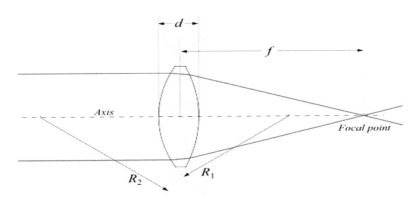

〔그림 2-22〕 볼록렌즈에서 빛의 집속에 대한 얇은 렌즈 근사

나. 결상의 원리

수차를 고려하지 않을 경우 그림 2-23, 2-24 및 아래에 제시한 세 가지 선이 만나는 지점이 상이 맺히는 부분이다. 실제로 얇은 렌즈로 근사한다 하더라도 정확하게 아래에 제시한 방법만으로 렌즈의 결상을 정확하게 예측할 수는 없다. 그 이유는 후에 설명할 수차에 의한 것으로 이러한 수차는 렌즈계에 의한 결상의 성능을 좌우한다. 그럼에도 불구하고 얇은 렌즈 근사는 확대경, 안경, 현미경을 포함한 대부분의 광학기기에 대하여 그 원리를 설명할 수 있는 매우 유용한 방법이다.

- 광축에 평행으로 진행하는 광선은 볼록렌즈를 통과한 후 오른편 초점(상초점)을 향하여 직진한다.
- 왼편 초점(물체초점)을 통과한 광선은 렌즈를 통과한 후 평행광선으로 나간다.
- 렌즈의 중심(광심)을 통과한 광선은 진행방향이 변화되지 않고 그대로 통과한다.

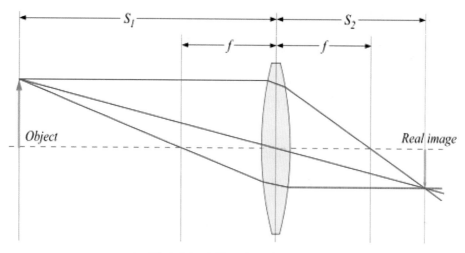

〔그림 2-23〕 볼록 렌즈에 의한 결상

오목렌즈의 경우에는 아래의 세 가지 방법을 이용하여 물체위의 각점에 해당하는 결상 점을 찾을 수 있다. 이 작도법에 따르면 오목렌즈는 물체의 각점에서 렌즈를 통과한 빛을 집속시키지 않고 분산한다. 즉, 볼록렌즈와는 달리 오직 정립허상만 생기되 그 배율은 항상 1보다 작다.

· 광축에 평행으로 진행하는 광선은 오목렌즈를 통과한 후 마치 왼편의 초점(상초점)에서 나가는 광선인 것처럼 진행한다.
· 오른편 초점(물체초점)을 향하는 광선은 렌즈를 통과한 후 평행광선으로 나간다.
· 렌즈의 중심을 통과한 빛은 그대로 통과한다.

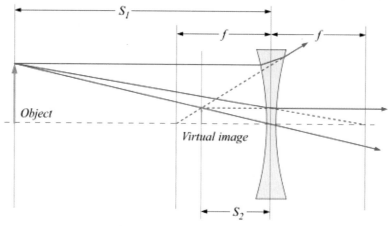

〔그림 2-24〕 오목 렌즈에 의한 결상

(1) 실상과 허상

물체의 한 점에서 나온 세 광선이 렌즈의 반대편에 모여들어 구체적인 상을 형성하는 경우도 있지만 경우에 따라 그림 2-25에 보인 바와 같이 모여들지 않고 발산하는 경우가 있다. 이 발산하는 광선을 역으로 추적해보면 물체가 있는 위치에서 벗어난 다른 한 지점으로 모여들어 마치 그 지점에서 빛이 발산해 나오는 것처럼 행동함을 알 수 있다. 실제로 광선이 한 점에 모여드는 경우를 실상, 발산하여 마치 렌즈 뒤의 한 지점에서 나온 것처럼 행동하는 경우 그 가상의 지점을 허상이라 한다. 허상이 생기는 경우는 물체가 초점거리 안에 있어 물체에서 나온 빛이 렌즈의 반대편에 모이지 않는 경우이고, 반대로 실상은 물체가 초점거리 밖에 있을 때이다. 볼록렌즈에서 실상의 경우 그 방향이 항상 물체와 반대로 놓이게 되므로 도립실상이라 하고, 허상의 경우 물체와 같은 방향으로 놓여 정립허상이라고 한다.

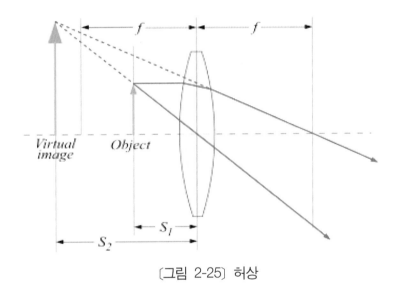

〔그림 2-25〕 허상

(2) 배율

허상이 생기는 경우 허상의 크기는 항상 물체의 크기보다 크므로, 그 비를 말하는 배율 또한 항상 1 보다 크지만 실상의 경우에는 물체의 위치에 따라 그 배율이 1 보다 클 때도 있고, 작을 때도 있다. 원래 배율은 가로배율과 세로배율이 있으나 여기서는 가로배율만 고려한다. 또한 도립상의 경우 이 가로배율을 음수로 계산하나 여기서는 길이가 몇 배로 커지는가를 나타내는 양값으로 고려한다. 배율이 1 보다 큰 경우는 물체의 위치가 f 로부터 $2f$ 사이에 있을 때이고, 물체가 $2f$ 보다 멀어지면 배율이 1 보다 작게 된다. 보통 배율이라 하면 광축에 대하여 가로로 서 있는 화살의 상의 길이가 원래의 길이에 비하여 얼마나 커 보이는가를 말한다. 만일에 배율이 2라면 상의 길이는 원래 물체의 길이의 두 배가 된다. 그러나 경우에 따라 상의 방향이 달라지는 도립의 경우도 있으므로 이를 같이 나타낼 수 있도록 이 경우 음의 값으로 나타내면 편리하다. 이러한 배율을 가로배율(Transverse magnification)이라 한다. 이를 M_T로 나타내면

$$M_T = \frac{y_i}{y_o} = -\frac{s_i}{s_o} \quad \cdots\cdots\cdots\cdots\cdots\cdots\cdots\cdots\cdots\cdots\cdots(\text{식 2-9})$$

으로 쓸 수 있다. 한편 광축과 나란한 방향으로 누워 있는 화살의 경우, 그 화살이 얼마나 커져 보이는가를 나타내기 위하여 세로배율(longitudinal magnification)을 정의한다. 이 세로배율은 가로배율의 제곱의 -값이다. 이 가로배율은 언제나 음의 값을 가진다. 이로서 물체가 오른쪽으로 향해 있으면 상도 언제나 오른쪽으로 향해 있음을 알 수 있다.

$$M_L = \frac{ds_i}{ds_o} = \frac{x_i}{x_o} = -\frac{f^2}{x_o^2} = -M_T^2 \quad \cdots\cdots\cdots\cdots\cdots\cdots\cdots\cdots(\text{식 2-10})$$

(3) 상의 왜곡

그 배율이 1이 아닌 한 가로배율과 세로배율의 크기가 다르다. 따라서 폭을 가지지 않고 광축에 수직으로 서있는 화살과 같은 경우를 제외하면 그 물체의 상은 가로 세로의 비가 달라져서 왜곡되어 나타난다. 우리가 볼록렌즈로 신문의 작은 글씨를 확대해 볼 때처럼 신문의 면과 렌즈의 면을 나란하게 하면 허상은 그대로 커져서 보이나 만일 깊이가 있는 물체를 보게 되면 심하게 왜곡되어 보이는 것을 알 수 있다. 이러한 현상은 기하학적 상의 뒤틀림이라 하며 그림 2-26의 위쪽에서 보인 바와 같이 등간격의 격자가 렌즈를 통하여 결상된 결과에서 알 수 있다. 가장 좌측의 그림은 아주 좁은 개구를 통하여 결상된 상으로 상의 뒤틀림이 거의 없는 것을 알 수 있으며, 중앙의 상은 넓은 개구를 통하여 볼록렌즈로 결상된 결과이다. 상의 중앙 부위에서 가장자리로 갈수록 뒤틀림의 정도가 심해지는 것을 알 수 있다. 이 경우 상의 중앙부위에서는 렌즈에 수직으로 입사되는 빛이 많으나 가장자리로 갈수록 사선으로 들어오는 빛이 많아지게 되고 이러한 경로로 결상된 빛은 광축을 지나는 빛과 경로차가 생기기 때문이다. 언급한 바와 같이 개구의 크기를 작게 함으로서 이러한 왜곡을 줄일 수 있다.

다. 수차

한 점에서 나온 빛이 렌즈를 거쳐서 한 점에 모이는 상황은 근축광선 요건; 빛이 광축 근처로 통과하는 요건을 만족할 때뿐이다. 따라서 근축광선이 아닌 경우에는 렌즈를 거친 후에 상당히 넓은 영역으로 퍼져버린다. 이렇게 이상적인 결상관계에서 어긋나는 것을 수차(aberration)라고 한다. 수차는 렌즈를 포함하는 광학계가 가지고 있는 근본적인 것으로 어느 수준까지 줄일 수는 있지만 완전히 없앨 수는 없다. 특히 특정한 상황에 대한 수차를 줄인다면 다른 상황에서는 오히려 크게 나타나는 경우가 많으므로 각 경우 사이의 중도를 유지하는 것이 일반적이다. 수차는 크게 단색수차(monochromatic aberration)와 색수차(chromatic aberration)로 나눌 수 있는데(그림 2-27), 둘 중 색수차는 렌즈의 매질이 가지는 분산 특성에서 비롯되고, 단색수차는 분산에 관계없이 렌즈나 거울의 기하학적인 형태에서 비롯된 것으로 구면수차, 코마수차, 비점수차, 만곡수차, 왜곡수차 등이 있다.

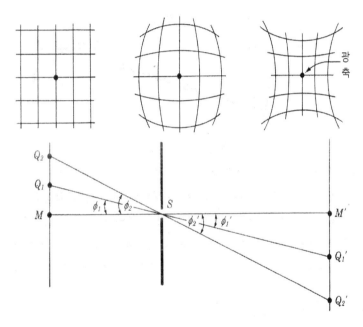

〔그림 2-26〕 렌즈에 의한 결상의 왜곡

(1) 구면수차

구면수차(spherical aberration)는 광축의 한 점에서 나온 광선들이 렌즈를 거친 후 광축의 한 점에서 만나지 못하는 것을 말한다. 이는 광축에서 나온 빛이 렌즈의 가장자리를 통과하는 경우 근축광선의 조건에서 벗어나기 때문에 생기는 것으로 보통 결상의 지점이 앞으로 당겨지게 된다. 이는 렌즈를 통과하는 빛의 방향에 관계없이 발생하므로, 물체가 무한히 멀리 있어 렌즈를 통과하는 빛이 평면파로 근사될 수 있는 경우에도 발생한다. 그림 2-28에 나타낸 바와 같이 렌즈의 중심축, 즉 광축에 대해 서로 대칭점을 통과하는 두 광선은 렌즈를 통과한 후 광축에서 만나기는 하지만 광축에서의 벗어난 정도에 따라서 만나는 점이 다른 것을 알 수 있다. 이들 점 중에서 렌즈의 초점이라 불리는 지점은 광축에서 가까운 광선이 만나는 곳으로 볼록렌즈나 오목렌즈를 불문하고 그 범위 중 렌즈에서 가장 먼 곳에 있다. 빛의 집속이 이와 같이 이루어지는 경우, 광축에 수직하게 스크린을 놓아서 상을 관찰하면 광축상 어느 지점을 선택하더라도 상은 원판의 모양을 가질 것이다. 특히 초점에 스크린을 놓는다면 가장자리를 통과한 광선들이 광축을 교차해서 이미 상당한 수준으로 퍼져버리기 때문에 원판의 크기는 오히려 매우 클 수가 있다. 실제로 이보다 렌즈에 더 가까운 위치에 최소의 반경을 가지는 허리를 가지는 것을 볼 수 있다. 이를 최소 혼동원(CLC, circle of least confusion)이라 한다. 개구의 크기를 줄여 빛이 광축 근처로만 진행하도록 하면 최소혼동원의 지점은 초점 쪽으로 물러나서 극단적으로 조리개를 조여진 상황에서는 초점에 이르게 된다.

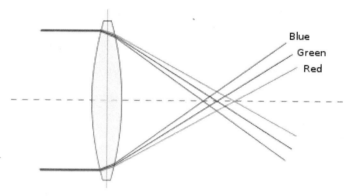

〔그림 2-27〕 색수차

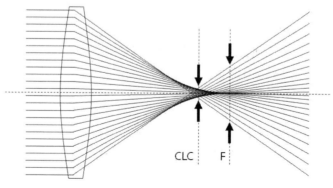

〔그림 2-28〕 구면수차

광축에 나란한 평행광선에 대해서라면 렌즈의 곡면을 비구면으로 해서 완벽하게 없앨 수 있다. 즉, 렌즈의 가장자리에서 굴절이 구면렌즈의 경우보다 더 적은 각으로 일어나게 하면 광축에서 대응된 광선과 만나는 점을 뒤로 보낼 수 있다. 따라서 이러한 비구면 렌즈는 가장자리로 갈수록 기울기가 구면에 비해서 완만해지는 모양이 될 것을 쉽게 예상할 수 있다. 그러나 물체가 광축 상 먼 곳으로부터 렌즈 쪽으로 접근하게 되면, 즉, 입사되는 빛이 평면 광이 아니게 되면 비구면에 의한 수차는 오히려 커질 것이다. 이러한 측면에서 볼 때, 육안검사는 대부분 가까이 있는 물체를 관찰하는 것으로 평면 광 조건에 만족한다 할 수 없으므로 비구면 렌즈 보다는 구면렌즈가 상의 선예도에서 유리할 것이다.

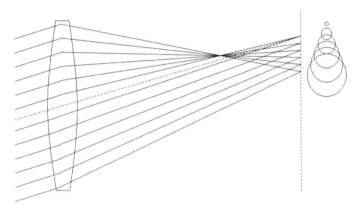

〔그림 2-29〕 코마수차

(2) 코마수차

코마수차(coma aberration)는 광축에서 벗어난 물체의 상에 대한 것이다. 구면수차에서 상이 원판으로 나타나는 경우와는 달리 코마수차는 한쪽으로 치우친 긴 불꽃 모양을 띠게 된다. 그림 2-29는 광축에 대해 기울어진 각으로 입사하는 평행광선의 결상을 보여준다. 그림을 보면 평행광선의 중심선에 대해 대칭성이 깨져 있는 것을 볼 수 있는데, 볼록렌즈인 경우 광축에 대해 수직으로 어느 곳에 스크린을 설치하더라도 한쪽으로 긴 꼬리가 달리는 상이 형성될 것임을 알 수 있다. 이러한 코마수차를 줄이기 위해서는 렌즈 또는 시선이 검사 면에 수직에 가까울수록 유리하다.

(3) 렌즈의 성능

렌즈의 성능을 표시하는 양에는 초점거리, 밝기, 해상력 등이 있다. 초점거리는 렌즈의 특징을 나타내는 중요한 양이며, 실용적으로는 초점거리보다 앞서 설명한 디옵터(D, Diopter)를 쓴다. 디옵터는 초점거리를 미터로 나타낸 수치의 역수를 취한 것으로, 안경 렌즈의 굴절력을 나타내는데 흔히 볼 수 있다. 밝기는 초점거리와 렌즈의 유효지름의 비로 나타내며 개구수로 명하고

$$\text{Numerical aperture} \; = \; n \sin \Theta \quad \cdots\cdots\cdots\cdots\cdots\cdots\cdots\cdots\cdots\cdots\cdots \text{(식 2-11)}$$

로 나타낸다. 여기서 Θ는 광축 상에 있는 물체에서 나와 렌즈로 입사하는 광선이 광축과 이루는 각, n은 렌즈 앞쪽 매질의 굴절률이다. 개구수는 F수에 대한 비이므로 F수가 작을수록 밝은 값으로 표현된다. 선예도는 렌즈가 어느 정도 미세한 점까지 분해하느냐의 능력을 나타내며, F수, 개구수 및 각종 수차, 왜곡과 관련이 깊다.

3. 확대경의 작동 및 원리

눈에 보이는 물체의 크기는 그 물체의 상이 망막에 맺혀지는 크기에 비례한다. 따라서 달은 동전에 비하여 매우 크지만 그 거리를 달리함으로써 동전의 크기보다 작게 보일 수 있다. 눈으로부터 물체의 양 끝이 이루는 각이 망막에 맺혀지는 상의 크기, 즉 물체의 겉보기 크기를 결정하는 것이다. 우리는 물체를 잘 관찰하기 위해서 물체를 최대한 눈앞에 당겨서 보게 된다. 그러나 눈의 적응한계 때문에 이 거리는 정상적인 눈의 경우 250mm로 제한되며 상이 가장 깨끗하게 형성되는 근점은 약 400mm이다. 따라서 정상적인 눈이 길이 y_0(mm)인 물체를 가장 가까이서 볼 수 있는 물체의 시각(Visual angle)은 다음과 같다. (광학기구를 구성하는 렌즈나 거울의 초점거리 등은 보통 mm의 단위를 사용한다).

$$\Theta = \frac{y_0}{250} \quad \cdots\cdots\cdots\cdots\cdots\cdots\cdots\cdots\cdots\cdots\cdots\cdots\cdots\cdots\cdots \text{(식 2-12)}$$

확대경의 이용은 허상과 실상, 도립상과 정립상으로 나누어서 생각하는 것이 그 사용에 대한 이해에 도움이 된다. 실제로 상이 바로 서 있는 경우가 관찰내용을 받아들이기가 쉽고, 또한 상이 보이는 범위가 훨씬 넓어서 보통의 확대경은 허상으로 확대하여 보는 것이 능률적이다.

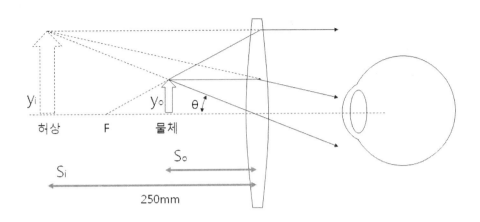

〔그림 2-30〕 확대경의 원리

물체를 우리 눈앞으로 250mm보다 더 가까이 가져오게 되면 물체의 시각차는 커지지만 이제 눈이 상을 맺을 수 없기 때문에 물체는 흐릿해져서 잘 볼 수 없게 된다. 이때 물체와 눈 사이에 볼록렌즈를 놓으면 물체의 허상을 250mm이상으로 보낼 수 있어서 비로소 뚜렷한 상을 보게 된다. 허상이라도 눈의 입장에서는 실제로 물체가 그곳에 있는 것과 마찬가지이므로 이를 크게 보기 위해서는 최대한 허상과 가까이 눈을 가져가야 한다. 따라서 눈과 렌즈는 밀착시키는 것이 가장 능률적이다. 이때는 그림 2-30에서 볼 수 있는 것처럼 물체의 시각차나 허상의 시각차는 같은 값을 유지한다. 즉, 물체를 250mm보다 더 당겨서 볼 수 있는 만큼 크게 보는 것이다. 이렇게 물체의 시각차를 확대하는 비율을 각배율, 혹은 확대능 (MP, Magnification power)이라 한다. 이 값은 렌즈의 물체의 길이와 상의 길이의 비인 횡배율과는 개념상 차이가 있다. 렌즈를 조합한 광학기구의 경우 우리가 맨눈으로 가장 잘 관측할 수 있는 상황으로 만들었을 때와 비교하여 그 능력을 말하는 것이 편리하고 이 경우 그저 배율이라 하면 각배율을 말하게 된다. 물체는 볼록렌즈의 초점거리 안에 있을 때에 더 멀리 떨어진 곳에 허상을 만든다. 볼록렌즈 바로 오른쪽에 있는 눈은 물체의 시각차(θ)와 같은 시각(Visual angle)의 허상을 보게 된다. 물체를 렌즈 앞 s_o 거리에 두었을 때 물체와 상의 시각차는 y_o / s_o이 되고, 따라서 확대경의 확대능은 다음과 같다.

$$MP = \frac{y_o / s_o}{y_o / 250} \quad \cdots\cdots\cdots\cdots\cdots\cdots\cdots\cdots\cdots\cdots\cdots\cdots\cdots\cdots\cdots (식\ 2\text{-}13)$$

여기서 s_o 등 거리의 단위는 mm를 쓴다. s_o를 최대한 줄이는 것이 확대능을 크게 하는 것임을 알 수 있다. 그러나 s_o를 줄이게 되면 상도 점차 눈과 가까운 거리로 다가오게 되어 눈으로 명확하게 볼 수 있는 한계인 250mm까지 접근시키는 것이 가장 확대능을 크게 하는 상황이 된다. 그림 2-30은 이 상황을 도해한 것이다. 초점거리가 f 볼록렌즈에서 상을 250mm에 맺게 위한 물체의 거리 s_o의 관계는

$$\frac{1}{s_o} + \frac{1}{-250} = \frac{1}{f} \quad\text{...(식 2-14)}$$

이므로 이로부터 확대능을 다시 정리하면,

$$MP = 1 + \frac{250}{f} \quad\text{...(식 2-15)}$$

이 된다. 한편 눈에 확대경을 거의 붙인 상태에서 허상의 위치를 무한대로 되게 하는 경우를 고려해보자. 이렇게 하면 눈이 이완된 상태에서 상을 관찰 할 수 있게 되어 눈이 피곤해지지 않는다. 허상을 무한대로 보내기 위해서는 볼록렌즈의 초점에 물체를 두어야 할 것이다. 따라서 $s_0 = f$ 가 되어

$$MP = \frac{250}{f} \quad\text{...(식 2-16)}$$

이 되어 상을 250mm에 두는 경우보다 확대능은 1이 적다. 실제로 상을 눈으로부터 250mm로부터 무한대까지 둘 수 있지만 250mm인 경우가 정립상으로서는 가장 크게 볼 수 있는 상황이 된다. 렌즈로부터 거리 d가 되는 오른쪽에 눈을 두고, 이 눈과 상까지의 거리를 L이라 한다면 다음의 확대능에 대한 보다 일반적인 관계가 성립한다.

$$MP = \frac{250}{L}\left(1 + \frac{L-d}{f}\right) = \frac{250}{L}\left(1 - \frac{d}{f}\right) + \frac{250}{f} \quad\text{...................(식 2-17)}$$

여기서 확대능이 가장 큰 경우가 바로 L로서는 가장 적은 값, $L = 250$이고 또한 d로서도 가장 적은 값, 즉 $d = 0$이라는 것을 확인할 수 있다. 실상으로도 확대는 된다. 볼록렌즈의 실상이 생기는 상황은 렌즈의 물체초점 왼쪽에 물체를 놓았을 때이고, 이 경우는 렌즈의

상초점보다 오른쪽에 상이 생긴다. 만일 $f \sim 2f$ 사이에 물체를 두게 되면 횡배율의 크기가 1보다 커서 실상은 도립되어 있긴 해도 상은 물체보다 더 커지게 된다. 눈을 이 실상보다 오른쪽으로 250mm 되는 곳에 두게 되면 이 경우의 확대능은 1보다 커질 것이다. 배율을 크게 하려면 물체를 물체초점으로 점점 다가가게 하면 될 것이다. 그러나 이때 상은 점점 더 렌즈로부터 오른쪽 멀리 형성되어 눈도 렌즈로부터 멀리 떨어지게 두어야 하며, 렌즈의 범위에 국한된 상의 시야도 줄어들게 된다. 따라서 이렇게 확대경을 사용하는 것은 여러모로 비능률적이다. 그러나 현미경에서는 대물렌즈를 이 원리로 하고, 통상의 확대경을 대안렌즈로 하여 훨씬 뛰어난 확대능을 실현하게 된다.

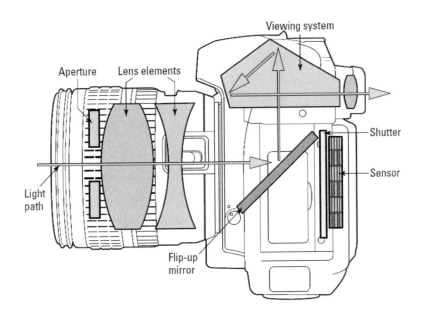

〔그림 2-31〕 사진기의 구조

4. 사진기

가. 사진기의 구조

사진기는 피사체의 실상을 렌즈를 통해서 감광재료(또는 그에 상응하는 센서) 위에 상을 맺게 하는 장치이므로 암실의 역할을 하는 몸체의 앞면에 렌즈를 장착시키고, 뒷면에 광수용체를 고정할 수 있는 구조로 되어 있다. 현재 상용으로 사용되는 사진기는 적정한 노출을 광수용체에 주기 위한 조리개와 셔터, 피사체의 밝기를 측정하는 전기노출계, 촬영범위를 알려주는 파인더, 롤필름을 감아서 꺼내는 장치, 그리고 기타 자동장치 등이 필요에 따라 장치되어 있다.

(1) 렌즈

볼록렌즈계로서, 광학적으로 명확한 상을 필름 면에 투영시키는 역할을 하며 초점거리에 따라 통상 표준렌즈, 광각렌즈, 그리고 망원렌즈 세 가지로 구분한다. 이들의 분류는 초점거리에 근거하고 있으나 앞서 설명한 기하광학의 원리에 따라 화각, 심도, 밝기 등이 큰 차이를 보인다.

· 표준렌즈

통상 화각이 50도 내외의 것을 표준렌즈의 기준으로 하며 사람의 육안과 가장 비슷한 초점거리를 가지는 렌즈이다. 육안으로 한 점을 보았을 때 전체나 색채를 식별할 수 있는 것은 50도 내외의 화각 이내이고, 그 외측을 식별하기 위해서는 안구를 움직여야하기 때문이다. 즉, 표준렌즈로 촬영한 사진은 원근감이 자연스럽게 묘사된다. 대중적으로 많이 사용되는 필름은 35mm이며 이 필름의 대각선 길이는 45mm정도가 된다. 위에서 설명한 화각을 얻기 위해서는 초점거리가 이 대각선의 길이와 비슷한 40~60mm를 가지는 것이 적당하며 이러한 렌즈를 표준렌즈라 한다. 카메라에 채택된 실제 표준렌즈는 기구적인 제약 때문에 기준에서 벗어나는 경우도 있으나, 일반적으로 하프사이즈는 28~32mm, 35mm판은 45~50mm, 6×6판은 75~80mm의 초점거리 렌즈가 많다. 일안리플렉스카메라 경우에는 이러한 기준보다 초점거리가 약간 길어서 35mm 일안리플렉스카메라 기준으로 약 50~58mm가 주로 사용되고 있다.

· 광각렌즈

표준렌즈보다 초점거리가 짧은 렌즈를 광각렌즈라 한다. 광각렌즈는 같은 거리에서 촬영할 때 표준렌즈보다 더 넓은 범위를 찍을 수 있다. 즉 더 넓은 화각을 가진다. 예를 들어, 같은 거리에서 24mm 광각렌즈와 50mm 표준렌즈로 촬영한 사진의 경우 전자가 두 배정도 더 넓은 범위를 촬영할 수 있다. 그러나 렌즈 가까이 있는 것은 실제의 물체보다 더 크게, 좀 떨어져 있는 것들은 실제보다 훨씬 떨어져 있는 것처럼 작게 보이게 촬영되므로 사물을 왜곡시켜 원근감을 과장시킨다. 반면 표준렌즈에 비하여 심도가 더 깊다는 장점이 있으므로 적절히 사용하면 넓은 범위에 대하여 효과적인 육안검사 기록을 남길 수 있다. 일반적인 광각렌즈는 28~35mm의 초점거리를 가지며 이보다 더 작은 것은 초광각렌즈나 또는 어안(Fish eye)렌즈라고 한다.

· 망원렌즈

광학적으로는 단순히 초점거리가 긴 것을 장초점렌즈라 한다. 망원렌즈는 렌즈군의 전면에서 결상 면까지 길이, 즉 렌즈의 전체 길이가 초점거리보다 짧도록 만들어진 경우에 해당한다. 렌즈의 전체길이와 초점거리의 비를 통상 망원 비라 한다. 표준렌즈에 비하여 화각이 좁고 심도가 얕으며 원근감이 작은 사진을 얻을 수 있다.

(2) 셔터 (Shutter)

조리개와의 조합에 의해 피사체의 밝기에 맞추어 필요한 양만큼의 빛을 감광재료에 주는 것이 주요 역할이지만, 빠른 셔터를 사용해 움직이는 피사체를 정지 상태로 찍거나 느린 셔터를 사용해 움직이는 피사체의 흔들림에 의해 동작을 강조하는 부차적 역할도 한다. 현재 사진기의 셔터는 렌즈셔터 또는 포컬플레인셔터(focal plane shutter)이다. 렌즈셔터의 일반형은 렌즈 구성의 중간에 셔터날개가 몇 장 장치되어 노출시간에 따라 날개가 개폐되는 구조로 되어 있고, 포컬플레인셔터는 감광재료면의 바로 앞을 일정한 슬릿(slit ; 좁은 틈)이 있는 막이 좌우 또는 상하로 지나서 노출되는 방식이다. 일반 셔터는 스프링의 힘으로 작동하는데, 자석의 동작을 트랜지스터로 제어해서 셔터의 개방 시간을 조절하는 전자셔터도 있다. 조리개와 셔터 속도의 조합이 미리 정해 있는 형식을 프로그램셔터(program shutter)라 하며 EE(electric eye)사진기나 AE(automatic exposure)사진기에 이용된다.

(3) 파인더

사진기의 촬영범위를 알기 위한 기구이다. SLR(일안, single lens reflex)사진기에서 일반적으로 사용되는 펜타프리즘(penta-prism) 파인더가 대표적이다. 현재 많이 사용되고 있는 디지털사진기의 경우, 사진이 촬영되는 영역으로 그대로 LCD에 보여주는 전자식 파인더를 사용한다. 그러나 프리즘을 사용한 파인더의 경우 파인더를 통하여 육안검사자가 확인할 수 있는 영역과 실제 사진으로 촬영되는 영역이 차이가 날 수 있으므로 이를 유의해야한다. 펜타프리즘을 이용한 파인더가 있는 사진기로 육안검사기록을 남길 경우, 눈을 파인더에 완전히 밀착해야하는데, 이는 파인더에 의한 시야와 실제 사진의 시야 차이를 최소한으로 줄일 뿐만 아니라 파인더를 통하여 유입되는 빛으로 인하여 발생할 수 있는 노출의 영향을 줄이기 위해서이다.

(4) 노출계

최근의 사진기에서는 광수용체에 표준적인 노출을 주는 데 편리하도록 노출계가 사진기에 내장되어 있다. 즉, 셔터와 조리개가 연동해서 자동적으로 표준노출을 정해주는 것인데, 일반적으로 EE사진기 또는 AE사진기라고 한다. 가장 새로운 노출측광방식으로서 렌즈를 통과한 피사체의 광량을 직접 사진기 내부에서 측정하여 적정한 노출을 결정하는 TTL방식이 있으며, 내장노출계가 외부의 스트로보 라이트(Storobo-light)와 연동해서 스트로보라이트의 광량을 자동적으로 제어하는 방식도 있다.

(5) 스트로보 라이트

어두운 곳에서 인위적으로 광량을 확보하고자 할 때 사용한다. 금속의 표면이나 매끈하여 빛이 잘 반사하는 면을 촬영하는 경우에는 주의해서 사용해야 한다. 스트로보라이트에서 나온 빛의 정반사로 인하여 표면의 상태를 적절히 사진으로 촬영할 수 없기 때문이다. 이러한 경우 후에 설명할 간접조명을 이용하는 것이 적절하며, 셔터속도를 길게 하거나 조리개를 개방하여 노출을 조정해야한다.

(6) 필터

단색용과 컬러용이 있으며, 공용할 수 있는 것도 있다. 단색용은 어느 일정한 파장보다 짧은 파장의 빛은 차단하고, 파장이 긴 빛은 투과시켜 사진에 명암을 증가시키는 UV필터(Ultraviolet filter), 특정 색상을 투과/흡수하는 황색필터, 등색필터, 적색필터, 사진의 명암을 육안에 가까운 느낌으로 만드는 황록색필터, 녹색필터 등이 사용되는데, 필터의 색이 진한 것일수록 그 효과가 크다. 컬러용에는 태양광을 텅스텐 광으로 변화시키거나 또는 그 반대작용을 하는 색온도변환용 필터와 CC필터(Color compensating filter ; 색보정용 필터)가 있다.

나. 사진의 촬영

육안검사의 결과는 주관적 방법에 의하여 기록할 수도 있으나, 객관적이고 정확한 기록을 위하여 사진 또는 표면모사와 같은 하드카피법을 쓰는 것이 권장된다. 사진은 하드카피의 대표적인 예라고 할 수 있으며 손쉽게 저장할 수 있을 뿐만 아니라 기록되는 정보가 양질이라는 장점이 있다. 그러나 기록을 위한 사진촬영 시 적절한 조명 또는 적절한 촬영기술을 동반하지 않으면 사진은 정확하게 검사체 표면을 기록할 수 없다. 특히 육안검사는 금속의 표면을 그 대상으로 하는 경우가 많으며, 금속의 표면은 빛을 잘 반사하므로 적절한 조명기법 및 촬영기법을 숙지하지 않으면 검사결과를 제대로 기록할 수 없다. 아래에서는 사진촬영에 기본이 되는 조리개, 노출, F값, 셔터스피드, 광수용체의 특성 및 감도, 초점거리 등과 이에 상응하는 상의 특성; 화각, 색온도(colour temperature), 피사계 심도, 초점심도, 왜곡 등을 설명한다.

(1) 초점심도

심도에는 피사계심도와 초점심도가 있으나 흔히 심도라 함은 초점심도를 말한다. 피사계심도는 피사체 영역으로의 초점이 맞는 범위를 말하며 초점심도는 결상 면 근처에서 초점이 맞는 범위를 나타낸다. 앞서 설명한 바와 같이 렌즈는 여러 가지 원인으로 인하여 수차 또는 왜곡이 발생하며 렌즈를 통과한 빛이 정확하게 한 점으로 모이지는 않고 얼마간의 크기를 가지는 원이나 불꽃모양을 가진다. 그러나 실제로 원이 극도로 작으면 육안의 한계로 인하여 점으로 생각할 수 있듯이, 정확한 초점의 앞뒤로 초점이 맞았다고 인정할 수 있는 극히 작은 원의 범위가 있다. 그 원을 허용착란원(permissible circle of confusion)이라 하고 전방 허용착란원과 후방 허용착란원 사이의 거리를 심도로 정의한다. 허용착란원은 확대배율이 작을수록, 화면의 크기가 클수록 커지고, 개구가 작을수록, 초점거리가 긴 렌즈일수록, 피사체와 렌즈사이의 거리가 멀수록, 광축과 빛의 경로가 이루는 각이 작아져 초점심도는 깊어진다. 표 2-7에 이들의 관계를 요약하였다.

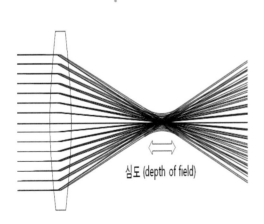

〔그림 2-32〕 초점심도(depth of field)

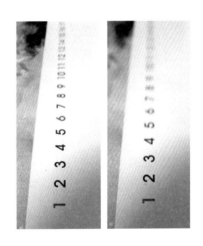

〔그림 2-33〕 초점심도 차이에 의한 사진기록의 차이

확대배율이 커지면 결상면(필름이나 CCD)에서 초점이 맞은 부분은 변하지 않으나 그만큼 초점이 맞지 않은 부분도 확대되어 강조되므로 요구되는 초점범위가 상대적으로 좁아진다. 결상면의 크기가 커지면 상대적으로 확대 배율이 줄어들기 때문에 허용 착란원이 커지게 되므로 초점심도도 깊어진다. 감상거리에 따라서도 착란원의 허용치가 바뀔 수 있다. 개구의 크기가 작으면 투과하는 빛이 광축 근처로 좁게 모이므로 초점에 수렴하는 각이 좁아진다. 따라서 허용 착란원의 위치가 벌어지므로 초점심도가 깊어진다. (그림 2-32, 2-33)

표 2-7 초점심도와 허용착란원, 결상면 크기, 개구, 배율, 초점거리의 관계

초점심도	허용착란원	결상면 크기	개구	배율	초점거리
깊다(넓다)	크다	크다	작다	작다	짧다
얕다(좁다)	작다	작다	크다	크다	길다

표 2-8 같은 광량을 가지는 조리개와 셔터속도의 조합

조리개	셔터속도(초)
F16	1/8
F11	1/15
F8	1/30
F5.6	1/60
F4	1/125
F2.8	1/250
F2	1/500

(2) 노출

노출은 사진촬영에서 가장 기본이다. 적절한 양, 혹은 의도한 양의 빛을 필름 혹은 CCD에 노출시키는 것으로 노출을 조절할 수 있는 요소는 조리개와 셔터속도가 있으며 그 관계를 표 2-8에 제시하였다. 조리개, 셔터속도 모두 기본적으로는 노출을 조절하지만 노출만큼 중요한 요소인 사진의 심도와 시간을 조절하므로 사진촬영에서는 이를 같이 고려해야한다.

〔그림 2-34〕 노출의 변화에 대한 사진의 결과

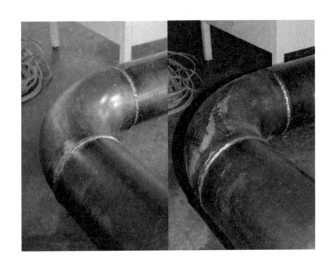

〔그림 2-35〕 조리개 개방에 따라 심도에 차이가 나는 사진의 예시

그림 2-34는 노출부족, 적정노출, 노출과다인 경우의 사진이다. 현재 상용화 되는 대부분 노출계가 내장되어 있고 이 노출계를 보면서 사용자는 적정 노출인지 아닌지를 판단하게 된다. 더 정확한 노출을 위해서는 별도의 노출계를 사용하기도 한다.

(3) 피사계 심도

앞서 초점심도에 대하여 설명하였다. 이들이 사진촬영에 미치는 영향은 그림 2-35에 보인바와 같다. 심도가 얕은 경우 거리가 서로 다른 피사체들에 대하여 초점이 일부만 맞게 되므로 관심을 두고 있는 영역만 선명하고 나머지는 흐리게 촬영된다. 반대로 심도가 깊은 경우에는 피사체간의 거리차이에 상관없이 선명하게 결상됨을 알 수 있다. 육안검사의 기록측면에서 이러한 심도차이는 굴곡이 있는 검사체 또는 제약된 조건으로 인하여 검사면 수직에서 촬영하지 못하고 비스듬한 시선으로 사진을 촬영해야하는 경우 문제가 된다. 육안검사의 기록으로 사용되는 사진은 심도가 깊고 사진 전반에 걸쳐 선예도가 높아야 하므로 앞서 제시한 표 2-7에 따라 조리개, 배율, 초점거리를 선택해야한다.

(4) 셔터 속도

육안검사의 기록에 사용되는 사진촬영은 거의 대부분 정지된 제품을 촬영하는 것이므로 셔터 속도가 큰 영향을 미치는 경우는 적다. 그러나 앞서 설명한 노출 및 피사계심도를 적절하게 조정하기 위하여 조리개를 좁히는 경우, 사진 촬영에 필요한 광량이 부족할 수 있다. 이러한 경우에는 셔터 속도를 충분히 길게 하여 광량을 확보할 필요가 있으며, 사진의 흔들림을 방지하기 위하여 삼각대 등 제반 조치가 있어야 한다. 그림 2-36은 광량이 충분하지 않은 환경에서 스트로보라이트를 이용하여 촬영한 것과 셔터속도를 충분히 길게 하여 촬영한 예를 비교하여 보여준다. 스트로보라이트를 이용하는 경우 빛의 정반사로 인하여 면의 일부에 대한 정보가 전혀 기록되지 않음을 볼 수 있다. 대부분의 사진기에서 15초에서 1/2000초 정도까지 셔터 속도 조절이 가능하며, 건강한 일반인이 손으로 사진기를 들고 촬영할 경우 통상 '1/초점거리'가 흔들리지 않는 사진을 얻을 수 있는 최소한의 셔터속도이다. 예를 들어 100mm 초점거리로 촬영할 경우, 셔터스피드를 1/100초 보다는 빠르게 해 주어야 한다.

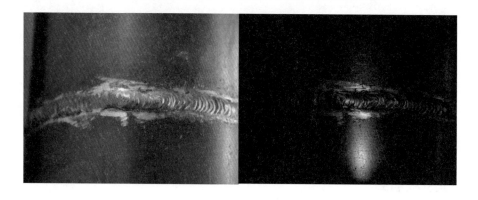

〔그림 2-36〕 스트로보라이트의 사용과 셔터속도 조절의 비교

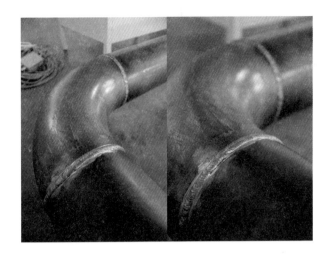

〔그림 2-37〕 초점거리에 따른 화각 및 심도의 변화

(5) 초점거리

사진 촬영에 있어서 초점거리는 확대(zoom)의 배율로 조정한다. 그러나 단순히 피사체의 확대율만 초점거리에 관련된 것이 아니라 화각, 그리고 앞서 심도가 초점거리와 관련이 있다. 그림 2-37은 같은 피사체에 대하여 초점거리가 서로 다른 사진의 예시를 보여준다. 그림에서 알 수 있듯이 피사체의 크기가 같은 크기로 촬영된다 하더라도 두 사진은 화각에서 큰 차이를 보인다. 초점거리가 짧은 경우 큰 화각을 보이며 심도가 깊음을 알 수 있다. 화각이 큰 경우 앞서 렌즈 광학계에 대한 설명에서 언급하였듯이 상의 가장자리로 갈수록 상의 왜곡이 크게 발생한다. 반면 초점거리가 긴 경우에는 사진의 심도가 얕아지므로 넓은 영역에서 고른 선예도를 가지는 사진을 얻기 어렵다. 육안검사자는 이러한 차이에 대하여 이해하여 효과적으로 검사체의 표면 상태를 기록할 수 있어야한다.

〔그림 2-38〕 광섬유 내부 전반사에 의한 빛의 전

5. 기타 광학기기

가. 스트로보스코프 (stroboscope)

주기적으로 점멸하는 빛을 운동하는 물체에 비추어 운동하는 물체가 정지한 것과 같은 상태로 관측하는 장치를 말하며 물체의 회전속도와 기계의 진동주기 측정에 이용된다. 비주기적 운동을 하는 볼과 같은 물체의 연속사진을 찍을 목적으로도 사용될 수 있다. 회전이나 진동과 같은 주기적 운동을 관측하는 장치로서는 육안, 망원경, 현미경 등의 앞에 주기적으로 개폐하는 셔터를 장치한 것과 주기적으로 점멸하는 스트로보방전관(strobotron)을 이용한 것이 있다.

나. 광섬유

빛의 전송을 목적으로 하는 섬유 모양의 도파관(optical wave guide)으로 광학섬유라고도 한다. 광섬유를 여러 가닥 묶어서 케이블로 만든 것을 광케이블이라고 하며, 그 사용이 늘어나고 있다. 광섬유는 합성수지를 재료로 하는 것도 있으나, 주로 투명도가 좋은 유리로 만들어진다. 구조는 보통 중앙의 코어(core)라고 하는 부분을 주변에서 클래딩(cladding)이라고 하는 부분이 감싸고 있는 이중원기둥 모양을 하고 있다. 그 외부에는 충격으로부터 보호하기 위해 합성수지 피복을 1~2차례 입혀 사용한다. 보호피복을 제외한 전체 크기는 지름 수백 μm 정도를 가지며, 코어 부분의 굴절률이 클래딩의 굴절률보다 높게 제작되어 있어 그림 2-39에서 보인 바와 같이 빛이 코어와 클래딩의 경계에서 전반사되어 진행한다. 코어의 지름이 수 μm인 것을 단일모드(single-mode) 광섬유, 수십 μm 이상인 것을 다중모드(multi-mode) 광섬유라 하고, 코어의 굴절률 분포에 따라 계단형, 언덕형 광섬유 등으로 나눈다. 광섬유는 외부의 전자파에 의한 간섭이나 혼선이 없고 도청이 힘들며, 소형, 경량으로서 굴곡에도 강하며, 하나의 광섬유에 많은 통신회선을 수용할 수 있고 외부환경의 변화에도 강하다. 더구나 재료인 유리의 원료는 대단히 풍부하므로 효용도가 높다. 광섬유의 용도는 통신용, 영상전달용, 검출기용 등으로 구별된다.

(1) 통신용

가정용 · 산업용 등 일반 통신망과 케이블 · 텔레비전 등의 통신매체로 쓰이며, 산업용 · 군사용 자동기기의 데이터 전송용, 컴퓨터의 각 유닛(unit) 사이의 통신용으로 쓰인다. 이때에는 광섬유의 1차 피복 위에 외부피복을 씌워 코드나 케이블을 만들어 사용한다.

(2) 영상전달용

그림 2-39에서 보인 바와 같이 주로 짧은 길이(수 m)의 광섬유 다발로 만들어 내시경에

사용한다. 광섬유 다발에 속하는 각각의 광섬유는 영상의 한 점에 해당하므로 다발에 속하는 광섬유의 수가 많을수록 해상도가 높은 영상을 얻을 수 있다. 통상 이러한 광섬유 다발은 50,000개의 광섬유로 이루어지며 각 광섬유의 직경은 약 $8\,\mu m$, 광섬유 다발의 직경은 약 6mm이다. 이러한 방식으로 영상을 전달할 때는 양 끝단의 광섬유 배열이 매우 중요하다. 배열이 올바르게 이루어지지 않으면 그림 2-40에 보인바와 같이 올바른 영상을 얻을 수 없다.

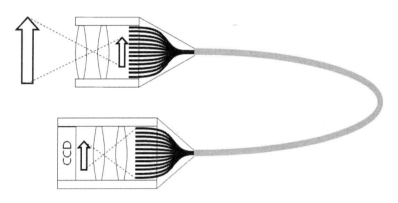

〔그림 2-39〕 광섬유에 의한 영상의 전달

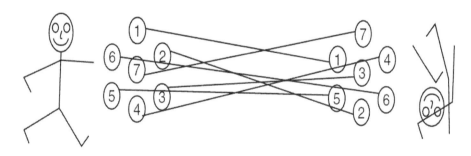

〔그림 2-40〕 올바르지 않은 광섬유 배열에 의한 영상의 왜곡

(3) 검출기용

주로 단일모드 광섬유가 쓰이는데, 이는 이 광섬유가 외부의 변화 즉 압력, 온도, 속도, 가속 등에 예민한 점을 이용하여 자이로스코프, 고전압전류측정기, 수중음파탐지기 등에 사용된다. 광섬유에 언급한 외부 자극이 주어질 경우, 광섬유 코어에 단일모드 조건에서 벗어나게 되고 이는 광섬유의 한쪽 끝, 즉 관측점에서 빛의 모드 또는 세기에 변동을 가져오게 된다.

제 3 절 조명(Lighting)

1. 조명의 정성적 특성

비단 육안검사 뿐만 아니라 독서, 소형 전자부품 조립, 기술적인 도면을 그리는 일, 복사기의 색을 점검하는 일과 같은 기술적 작업, 그리고 거실, 강의실과 같은 생활환경 등 각기 다른 일을 할 때 요구되는 눈의 역할은 서로 다르다. 육안검사에 있어서 조명은 검사의 종류에 따라 그 요건을 달리하겠으나, 광색(light appearance)이 적절하고 연색성(color rendering)이 뛰어날 뿐만 아니라 높은 선예도를 유지하고 검사자의 육안을 피로하지 않도록 적절한 조도수준을 가져야 한다. 또한 직/간접 현휘(direct/reflected glare)가 발생하지 않도록 하여 표면의 상태를 효과적으로 관찰 할 수 있어야 한다. 이러한 조건을 만족하는 조명을 위해서는 육안검사자가 가용한 각 광원의 특성뿐만 아니라 조명의 방식과 이들에 대한 장단점을 숙지하고 있어야 한다. 아래에 제시한 항목은 조명의 정성적 특성(qualitative characteristics)을 제시한다.

- 조도수준 : 밝음의 정도
- 현휘 한계 : 직접 또는 반사 현휘로 인하여 육안이 방해받지 않는 시야 정도
- 휘도분포 - 검사면 전반에 걸친 휘도분포의 조화로움 정도
- 광색 - 광원의 색온도, 검사대상의 색상구별에 영향을 미친다.
- 연색성 - 색들의 정확한 인식과 구별에 영향을 준다.
- 빛의 방향 및 광원의 위치
- 모델링 - 표면구조와 3차원 형태를 인식할 수 있는 정도

여기서, 일반적으로 조도수준은 앞서 제시한 정성적 특성에서 가장 중요한 것이라 할 수 있으며, 검사 환경이 실내인 경우에는 광원에 의한 직접적인 조명 외에도 벽, 바닥, 그리고 천장의 조도와 반사율이 조도수준을 결정하는 중요한 요소가 된다. 반사율의 예 및 KS에서 규정하는 적정 조도수준 예시를 표 2-9 및 2-10에 각각 제시하였다. 앞서 설명한 육안검사의 물리적/생리적 원리에 의하여 조도수준은 육안검사에 직접적이고 지대한 영향을 미치므로 적절한 수준의 조도수준 유지는 육안검사에 필수적이다.

표 2-9 반사율의 예

흰벽	밝게 칠한 나무판자	붉은 벽돌
85%	50%	25%

표 2-10 한국공업규격에서 제시하는 조도수준 및 작업의 예시

활동유형	조도분류	조도범위(lx)	조명방법
어두운 분위기가 필요한 작업장	A	3-4-6	전반조명
이용이 빈번하지 않은 어두운 분위기의 장소	B	6-10-15	
어두운 분위기의 공공장소	C	15-20-30	
잠시 동안 사용하는 단순 작업장	D	30-40-60	
시작업이 빈번하지 않은 작업장	E	60-100-150	국부조명
고 휘도 대비 또는 큰 물체에 대상의 시작업 수행	F	150-200-300	
일반 휘도대비 또는 비교적 작은 물체를 대상으로 하는 시작업 수행	G	300-400-600	
저 휘도대비 또는 매우 작은 물체를 대상으로 하는 시작업 수행	H	600-1000-1500	
비교적 장시간동안 저 휘도 대비 또는 작은 물체를 대상으로 하는 시작업 수행	I	1500-2000-3000	전반조명 및 국부조명 병행
장시간 동안 힘든 시작업 수행	J	3000-4000-6000	
휘도대비가 거의 되지 않고 작은 물체에 대하여 수행하는 특별한 시작업	K	6000-10000-15000	

현휘 한계(glare limit or veiling glare)는 그림 2-41 및 2-42에서 보인 바와 같이 육안이 현휘에 의하여 방해받는 시야를 말하며 직접 현휘한계, 간접 현휘 한계로 나눌 수 있다. 또한 현휘는 시각에 미치는 영향에 따라 불쾌현휘(discomfort glare), 불능 현휘(disability glare)로 나눌 수 있다. 현휘는 시작업 대상물체와 주위배경 사이에 10배 이상의 휘도차이가 날 때를 말하며, 육안으로 유입되는 빛의 양이 과도한 경우 시야에서 휘도의 대비가 없어도 현휘가 발생하고; saturation effect 통상 현휘 한계는 45도로 고려한다. 이 범위에서 직접 또는 간접적으로 육안으로 유입되는 빛은 육안검사 및 육안검사의 기록에 영향을 미칠 수 있다. 불쾌현휘는 시작업 대상물체와 주위배경 사이의 과도한 휘도대비로 인해 느끼는 시각적 불쾌감

을 말한다. 시야 내에 대상물보다 현저하게 밝은 부분이 있으면, 그 때문에 대상물을 보기 힘들어져 육안이 쉽게 피로해지고 작업 능률을 저해할 뿐만 아니라 그 존재가 심리적인 불쾌감을 야기한다. 이 경우 반드시 현휘를 동반되는 것은 아니나 불쾌하여 시대상물을 보기 어려워지므로 이를 불쾌 현휘라고 한다. 불쾌 현휘는 조명환경에 대한 심리적인 반응의 하나이므로 광계측인 측면에서 동일한 자극이 육안으로 유입된다 하더라도 개인차, 그리고 환경에 의한 차이가 있으므로 정확하게 정량화하기 어렵다.

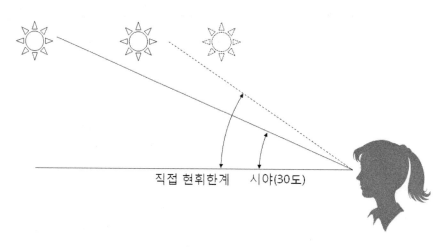

〔그림 2-41〕 현휘 한계

불능 현휘 (disability glare)는 주로 직접 현휘에 그 원인이 있으며 대상물보다 현저하게 휘도가 높은 물체가 존재하면 그 물체에서 안구로 입사하는 빛이 안구 내에서 산란하여 대상물이 인식되지 않는 상태를 말한다. 금속표면과 같이 반사율이 높은 면을 관찰하는 경우 광원과 시선의 각도가 적절하지 않은 경우 발생할 수도 있으며 이는 정반사에 의한 광막반사 (veiling reflection)와 비슷하다.

조명은 사람이 사물의 색을 자연광 아래에서처럼 제대로 인지할 수 있도록 해야 한다. 연색성이란 조명된 사물의 색을 재현함에 있어서 그 충실도를 나타내는 광원의 성질을 말하며, 연색지수란 자연광에서 본 사물의 색과 특정 조명에서의 경우 어느 정도 유사한가를 수치로 나타낸 것이다. 측정방법은 DIN 6169에 따라 정해진 여덟 종류의 시험 색을 측정하려고 하는 광원 하에서 본 경우와 기준광원 하에서 본 경우의 차이로 측정한다. 즉, 측정한 광원이 기준광원과 같으면 Ra100으로 나타내고 색 차이가 클수록 Ra값이 작아진다. 지수가 100에 가까울수록 연색성이 좋은 것을 의미하며 지수가 낮을수록 색재현도가 떨어지며, 일반적으로 평균 연색지수가 80을 넘는 광원은 연색성이 좋다고 할 수 있다. 위에 열거한 정성적 특성 중 마지막 두 가지 사항은 주로 그림자에 해당하는 것으로 검사표면에 원치 않는 그림자로 인하여 육안검사가 방해받지 않도록 해야 한다. 육안검사에서는 부식, 청열취성과 같이 지시의 색이 중요한 정보인 경우도 있으며, 균열과 같이 작고 세밀한 모양을 가지는 지시도 있다. 검사 표면의 반사율이 낮고 육안검사의 난이도가 높을수록 더 높은 수준의 조명이 필요하게 된다

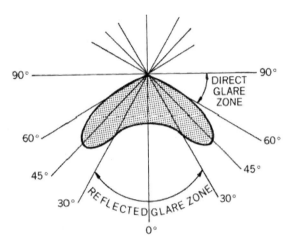

〔그림 2-42〕 직접 현휘 및 간접 현휘 영역

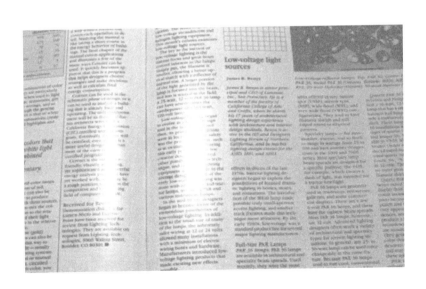

〔그림 2-43〕 광막반사(veiling reflection)의 예시

2. 조명의 정량적 특성

공간을 통하여 여러 형태로 퍼져나가는 전자기파의 에너지의 흐름을 복사(radiation)라고 한다. 이러한 복사는 물리적인 양으로 다루어 항상 직접 측정할 수 있으나, 매우 제한된 파장 영역의 복사만 우리의 눈으로 감지할 수도 있다.

예를 들어 적외선은 직접 측정될 수는 있으나 인간의 눈으로 감지할 수는 없다. 따라서 복사계측은 모든 전자기파에 적용되는 일반적이 방법이지만, 광계측은 인간의 눈으로 측정하는 방법이므로 가시광선에만 국한된다.

즉, 조명의 정량적 측정은 복사계측(radiometry)의 특정 영역이라 할 수 있으며 광계측(photometry)이라 한다.

그림 2-44는 조명의 정량적 특성의 종류와 이들을 측정하기 위한 기기를 제시하였다. 이들 정량적 특성은 광원의 특성, 빛의 전파에 대한 특성, 그리고 빛을 반사하는 표면의 특성으로 분류하여 생각할 수 있다.

광원의 특성에서 주요하게 고려되는 것은 광원의 색과 출력에 관련된 것으로, 여기서 광원의 색은 색온도 및 스펙트럼으로 그 성격 및 양이 측정된다.

빛의 전파, 즉 빛의 방향이 고려된 광계측 항목은 광도가 있으며, 표면과 관련된 항목으로는 휘도, 반사율, 투과율 등이 있다.

3. 광계측(measurement of light) 및 광계측 장비

앞서 설명한 바와 같이 광계측은 육안에 의하여 관찰되는 빛에 대한 물리량을 측정하는 기술 또는 분야로서 육안이 빛에 대하여 가지는 감수성의 분포를 고려하여 측정에 임하는 것이다.

측광은 측정의 기준이 육안에 의한 감수성이라는 점, 즉, 서로 다른 파장에 대한 육안의 감수성을 가중치로 가진다는 점에서 일반적인 복사측정기술(radiometry)과 구별된다.

앞서 그림 2-6에서 명소시와 암소시에서 육안이 가지는 빛에 대한 감수성을 빛의 파장에 대비하여 나타내었다. 측광에서는 복사되는 전기장, 즉 빛의 세기는 그림 2-6에 나타낸 감수성을 가중치로 곱하여 표기한다.

가중치를 적용한다는 점을 제외하면 근본적으로 두 분야에서 측정하는 물리량은 동일하며 복사계측과 광계측에서 가장 중요한 5가지의 기본 측정량을 요약하면 표 2-11에 제시한 바와 같다.

Characteristic	Dimensional Unit	Equipment
Light		
Wavelength[1]	meter	spectrometer
Color[1]	none	spectrophotometer and colorimeter
Illuminance (flux density)[2]	lux	photometer
Orientation of polarization[1]	degree (angle)	analyzing prism
Degree of polarization[1]	percent (dimensionless ratio)	polarization photometer
Light Sources		
Energy radiated[1]	joule per square meter	calibrated radiometer
Color temperature[2]	kelvin	colorimeter or filtered photometer
Luminous intensity[2]	candela	photometer
Luminance[2]	candela per square meter	photometer or luminance meter
Spectral power distribution[1]	watts per nanometer	spectroradiometer
Power consumption[2]	watt	wattmeter, or voltmeter and ammeter (for direct current and for unity power factor alternating current circuits)
Luminous flux (light output)[1]	lumen	integrating sphere photometer
Zonal distribution[1]	lumen or candela	distribution meter or goniometer
Lighting Materials		
Reflectance[2]	percent (dimensionless ratios)	reflectometer
Transmittance[2]	percent (dimensionless ratios)	photometer
Spectral reflectance and transmittance[1]	percent (at specific wavelengths)	spectrophotometer
Optical density	dimensionless number	densitometer

1. CAN BE MEASURED IN THE LABORATORY.
2. CAN BE MEASURED IN THE FIELD OR THE LABORATORY.

〔그림 2-44〕 조명의 정량적 특성

표 2-11 복사계측 및 광계측의 기본 측정량

	기본 측정량	단위
복사계측	복사선속 (radiation flux) 또는 복사출력 (radiation power)	W
	복사조도 (irradiance)	W/m^2
	복사강도 (radiant intensity)	W/sr
	복사휘도 (radiance)	$W/m^2 - sr$
광계측	광속(luminous flux) 또는 광출력(luminous power)	$lm = cd \cdot sr$
	조도 (illuminance)	$lx = lm/m^2$
	광도 (luminous intensity)	$cd = lm/sr$
	휘도 (luminance)	$lm/m^2 - sr = cd/m^2$

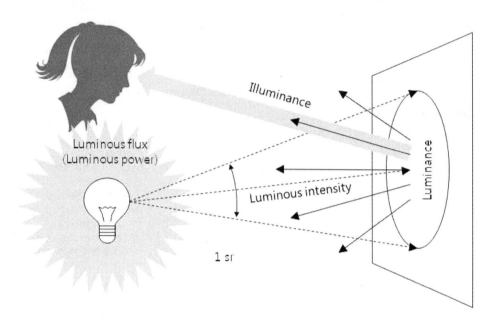

〔그림 2-45〕 광속(또는 광출력), 조도, 광도, 휘도의 도식

광속(또는 빛다발)은 물리적으로 방사선속(radiant flux)의 차원을 가지나 육안의 시감도
(luminosity factor)를 고려하여 시간당 복사되는 에너지에 시감도를 가중하여 전체 파장에
대하여 합한 양으로

$$광속 \ = 680 \int_{380}^{780} \Phi(\lambda) \, V(\lambda) d\lambda \ \cdots\cdots\cdots\cdots\cdots\cdots\cdots\cdots\cdots\cdots\cdots\cdots(식 \ 2\text{-}18)$$

으로 정의되며 표 2-11에 제시한 바와 같이 루멘(lumen)을 단위로 쓴다. 조도(illuminance)
는 조명이 비추어지는 면에서 단위 면적당 광속의 양, 광도(luminous intensity)는 단위 입체
각에 대한 광속(power per unit solid angle)으로 cd를 단위로 쓰고, 휘도는 어떤 방향에
있어서 광도의 정사면 면적밀도이다. 광속, 조도, 광도, 그리고 휘도의 관계는 표 2-11에서
쉽게 알 수 있다.

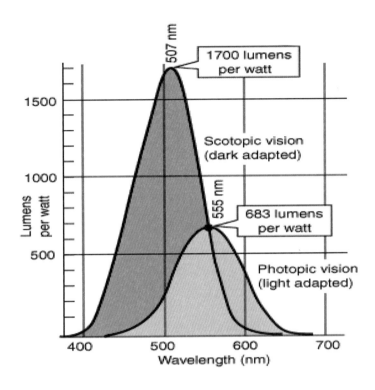

〔그림 2-46〕 시감도(Luminous efficacy)

조명이라는 관점에서 볼 때, 표 2-11에 제시한 측정량 외에 몇 가지를 추가하여 사용하는 것이 효율적인데, 주로 사용되는 것들은 조명에너지(Luminous energy), 광속발산도(Luminous emittance), 그리고 조명효율(Luminous efficacy)이다. 조명에너지는 에너지의 차원을 가지며 사용되는 단위는 $lm \cdot sec$ 이다. 즉, 주어진 시간동안 조명이 복사한 총 빛 에너지의 총량을 의미한다. 광속발산도(luminous emittance)는 어떤 면의 단위면적으로 부터 발산하는 광속, 즉 어떤 면으로부터 방사되는 광속의 면적밀도로 조도에 반대 방향에 해당하며 그 단위는 조도와 같이 lx를 쓴다. 조명효율(luminous efficacy)은 광원에 유입되는 일률(power, in watt)에 대한 광속의 비를 나타내는 것으로 그 단위는 lm/W 또는 L; Lambert를 쓴다. 식 2-18에 제시한 광속의 정의에서 알 수 있듯이 루멘 단위는 시감도를 고려한 양이므로 조명효율 역시 그림 2-46과 같은 육안의 시감도에 대한 고려가 포함된다.

가. 측광 (Photometry)

광원으로부터 나오는 빛 또는 어떤 면이 받거나 반사하는 빛의 양을 재는 일을 말한다. 앞서 설명한 바와 같이 측광량은 사람의 명암에 대한 지각과 파장의 관계를 조사하여 표준화한 표준비시감도로 평가되므로, 측광량을 측정하는 수광기의 파장에 대한 응답특성은 표준비시감도와 매우 비슷해야 한다. 육안으로 측광하는 것을 시감측광, 광전지나 광전관 등의 물리수광기로 측광하는 것을 물리측광이라고 하며, 현재는 물리측광이 대부분을 차지한다.

(1) 물리측광

물리측광은 일반적으로 독립측광이 가능하여 개인차가 적고 측정할 수 있는 파장 범위가 넓다. 광전관과 열전기쌍은 반응량이 대략 광속에 비례하는데 이 중 광전관은 정밀도가 높으며, 열전기쌍은 분광감도가 일정하여 원적외선 영역까지 사용된다.

(2) 시감측광

시감측광은 비교측광법의 일종인데, 이때 측정할 수 있는 것은 휘도이고, 광도, 조명도, 광속 등은 휘도를 환산하여 측정한다. 루머-브로둔(Lummer -Brodhun) 측광기 또는 복프리즘 등을 사용하여 비교하려는 두 빛의 세기에 각각 비례하는 휘도를 가진 두 측정면을 한 시야 안에 만든다. 그 다음 그 휘도가 같도록 한쪽 빛을 감광하고, 감광장치의 눈금으로 두 빛 세기의 비를 구한다. 이때 두 빛에 대하여 스크린 위에서 상을 접근시켜야 하고, 시야의 밝기는 $3 \times 10^{-3} sb$ 정도, 시각은 2도 정도로 한다. 또 색이 다른 두 빛을 측정하는 것을 이광측광, 같은 색의 빛인 경우는 동색측광이라 한다.

(3) 표준광원

시감측광을 이용한 광도, 광속의 측정에 있어서는 빛의 양의 수치설정을 위해 고품질의 백열 텅스텐 전구로 된 표준전구가 쓰인다. 예를 들면 어떤 광원의 광속을 측정하는 경우에 구형 광속계를 사용하여 표준전구의 광속 값과 비교하여 수치를 설정한다. 물리측광을 이용한 측광에서는 조도, 휘도, 광속발산도가 각각 조도계, 휘도계, 광속발산도계에서 직접 읽을 수 있는 값으로 측정되지만 이런 계기의 교정에는 앞에서 설명한 표준전구(분포온도 2856K)를 원칙으로 한다.

표 2-12 물리 수광소자의 종류

검출기의 종류		측정원리	주요 용도 및 사용처
열 검 출 기	열전대	온도 차이에 의한 기전력 발생	일사계, 레이저출력계, 광측정, 온도측정, 복사측정
	볼로미터 서미스터	온도 변화에 따른 저항 변화	복사측정, 일사계, 광측정, 레이저출력계, 온도측정
	열편극 검출기	온도 변화율에 따른 표면 전하(열편극)의 변화	복사측정, 일사계, 레이저출력계, 온도측정
	골레이 셀	공기의 열팽창	저출력 복사측정
광전관 검출기	이극 광전관	광전효과	복사측정
	광전 증배관	광전효과	복사측정, 분광학광자계수
반 도 체 검 출 기	광전도형	Photo-conduction, 광량에 비례한 전도도 변화	복사측정, 노출계, 온도측정, 광계전기, 화염감시기
	광기전력형	Photo-electromotive force, 광량에 비례한 기전력 발생	광통신, 복사측정, 색측정, 온도측정
	광증배 다이오드	광전자 가속에 의한 전자 증폭	광자계수
	광 커플러	광원 조사와 수광 소자의 조합	무잡음/무접점 스위치
	영상검출기	센서를 1차원 또는 2차원으로 배열	사진기 수광소자, 색측정, 분광학, 복사측정

나. 조도계 및 측광용 기기

(1) 루머-브로둔(Lummer-Brodhun) 측광기

시감측광에 사용되는 측광기로 복굴절 프리즘 또는 다수의 프리즘 거울 등을 이용하여 표준광원을 포함한 두 개의 광원을 면에 비추고 이들 한 시야에 들어오도록 조정한다. 표준광원에 대비하여 측정하고자하는 광원의 측광량을 육안으로 비교하여 측정하므로 측정되는 양은 휘도이다. 다른 물리량들은 휘도를 환산하여 계산해야한다.

(2) 광기전력형

광기전력형 수광소자의 하나로 금속과 반도체의 접촉면, 또는 반도체의 p-n 접합에 빛을 조사하면 광전효과에 의해 광기전력이 일어나는 것을 이용한 것이다. 금속과 반도체의 접촉을 이용한 것으로는 셀레늄 광전지, 아산화구리 광전지가 있고 반도체의 p-n 접합을 사용한 것으로는 태양전지로 이용되고 있는 실리콘 광전지가 있다. 금속과 반도체의 접촉을 이용한 광전지는 빛이 닿으면 셀레늄 또는 아산화구리에서 전자가 방출되어 금속으로 모이면서 기전력이 발생하는 원리이다. 셀레늄 광전지는 사람의 눈에 가까운 파장감도 특성을 가지고 있으며, 그 광기전력은 아산화구리 광전지의 2~3배이다. 그러나 광전변환 효율이 1%로 매우 낮고, 출력도 작기 때문에 기기의 전원으로는 사용할 수 없다. 과거 사진기의 노출계에 많이 사용되었으나 황화카드뮴 노출계가 사용됨에 따라 그 수요가 점차 줄어들어 현재는 거의 사용하지 않는다. p-n 접합을 이용한 광전지의 광전변환 효율은 이론적으로 22%에 달하지만 실제로는 약 8~15%가 실현되고 있다. 다른 광전지에 비해 효율이 좋으므로 물리수광소자 뿐만 아니라 소기기의 전원으로도 사용할 수가 있다. 소자 1개의 출력전압은 약 0.5V로 작지만 이것을 직렬이나 병렬로 연결하여 사용에 충분한 전력을 얻을 수 있으며 인공위성용 전원이나 방송국 등의 무인중계소, 무인등대의 전원으로 사용된다.

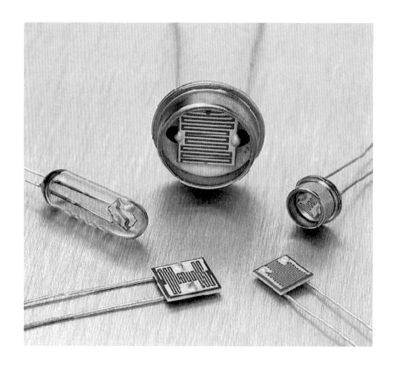

〔그림 2-47〕 Photoconductive type photocell

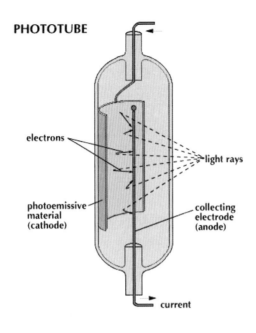

PHOTOTUBE

electrons

light rays

photoemissive
material
(cathode)

collecting
electrode
(anode)

current

〔그림 2-48〕 Photoconductive type photocell

(3) 광전도형

절연체나 반도체에 빛이 닿았을 때 전기 전도도가 증가하는 현상으로 내부 광전효과라
고도 한다. 빛 흡수에 의해 전자가 가전자대 또는 불순물 준위(band)로 여기 되어 자유
전자 또는 양공의 밀도가 증가하여 생기는 현상이며 이때 외부에서 전압이 가해지면 전
류가 흐른다. 광전도는 고체의 비금속담체, 산화물, 황화물, 셀렌화물, 텔루륨화물, 할로
겐화물, 금속간산화물 등 대단히 많은 물질에서 볼 수 있으며, 물리 수광소자 뿐만 아니
라 고체 내 전자의 에너지 준위 및 전기적 특성을 살피는데도 사용된다.

(4) 광전관

외부 광전효과에 의한 광전자를 이용한 전자관으로 빛을 받아 광전자를 방출하는 광음
극과 광전자를 모으는 양극을 가진 2극관이며, 양극에 양전압을 가하면 광전류를 얻을
수 있다. 광음극에는 보통 가시광에 대해 높은 감도를 갖는 알칼리금속과 은 또는 세슘
으로 된 복합광전면이 사용되는데 보통은 관내를 고진공으로 한 것이 사용된다. 광전류
는 일정한 파장의 빛에 대해 입사광의 강도에 비례한다. 광전도관, 광기전력전지에 비

해 광전류는 작지만 증폭하기 쉽고, 감도가 안정하며, 빛에 대한 선형성이 좋으므로 정밀한 측광에 사용된다. 진공형에서는 전압을 어느 값 이상으로 늘려도 광량에 의해 정해지는 포화전류 이상으로는 증가하지 않는다. 그러나 불활성가스를 봉입한 가스들이 광전관에서는 전압을 늘림에 따라 전류도 증가하고, 진공형 보다 4~5배의 감도가 얻어진다.

(5) 광다이오드, 광트랜지스터

p-n 접합을 이용하여 고체 상태로 제작한 물리 수광소자로 응답속도가 빠르고, 감도 파장이 넓으며, 광전류의 직진성이 양호하다는 특징이 있다. 광다이오드는 발광다이오드 (LED: light emitting diode)와 유사하게 생겼으나 반대의 기능을 한다. 즉 광다이오드는 빛에너지를 전기에너지로 전환하지만, 발광다이오드는 전기에너지를 빛에너지로 전환한다. 광트랜지스터는 BJT의 베이스 또는 FET의 게이트역할을 빛이 하는 것이다. 포토다이오드에 비해 빛에 더 민감하나 반응속도는 느리다.

4. 인공 및 자연광원 종류

통상 광원이라 함은 태양과 같이 자체적으로 빛을 생성하거나 달처럼 태양빛을 반사하여 빛을 내는 천체, 그리고 전등, 네온사인, 발광 다이오드처럼 인공적으로 빛을 내도록 만든 기구 등을 말하나 육안검사에서 광원은 자연광 및 스스로 빛을 내며 육안검사자에 의하여 위치, 방향, 세기를 조절할 수 있는 기구를 말한다. 대부분의 광원에서는 다양한 파장의 빛이 섞여 나온다. 태양광은 무지개 색깔의 가시광선과 적외선, 자외선 등을 포함하고 있으며, 촛불이나 모닥불은 파장이 긴 가시광선을 발산하여 노르스름하거나 붉은 색을 띤다. 형광등은 가시광선 영역의 대부분을 방출하지만 파장이 짧은 푸른 빛이 더 많이 포함되어 약간 푸르스름하게 보인다. 수은등, 나트륨등 같은 가스등은 비교적 좁은 영역의 파장을 갖는 빛을 방출하여 일정한 색을 띤다. 특히 레이저는 한 가지 파장의 빛을 생성하여 특정한 색깔만 나타낸다. 이처럼 광원이 내는 빛의 성분은 광원의 종류에 따라 큰 차이를 보인다. 빛의 세기를 파장에 따라 분류한 것을 빛의 스펙트럼이라고 하며, 그림 2-49에 보인바와 같이 각 광원은 서로 다른 스펙트럼을 가진다. 스펙트럼을 달리하는 조명에서는 사물의 색이 서로 다르게 보이므로 청열취성, 녹, 백점 등 육안검사에서 색채가 중요시되는 경우 조명은 넓은 스펙트럼의 가시광선을 골고루 포함하도록 해야 한다.

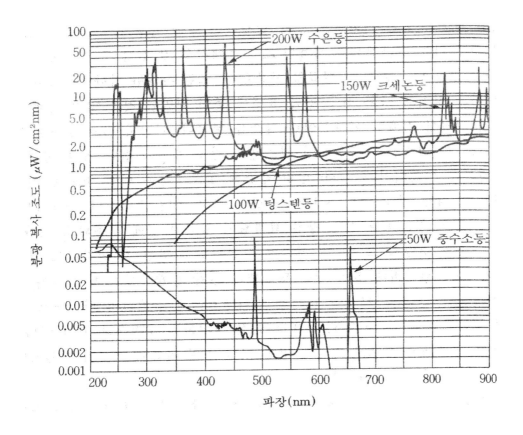

〔그림 2-49〕 광원에 따른 복사 조도의 수준 및 스펙트럼 분포의 예

빛, 넓은 의미에서 전자기파를 발생할 수 있는 물리/화학적 원리는 수없이 많으나 그중 가장 대표적인 것은 스스로의 온도에 따른 특정 스펙트럼의 전자기파를 복사하는 흑체복사이다. 흑체복사의 가장 대표적인 예는 약 6000K의 온도에 해당하는 전자기 복사를 방사하는 태양으로 자연광에 해당한다. 그 외에 흔히 조명으로 사용하는 백열등(incandescent light bulbs), 붉게 달구어진 금속 등이 있다. 흑체복사체에서 방사되는 빛의 분포는 플랑크에 의하여 정립되었으며 방사체의 온도가 높을수록 짧은 파장의 빛을 방사한다. 그 외에도 빛을 발생할 수 있는 물리/화학적 현상으로 전자의 감속에 의한 전자기파 방사(cyclotron radiation, synchrotron radiation, and brems- strahlung radiation), 매질 내에서 광속이상으로 운동하는 입자에 의한 전자기파 방사 (Cherenkov radiation), 화학반응에 의한 발광 (chemolumi nescence), 높은 에너지(진동수)의 전자기파를 흡수하고 그보다 낮은 에너지(진동수)의 전자기파를 방출 하는 현상(fluorescence), 이와 같은 현상이 지연되어 발생하는 것

(phosphorescence), 방사선에 의한 섬광(scintillation), 전기발광(electroluminescence), 소리빛(sonoluminescence), 마찰발광(tribolumine scence), 특정 매질 안에서 유도 방사된 빛을 공진기로 증폭하여 출력하는 것; 레이저 등이 있다. 상기 기술한 이들 물리적 원리들은 모두 빛을 발생시키나 모두 공업적/상업적 조명으로 이용되는 것은 아니다. 현재 공업적으로 주로 사용되며 육안검사에 사용될 수 있는 인공광원은 백열전구, 할로겐전구, 저전압방전등, 고전압방전등, 그리고 초고전압방전등이 있다. 이들 광원은 빛을 발생시키는 방법에 따라 크게 2종류로 나눌 수 있는데, 첫 번째로 금속류의 물체를 가열하여 고온이 된 물체로부터 나오는 빛을 이용하는 온도방사에 의한 것, 즉 흑체복사의 원리를 이용한 것, 둘째로 유리관에 가두어진 기체에 전압을 가함으로써 기체가 반응하여 빛을 발하는 것, 즉 형광에 의한 것이다. 이 외에 최근 사용이 급증하고 있는 EL(electroluminescence)등, LED(light emission diode)와 같이, 기체 또는 진공을 사용하는 기존의 전구와는 달리 고체상태(solid-states) 광원, 유도공진을 이용한 레이저가 있다.

가. 온도방사에 의한 백열발광

(1) 백열전구

진공 유리구에 비활성기체를 봉입하고, 텅스텐 필라멘트에 전류를 흐르게 하여 복사열에 의한 백열광을 이용한다. 휘도가 높고 열방사가 많으며 스펙트럼에서 적색에 해당하는 부분이 많다. 그림 2-52에 보인 바와 같이 자연광과 유사한 스펙트럼을 가지므로 전시 조명에서 언급하는 광색이 우수하고 연속스펙트럼을 가지나, 효율이 극히 낮고 수명이 짧다. 발광효율이 낮으므로 넓은 영역에 대하여 높은 조도를 얻는 목적으로는 적합하지 않다. 조명의 점멸 빈도가 높거나 비교적 좁은 장소의 전반조명 또는 지향성을 가진 직접조명에 적합하다.

(2) 할로겐전구

백열전구의 일종으로 비활성기체 외에 미량의 할로겐물질을 넣고 봉한 것으로, 유리구의 흑화가 적고 일반 백열전구에 비해 광속저하가 낮다. 소형화 할수 있으며 휘도가 높다. 또한 광색과 연색성(Color Rendering)이 우수하여 일반적인 상업/공업용도의 조명 뿐만 아니라 투광조명, 스튜디오조명, 영사기, 광학기기, 자동차 전조등, 비행장 유도등, 집어등, 복사기 등 특수 목적의 조명으로도 널리 사용된다.

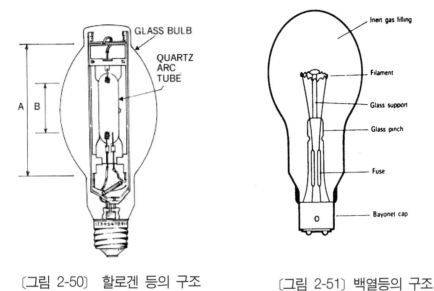

〔그림 2-50〕 할로겐 등의 구조　　　　〔그림 2-51〕 백열등의 구조

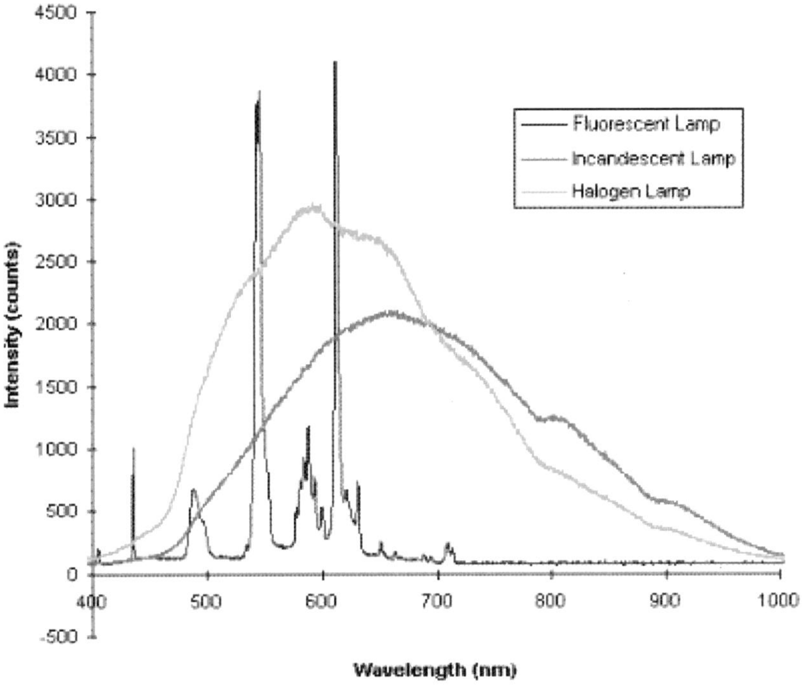

〔그림 2-52〕 백열광, 할로겐광, 형광의 스펙트럼 비교

나. 방전등

(1) 저압방전등

흔히 형광등이라 부른다. 봉입되는 기체에 따라 저압 수은등, 저압 나트륨등이 있다. 저압 수은 등은 저압의 수은방전으로 방사된 자외선을 등 안쪽에 도포된 형광체에 의해서 가시광선으로 변화시켜 빛을 내므로 그림 2-52에서 보인 바와 같이 특정 주파수의 빛이 강조된 스펙트럼을 가진다. 효율이 높고 연색성이 우수하며 복사열이 적으며 수명이 길고 전력 소모가 적은 장점을 가진다. 그러나 주위 온도에 따라 효율과 수명이 달라질 수 있으며, 가장 중요한 단점으로는 등의 휘도가 낮다는 것이다. 형광등은 옥내/외의 전반, 국부조명에 주로 사용되며, 광원 특성상 명시성을 중시하는 양질의 조명을 경제적으로 확보해야 하는 곳에 적당하다. 저압나트륨등은 나트륨 증기 중의 방전에 의한 발광을 이용한 고휘도방전(HID)등이다. 종래의 나트륨등보다 단열효율이 높은 고효율 저압 나트륨등도 개발되어 있으며 인공 광원 중 효율이 가장 높다. 수명이 길고 광속유지율이 우수하여 에너지절약형 광원으로서 도로나 공장 등에 사용한다. 또한 안개 속에서도 빛을 잘 투과하여 장애물 발견에 유효하다는 점에서 교량, 고속도로, 일반도로, 터널, 해안지역 등의 조명에 사용된다.

(2) 고압방전등

대표적인 예로 고압수은등, 고압나트륨등, 메탈할라이드등이 있다. 고압수은등은 수은증기 중의 아크방전에 의해 수은 발광스펙트럼을 갖는 고휘도 방전등이다. 고압형광수은등은 고압수은등의 광색과 연색성을 개선한 것이다. 고휘도이며 1등 당 전력 및 광속이 크다. 수명이 길고 설치비용이 적지만, 시동과 재시동에 시간이 걸린다. 또한 연색성이 좋지 않아 백열등과 함께 사용하기도 한다. 용도로는 도로, 경기장, 공원 등의 광장, 천장이 높은 공장 등에 사용되며, 자외선이 많이 포함되므로 살균용, 의료용, 사진용에도 이용된다. 메탈할라이드등은 고압수은등에 금속과 금속할로겐 화합물을 첨가하여 연색성과 효율을 개선한 고휘도방전(HID)등이다. 수명이 길고 효율이 높으며, 광색이 좋고 연색성이 우수하다. 용도로는 실내외 일반조명, OHP 등의 광학기기, 인쇄, 제판, 옥내외 스포츠 시설, 천장이 높은 공장, 홀, 상점 조명 등에 이용된다.

(3) 초고압방전등

현재 공업용으로 사용되는 초고압방전등은 크세톤등이 유일하다. 크세논등은 크세논 가스 속에서 일어나는 방전발광을 이용한 광원으로 그림 2-52에 보인 바와 같이 자외선 영역에서 가시영역을 거쳐 적외선 영역에 걸치는 매우 넓은 범위의 연속스펙트럼을 이룬다. 특히 자외선 영역에서 가시영역에 이르는 빛은 낮의 자연광과 매우 유사하여 색채 검사용, 영사와 같이 매우 고품질의 조명이 요구되는 곳에서 사용된다. 크레논등의 대표적이 사용 예는 영사, 인쇄제판, 퇴색시험, 솔라시뮬레이터, 사진제판, 투광조명, 항공기 유도등이 있다.

다. 기타 광원

(1) EL등

박판모양의 이상적인 면광원이라는 장점 때문에 1960년대 초부터 실용화되었다. EL램프의 기본적인 메커니즘을 보면, 황화아연계의 특수한 형광체를 유전체에 분산시켜 약 $10 \mu m$ 두께의 박막발광층(형광체층)을 만들어, 이것을 한쪽이 투명한 전극으로 되어 있는 평행전극 사이에 끼우고 교류로 구동하도록 되어 있다. 이때 한쪽을 투명전극으로 만든 이유는 복사된 빛을 밖으로 내기 위한 것이다. 현재 상업/공업용으로 일반화 되어 있는 EL램프에는 다음의 3가지 형이 있다.

· 그림 2-53과 같이 유리기판 위에 투명전극을 장착시키고 이 위에 형광체를 플라스틱 바인더로 굳혀서 박막발광층을 만든 다음 이 위에 다시 알루미늄을 증착시켜 금속판 전극을 만든 구조로 되어 있는 유리플라스틱형 EL램프
· 철기판 위에 흰색 법랑을 입히고 또 이 위에 법랑발광층을 만들어 다시 투명전극을 덧붙인 세라믹형 EL램프
· 플라스틱필름 위에 알루미늄박을 입힌 다음 이 위에 플라스틱바인더로 형광체를 굳힌 발광층을 만들고 다시 전기전도성 유리종이를 여러 번 겹쳐서 전극으로 만들었기 때문에 유연성이 있는 플라스틱형 EL램프가 있다.

이상의 EL램프는 모두 두께가 0.5~5mm, 한 변의 길이가 30cm 정도이다. 또 전원주파수는 50~60Hz, 400Hz 1000Hz 것이 제작되고 있는데, 100V, 50Hz인 것이 10 lx 밖에 안 될 정도로 조명도가 낮기 때문에 일반적인 조명이 아닌, 다소 어두운 장소의 표시등, 무드조명 외에도 계기판 등의 문자반 조명, 상야등, 족하등으로 쓰인다. EL램프의 발광색은 형광체의 조성에 따라 다르나 파랑/녹색/주황색이 기본색이다.

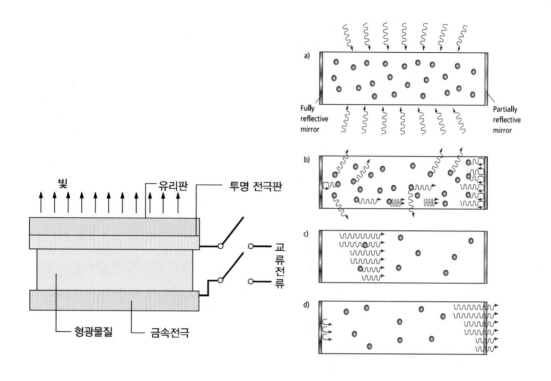

〔그림 2-53〕 유리플라스틱형 EL등의 구조　　〔그림 2-54〕 레이저의 원리 도식

(2) 발광다이오드

반도체의 p-n 접합에 전류를 흘려 빛이 방출되도록 한 다이오드로 흔히 LED라 한다. 반도체다이오드의 pn접합에 전류가 흐르면 n형 반도체의 전자는 p형 반도체 영역으로, p형 반도체의 양공은 n형 반도체 영역으로 확산된다. 이들 전자와 양공은 각각의 영역에 있는 양공/전자와 재결합하는데, 이때 반도체의 금지대 폭에 맞는 에너지에 대응하는 파장의 빛을 방출한다. 이 현상은 주입형 전기발광이라 한다. 그 만드는 방법에 따라 확산형, 액상성장법을 이용한 액상형, 기체상적층성장(epitaxal growth)이 있다. 확산형의 발광효율은 4~6%로 나쁘지만 응답시간은 100 s, sec로 매우 빠르기 때문에 포토커플러에 이용된다. 액상형은 발광효율이 5~30%로 좋지만 응답시간은 1 s, sec로 느리기 때문에 표시용으로 이용된다. 기체상적층성장(epitaxal growth)에 의해 제조된 LED는 균일하고 넓이가 큰 것을 얻을 수 있어 오래 전부터 공업화되어 있다. 현재 주로 생산되는 LED의 크기는 3인치, 5인치, 8인치, 10인치 등이 있으나 주로 5인치가 주종을 이

루고 있으며 약 50,000시간 이상의 반영구적인 수명과 전력소비가 적어 효율이 매우 좋다.

(3) 레이저

물질의 적당한 두 에너지준위 사이에서 반전분포를 만들면 두 준위 사이의 에너지 차에 주파수가 공명하는 빛에 유발되어 높은 준위의 원자가 낮은 준위로 전이하여 에너지를 빛으로 방출하는 유도복사가 일어난다. 그 결과 입사광은 주파수와 위상이 같고 세기가 증대된다. 이를 간섭성인광의 증폭이라 한다. 음온도 매질을 광의 공진기 안에 넣고 증폭된 광을 반복하여 왕복시키면 광의 자려발진(Self Oscillation)이 일어나 레이저로 된다. 따라서 레이저광은 위상이 일치한 파가 되므로 보통의 빛과는 본질적으로 성질이 다르다. 광의 공진기는 기본적으로 반사율이 높은 2개의 평면거울을 서로 평행하게 놓은 것으로 면에 수직인 정상파가 공진모드이다. 레이저매질로서 증폭 가능한 주파수 범위에 많은 수의 광의 공진모드가 존재하므로 여러 개의 모드에서 레이저가 동시에 발진하는 것이 보통이다. 레이저는 일반인 조명에서 만들어 지는 빛과 그 성질이 매우 다르며 가장 중요한 특성은 아래의 세 가지이다.

· 결맞음(coherence)이 우수하다. 레이저에 의하여 발생되는 빛은 모두 결이 맞다.
· 지향성이 좋다. 회절한계로 정해지는 좁은 폭으로 직진한다.
· 단색성

이 외에도 기존의 일반적인 광원과는 확연히 다른 매우 높은 색온도, 높은 에너지, 또는 매우 짧은 시간 폭을 가지는 펄스를 만들 수 있다. 기술한 바와 같이 레이저는 국부적이고 단색이므로 조명으로서 사용되기 어려우며 측정/가공과 같은 용도로 그 가치를 가진다. 그 예로 시간 폭이 좁은 펄스광을 발사하여 반사되어 돌아오기까지의 시간을 측정하는 레이저레이더가 있으며, 레이저의 결맞음을 이용하여 매우 작은 물체 또는 매우 미소한 변위를 측정하기 위한 간섭계를 구성할 수도 있다. 레이저를 이용한 측정은 보통 무접촉이므로 진동부분/고전압부분/고온부분/인체 등에 적합하다. 이상 광원의 물리적 원리에 의하여 대표적인 예를 설명하였다. 상기 설명과 별도로 실제 상업/공업용으로 사용할 때 장단점 및 각 조명의 일반적인 사양을 표 2-13 및 2-14에 제시하였다.

표 2-13 각종 조명의 장단점

광원 종류	장점	단점
백열 할로겐	연색성이 좋다. 점등 즉시 전광속을 나타내므로 점멸이 잦은 곳에 사용. 설비비가 낮게 소요되고 소형/경량이다. 할로겐등은 수명 기간 중 광속감퇴가 없다.	효율이 낮아 다른 광원보다 전력소비량이 많다. 광속의 절대량이 방전등 보다 적다. 열을 많이 발생한다.
형광	효율이 비교적 높고 열 복사가 적다.	광원이 대형이 된다. 연색성이 나쁘다. 주위온도의 영향을 받기 쉽다.
수은 형광수은	수명이 길다. 효율은 백열전구의 약 3배로 비교적 좋다. 대용량의 것을 만들 수 있다.	연색성이 충분치 않다.
바라스트레스 형광수은	수은등보다 연색성이 좋다. 안정기 쓰지 않으므로 설비비가 낮고 점등 직후의 광량이 비교적 충분하다.	수은등보다 효율이 낮다.
메탈할라이드	효율이 높다. 연색성이 좋다.	평균수명이 수은등보다 낮다. 가격이 약간 비싸다.
크세논	태양광에 유사하고 연색성이 가장 뛰어나다. 대용량의 것을 만들 수 있다.	효율이 낮다.
저압나트륨	효율이 매우 좋다. 가스의 유독 작용이 없다. 안개/매연 등의 환경에서 투광성이 좋다.	광색은 오렌지 빛 단색광으로 연색성은 나쁘다.
고압나트륨	효율이 높다. 비교적 유독작용이 없다. 대용량의 것을 만들 수 있다.	저압 나트륨등과 비교해서는 꽤 개선되었으나 색채를 중시하는 경우에는 불충분하다.

표 2-14 각종 조명의 일반적인 사항

광원 종류	용량(W)	효율 (lm/W)	색온도 (K)	평균연색 평가수 (Ra)	안정기	평균수명 (hr)
백열전구	10~1,000	16~20	3,000	100	X	1,000~2,000
할로겐등	100~1,500	20	2,800~3,200	100	X	2,000
형광등	4~110	40~90	3,500~6,500	60~95	O	100,000
수은등	40~3,000	30~65	5,700	25	O	12,000
형광수은등	40~3,000	37~65	4,200	40	O	12,000
바라스트레스 형광수은등	300~750	17~30	3,600	58	X	9,000
메탈할 라이드등	175~2,000	65~100	4,800	78	O	9,000
크세논등	600~20,000	21~28	6,000	95	O	2,000
저압나트륨등	35~180	130~175	-	-	O	9,000
고압나트륨등	250~1,000	92~130	2,000	29	O	12,000

표 2-15 표준광원 (KS 0064)

명칭	내용	색온도
표준광 A	가스충전 상태의 텅스텐 백열전구의 표준	2854K
표준광 B	A광원에 데이비스 깁슨 필터 B1, B2를 첨부하여 만든 것으로 태양의 평균 자연광을 나타낸다.	4870K
표준광 C	A광원에 데이비스 깁슨 C1, C2 필터를 더해 만든 것으로 맑은 하늘의 평균 낮 자연광을 나타낸다.	6740K
표준광 D	C광원의 보완으로 제작된 것으로 임의로 색온도를 조정한 것이다. D65, D75로 나타내며, 여기서 숫자는 색온도를 나타낸다.	D65: 6500K D75: 7500K
표준광 F	형광등의 표준광원으로써 F1, F2 등으로 세분화된 종류를 표시한다.	

5. 색온도와 표준광원

이들 각각의 광원은 그 원리나 종류보다 육안검사자의 시각에 미치는 영향이 더 중요하다. 조명은 색온도라는 특성을 이용하여 분류하는 것이 일반적이며 각각의 색온도는 육안 또는 영상장치에서 서로 다른 색채를 유발하기 때문이다. 백열전구, 형광등, 그리고 태양광 등의 광원을 볼 때 우리는 약간의 색깔차이를 느낄 수 있다. 즉 어떤 광원이라도 시각으로 인지할 만한 색을 갖고 있으며, 광원의 색온도에 따라 광원의 색이 다르게 보인다. 그림 2-55에 잘 알려진 광원들에 대한 색온도를 나타내었다. 광원에 의해 물체색도 변화하므로 광원의 색은 육안검사 특히 색채가 검사결과에 영향을 주는 경우 색온도를 고려해야 한다. 색온도는 절대온도로 표현한다. 국제 조명 위원회(C.I.E)의 규정에 따라 우리나라의 공업 규격에서도 규정을 하고 있으며 표 2-15에 열거하였다. 현재 표준 광원에는 A, B, C, D, F가 있으나 미래의 조명기술 발달에 따라 더 추가될 수도 있을 것이다.

6. 조명방식

가. 작업면 또는 검사체를 밝히는 방식에 따른 분류

작업면상의 조도에는 광원에서 빛을 직접 받는 직사 조도와 간접으로 확산시키어 받는 확산 조도가 있다. 직사 조도와 확산 조도와의 비율에 따라 분류하면 직접조명, 반직접조명, 전반조명, 반간접조명, 간접조명으로 나눌 수 있으며 각각에 대한 간략한 설명 및 도식을 표 2-16에 요약하였다.
이 외에도 작업면상의 조도분포에 따라 조명방법을 분류할 수 있으며 표 2-17에 요약한 바와 같다. 두 가지 방식은 혼용하여 사용될 수 있다.

제 4 절 영상 시스템

디지털 영상(Digital video)은 영상의 취득 과정 또는 취득된 영상을 그림 2-56과 같이 이산화하여 디지털형식으로 저장, 배포, 시청하는 것으로 다양한 표준들이 꾸준히 개발되고 있다. 디지털영상은 픽셀단위로 취득 또는 변환되는 것이 일반적이며, 대표적인 표준은 표 2-18에 제시한 바가 있다.

온도 (K)	광원
1500	CANDLE FLAME
1600	INCANDESCENT HOUSE LAMPS
1700	INCANDESCENT HOUSE LAMPS
1800	INCANDESCENT HOUSE LAMPS
1900	INCANDESCENT HOUSE LAMPS
2000	INCANDESCENT HOUSE LAMPS
2100	INCANDESCENT HOUSE LAMPS
2200	INCANDESCENT HOUSE LAMPS
2300	INCANDESCENT HOUSE LAMPS
2400	INCANDESCENT HOUSE LAMPS 1500-3000
2500	60-WATT, GAS FILLED, TUNGSTEN-FILAMENT LAMP
2700	100-WATT, TUNGSTEN-FILAMENT LAMP
2900	500-WATT, TUNGSTEN-FILAMENT LAMP
3000	1000-WATT, TUNGSTEN-FILAMENT LAMP
3100	500-WATT PROJECTION LAMP
3200	FLOODLAMP
3300	WHITE, NO.1, NO.2, OR NO.4 FLOODLAMP
3400	REFLECTOR FLOODS
3500	WARM, WHITE FLUORESCENT LAMP
3700	SHREDED-FOIL, CLEAR FLASHLAMP
3900	HIGH-INTENSITY SUN ARC
4000	
4100	DIRECT SUNLIGHT BETWEEN 10 AM-3PM (AVERAGE)
4300	
4500	COOL, WHITE FLUORESCENT LAMP
4700	DAYLIGHT (BLUE) FLOODLAMP
4900	WHITE-FLAME CARBON ARC
5100	M2B FLASHLAMP
5300	
5500	HIGH NOON SUNLIGHT
5700	DIRECT SUNLIGHT IN SUMMER
5900	BLUE FLASHLAMP
6000	DAYLIGHT FLUORESCENT LAMP
6300	SUNLIGHT WITH CLEAR SKY AT NOON
6700	LIGHT FROM OVERCAST SKY 6800-7000
7300	HIGH-SPEED ELECTRONIC FLASHTUBES
7700	LIGHT FROM HAZY SKY 7500-8400
8100	
8500	
8900	
9300	
9700	
10000	LIGHT FROM CLEAR BLUE SKY
11000	LIGHT FROM CLEAR BLUE SKY
12000	LIGHT FROM CLEAR BLUE SKY
13000	LIGHT FROM CLEAR BLUE SKY
14000	LIGHT FROM CLEAR BLUE SKY
15000	LIGHT FROM CLEAR BLUE SKY
16000	LIGHT FROM CLEAR BLUE SKY
17000	LIGHT FROM CLEAR BLUE SKY
18000	LIGHT FROM CLEAR BLUE SKY
19000	LIGHT FROM CLEAR BLUE SKY
20000	CLEAR BLUE SKY OVER WATER 20000-27000

〔그림 2-55〕 알려진 광원들의 색온도

표 2-16 직접조명 및 간접조명

간접 조명	직사 조도가 거의 없고, 등 기구에서 나오는 광속의 90~100%를 천정이나 벽에 투사시켜 여기에서 반사 확산된 광속을 이용하는 조명 방식을 말한다. 눈부심이 적고, 방 바닥면의 조도가 균일하다. 빛이 물체에 가려져도 심한 그늘이 생기지 않는다. 비교적 대용량의 전구를 적게 사용하여 조명 효과를 낼 수 있다.	
반간접 조명	그림자를 줄이고 적당량의 직사 조도를 유지할 때 사용한다.	
직접- 간접 조명	천정과 바닥에 거의 비슷한 양의 빛을 부여하며, 옆으로는 거의 빛을 보내지 않는다. 사람의 눈높이에서 직접 현휘가 발생하지 않도록 하는 목적으로 주로 사용된다.	
확산 조명	대략 모든 방향으로 빛을 보낸다. 현휘를 줄이기 위해서 확산성 덮개를 사용하거나 조명의 출력이 낮아야 한다.	
반직접 조명	약간의 확산 조도를 유지하여 그림자를 줄이는 목적으로 주로 사용된다.	
직접 조명	작업면상의 조도 중 직사 조도가 확산 조도보다 높은 경우를 직접조명 이라 하는데 이 경우 90~100%의 광속을 작업면상으로 조사시키게 된다. 조명 효율이 좋으므로 간접조명의 1/2~1/3 세기로 같은 정도의 휘도를 얻을 수 있다. 일반적으로 장치가 간단하며, 천정이나 벽으로부터의 반사의 영향이 적으므로 조명의 배치에 대한 설계가 간단하다. 가장 큰 단점으로 일부 영역에서 조명이 확보되지 않는 그늘이 생길 수 있으며 조명과 검사면의 각도가 적절하지 않을 경우 전반사 또는 현휘가 생길 수 있다.	

표 2-17 검사표면에 조명의 방식

전반조명	^ 조명 기구를 일정한 높이와 일정한 간격으로 배치하여 방 전체를 균일하게 조명하는 방식. ^ 시작업의 위치가 변동하여도 광원의 배치를 변경시킬 필요가 없다. ^ 조명의 불균일이 적다. ^ 그늘이 부드럽다. ^ 일반 사무실이나 학교 등에서 많이 쓰는 방식이다.
국부조명	^ 작업상 필요한 장소에만 국부적으로 조명하는 방식 ^ 원하는 곳에 원하는 방향으로 충분한 조도를 줄 수 있다. ^ 불필요한 장소는 소등하여 둘 수 있으므로 경제적이다.

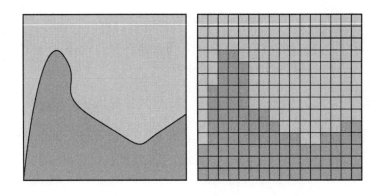

〔그림 2-56〕 디지털 영상의 예시

1. 디지털 영상의 압축과 전송

영상 압축(Video compression)은 영상을 표현하는 데 쓰이는 데이터의 양을 줄이는 것으로 어느 때나 원래의 질을 되도록 떨어트리지 않도록 하는 것이 주된 목적이다.

압축된 영상은 케이블, 지상파 방송, 위성 서비스를 통해 디지털 영상을 전달하는 데에 요구되는 대역너비를 효과적으로 줄인다.

대부분의 압축은 손실 압축을 사용하여 용량을 줄인다.

디지털 영상의 전송은 주로 컴퓨터와 관련한 인터페이스 규격에 따른다.

최초 많은 인터페이스는 압축되지 않은 디지털 영상(거의 초당 400 메가비트)을 다루기 위해 고안되어 왔으나; 초기 직렬 디지털 인터페이스로 파이어와이어, HDMI, DVI, 통합 디스플레이 인터페이스, 디스플레이포트 등이 있다.

최근에는 USB, DVB-ASI 등 MPEG를 전달하기 위한 인터페이스가 주로 고안되고 있다.

압축된 영상은 또한 이더넷 위에서 UDP-IP를 사용하여 전달된다. 여기에는 주로 두 가지 방식에 의존하며 아래에 제시한 바와 같다.

· 영상 패킷의 래퍼(wrapper)로서 RTP를 사용
· UDP 패킷 안에 MPEG를 직접전송

표 2-18 디지털 영상의 저장방법

방식	종류	주 용도
PCM Encoding	CCIR 601	방송 기지국
	MPEG-4	
	MPEG-2	DVD 및 super VCD
	MPEG-1	비디오 CD
	H.261	
	Theora	MPEG-4 파트 10 또는 AVC로 알려져 있음
Tape	베타캠 외	소니의 상업 비디오 시스템, 베타맥스 기술 기반
	D1/2/3/5/9	디지털 S로 알려져 있음. 다양한 SMPTE 상업 디지털 비디오 표준
	DV, mDV	오늘날 비디오테이프 기반의 소비자 캠코더에서 가장 많이 쓰임. 고화질, 쉬운 편집을 위해 고안됨. MPEG-2 포맷의 HDV로 기록할 수 있음.
	DVCAM	전문 방송 처리에 쓰임. DV와 비슷하지만 내구성이 더 강함.
	DVCPRO	DV 호환이지만 더 나은 오디오 관리 기능을 가지고 있음.
		H8 호환 카세트에 기록되는 DV 포맷 데이터.
	Digital8	매우 작은, 카세트를 위한 MPEG-2 포맷 데이터. 현재 쓰이지 않음.
	microMV	
		S-VHS와 비슷한 테이프에 기록하는 MPEG-2 포맷
	D-VHS	
Disk	VCD	
	DVD	
	HD-DVD	

2. 화상분석 및 화상처리

화상분석은 기계부품 등의 응력분석이나 접촉분석 외에 적외선 촬상이나 X선 촬상된 화상, 고속도 사진기 등으로 촬영된 동화 등을 소재로 물리량을 계측하는 데도 쓰인다. 동화 화상으로부터는 운동 분석도 할 수 있다. 화상분석은 공장 등의 생산현장에서 작업자의 작업내용을 촬영하여 그 동화를 화상 분석함으로써 작업공정의 최적화를 도모하기도 하고, 인재를 줄이기 위한 작업표준 매뉴얼을 작성하는 데 활용하는 등 널리 쓰인다.

(a)

(b)   (c)

〔그림 2-57〕 화상처리의 예(Edge detection)

그림 2-57에 보인바와 같이 화상 분석은 화상으로부터 점, 선, 면으로 구성된 자연, 인위적 특징을 가지는 다양한 대상물의 인식을 포함한다. 대상물은 고유 특성에 따라 반사 혹은 방사 패턴에서 특징을 보인다. 이러한 특징은 센서에 의해 원격탐사 자료로 기록이 된다. 화상 판독은 사용자의 이용 목적에 따라 화상 내에 포함된 특징과 의미를 인식 혹은 해석하여 대상물에 대한 정보를 추출하는 과정에 해당된다. 이러한 화상 판독을 통해 정성적 혹은 정량적인 정보를 추출하게 된다. 정보추출 과정은 사용자 혹은 컴퓨터를 통해 이루어진다. 사용자를 통한 정보추출은 특정 응용분야에 전문적인 지식을 가진 사용자가 화상 분석을 통해 정성적/정량적 정보를 추출하는 것을 의미한다. 예를 들어 재료의 열화와 화상 처리에 전문적인 지식을 가진 육안검사자가 직접 화상 판독을 통해 결함의 크기, 위치 등의 정보를 획득하는 것이 해당된다. 컴퓨터를 통한 정보추출은 컴퓨터 기반 알고리즘을 이용하여 자동 혹은 반자동으로 특정 정보를 추출하는 것을 의미한다. 그러나 사용자를 기준으로 구분한 정보추출의 두 방법은 상호 보완적 관계에 있다. 즉 사용자의 지식과 컴퓨터를 이용한 정보추출을 모두 이용하는 경우가 대부분이다.

가. 시각적 화상 판독 요소

대상물을 인식하기 위해서는 판독과 정보 추출이 중요한 부분이다. 대상물과 주변과의 차이를 구분할 수 있다면, 대상물에 대한 여러 정보 추출이 가능해진다. 이를 위해서는 색조, 형태, 크기, 패턴, 결, 음영 및 주변과의 관계 등 여러 요소를 고려해야 한다.

〔그림 2-58〕 색조의 예시; 청열취성

(1) 색조 (tone)

색조(tone)는 화상에서 대상물의 상대적인 밝기 혹은 농도 비율을 의미한다. 일반적으로 색조는 서로 다른 대상물이나 특징의 구별에 필수적인 요소이다. 범 색성 화상에서 대상물은 백색부터 흑색까지의 농도 비율로 나타난다. 이러한 색조의 변화는 대상물의 모양, 질감, 패턴 요소를 구별하게 하는 중요한 요소에 해당된다. 예를 들어, 자연광에 가까운 백색광이 비추어질 때 금속의 표면은 그 상태에 따라 서로 다른 색조를 보인다. 부식은 주로 붉은 계통의 색조를 보이며 청열취성은 푸른 색조를 띠며 점진적으로 붉은 색조로 바뀌는 양상을 보인다. (그림 2-58) 스테인리스강은 은백색의 광택이 나고 약간 노란색을 띠며 피복되지 않은 탄소강은 검거나 또는 은백색의 광택을 가진다.

(2) 형태 (shape)

형태는 대상물의 일반적인 모양, 구조 혹은 객체의 외곽선을 의미한다. 형태는 판독에 특징적인 정보를 제공할 수 있는데, 육안검사의 경우 직선과 정사각형 등은 인위적으로 제작되거나 부착된 구조물들을 나타낼 수 있다. 기공의 경우 비교적 균일한 크기를 가지는 원 또는 점들로 보일 수 있으므로 경계를 찾아낼 수 있다. 균열의 경우 가늘고 긴 불규칙한 선의 형태를 가지므로 가장자리를 두드러지게 화상을 처리함으로서 찾을 수 있다. (그림 2-59, 2-60)

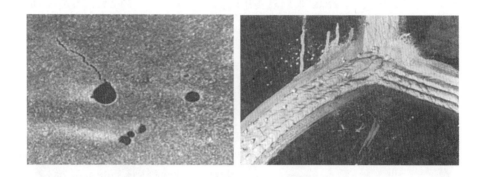

〔그림 2-59〕 기공 및 용접 스패터의 예시

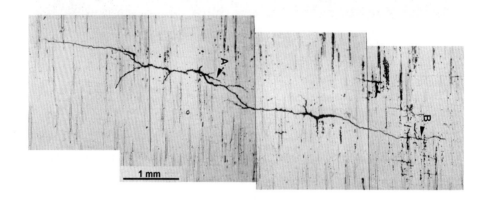

〔그림 2-60〕 균열의 예시

(3) 크기 (size)

형상에서 대상물의 크기는 축척과 관련되어 있다. 대상물의 해석을 위해 절대적인 크기 뿐만 아니라 주변 대상물과의 상대적인 크기를 고려하는 것 또한 중요하다. 개략적인 축척과 화상의 공간해상도로부터 화상의 특정 물체가 실제로는 얼마만한 크기에 해당되는지 판독 시 고려해야 한다. 일례로 비슷한 크기의 점들이 밀집해 보이는 용접부가 있다면 이는 군집기공일 수 있으나 그 크기가 매우 크다면 기공일 확률은 작다.

(4) 패턴 (pattern)

패턴은 대상물들이 공간적으로 규칙적인 배열로 이루어진 모양을 의미한다. 유사한 색조와 결의 규칙적인 반복은 주변과 구별되는 양상을 나타낸다. 이러한 양상은 주로 인위적인 목적으로 배치된 구조물인 경우가 많으므로 그것이 지시일 가능성은 적다. 그러나 IGA(Inter-grannular attack)와 같은 국부부식, 표면에서 시작된 피로균열 등은 그림 2-61과 같이 그물 모양으로 발생할 수 있으므로 화상해석에서 이를 고려해야 한다.

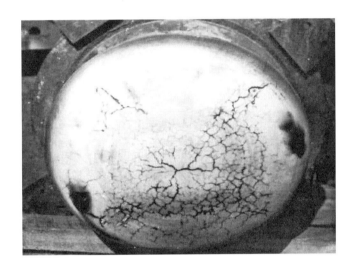

〔그림 2-61〕 패턴의 예시

(5) 결 (texture)

결은 화상의 특정 영역에서 색조 변화의 배열 및 빈도를 통한 대상물이 부드럽게 보이는지 거칠게 보이는 지를 나타내는 것이다. 거친 결은 색조가 특정 영역에서 갑자기 변화하여 얼룩덜룩한 색조를 보이는 것이며, 부드러운 결은 색조의 변화가 적어 부드럽게 나타나는 것이다. 부드러운 결은 주로 규칙적인 표면을 가지는 대상물, 예를 매끈한 금속면, 유리면 등이 있으며 반면 거친 표면과 불규칙적인 구조를 가진 대상물, 예를 들어 모래주조로 제작된 주조물의 표면 등이 그 예가 될 수 있다.

(6) 음영 (shadow)

일반적인 화상처리에서 음영은 입체적인 형상을 파악하는데 중요한 요소가 되나, 육안검사에서는 제품의 형상보다는 표면에 존재하는 작은 결함을 찾는데 그 주된 목적이 있으므로 음영은 피해야할 요소이다. 그러나 모래주조의 블로홀이나 용접부의 웜홀과 같이 그 크기가 큰 기공의 경우 음영이 발생할 수 있으므로 이를 고려해야 한다.

육안검사로 확인할 수 있는 지시 및 결점은 형상불량 및 몇 가지 결함이다. 이들의 색, 형태, 또는 질감을 고려할 때 화상분석 요소의 예를 표 2-19(A) 및 2-19(B)에 제시하였다.

표 2-19(A) 육안검사에서 화상분석 요소의 예

	기공	언더컷	균열
색	검정 또는 어두운색		검정 또는 어두운색
형태	원형	모서리가 명확하지 않은 타원	길고 가는 선
크기	약 5mm 이하	약 2~10mm	약 1mm 이하의 폭
패턴	산개, 선형, 클러스터		지그재그
결			
음영		그림자형성	

표 2-19(B) 육안검사에서 화상분석 요소의 예 (계속)

	스패터	부식	마모
색		주변부와 구별되는 색상	밝은 금속광택
형태	원형		
크기	약 5mm 이하		
패턴			일부구간에 모여있음
결		거침	금속성 또는 미세하고 촘촘한 선
음영	그림자형성		

나. 영상 분할

컴퓨터 시각에서 분할은 디지털 영상을 여러 개의 픽셀 집합으로 나누는 과정을 말한다. 분할의 목적은 영상의 표현을 좀 더 의미 있고 해석하기 쉬운 것으로 단순화하거나 변환하는 것이다. 영상 분할은 특히 영상에서 물체와 경계(선, 곡선)를 찾는데 사용된다. 영상 분할의 결과는 전체 영상을 집합적으로 포함하는 지역의 집합이거나, 영상으로부터 추출된 윤곽의 집합이다. 각 분할 영상에서 각각의 픽셀은 색, 밝기, 재질과 같은 어떤 특징이나 계산된 속성의 관점에서 유사하나 인접한 분할 영상에서는 이들이 현저하게 다르도록 분할하는 것이 일반적이다. 일부 범용의 알고리즘과 기술이 영상 분할을 위해 개발되어 있으나 영상 분할 문제에서 일반적인 해법이 있다고 보기는 어렵다. 앞서 설명한 바와 같이 화상해석기술은 해당분야에 전문적인 지식을 가진 사용자에 의하여 보완되어야 하며 이것이 충족되지 않을 때는 기계적인 화상해석의 결과는 신뢰하기 어렵다.

제 5 절 육안검사에 악영향을 미치는 변수

1. 물적변수

육안검사는 앞서 설명한 물리적/생리적 원리, 그리고 조명 등의 내용 이상의 것을 포함하는데, 이들은 대부분 검사대상의 상태 및 검사환경의 요인이다. 육안검사는 높은 집중력을 요구하는 시작업이므로 이러한 요건이 만족하지 않으면 눈이 쉽게 피로할 수 있고 검사자의 의욕 및 적극성을 저하 할 수 있다. 육안검사가 효율적으로 실행되기 위해서 검사자는 피검사체의 기능, 용도, 피검사체의 재료 특성, 피검사체의 제작/가공과정, 검출이 예견되는 각종 결함의 종류 및 특성, 검사에 적용할 규격, 설계사양 및 합격기준, 그리고 피검사체의 사용 이력 (사용조건, 사용내력 등)에 대하여 숙지하고 있어야 한다. 이들을 고려할 때 피검사체의 특성 중 육안검사에 영향을 주는 요소는 아래와 같다.

- 재료의 종류
- 표면의 청결, 질감, 마무리 등의 상태
- 검사체의 형상
- 검사체의 크기
- 검사체의 온도

피검사체 재료의 종류(혹은 제조공정, 사용이력)는 육안검사에서 검출이 예상되는 지시에 대한 사전 정보를 숙지하는데 중요하다. 재료의 종류에 따라 발생할 수 있는 결함이 상이하므로 육안검사자는 이를 사전에 숙지하고 있어야만 효과적인 검사를 수행할 수 있다. 일례로 금속과 세라믹, 용접부와 주조품, 사용 전 제품과 사용 후 제품은 모두 상이한 열화기구의 대상이 되므로 이를 고려하여 육안검사에 임해야 한다. 또한 육안검사는 기본적으로 제품의 표면을 관찰 하는 것이므로 검사표면에서 검사자의 시야를 방해하는 요소가 없어야 하며 설치된 조명으로 관찰할 수 있는 표면 상태를 가져야 한다. 여기서 표면의 상태라 함은 마무리, 질감, 청결 상태를 의미한다. 이와 같은 요건이 충분치 않은 경우, 일례로 검사표면이 기름이나 피막으로 덮여 있는 경우, 이를 제거하고 검사를 수행해야하며 이러한 요건이 만족되지 않은 상태에서 수행된 육안검사는 유효하지 않다.

2. 인적변수

육안검사는, 앞서 설명한 검사체의 특성과는 별도로, 육안검사가 수행되는 장소의 환경적 요

인이나 육안검사자의 신체적/심리적 상태에 의하여 영향을 받을 수 있다. 이러한 요인에는

- 육안의 순응, 피로, 태도 등 검사자의 신체적/심리적 상태
- 검사자와 피검사체간의 거리, 접근의 허용 정도, 검사자 시선의 자유로움 정도 등 육안 검사자의 시선에 대한 제약
- 그리고 검사가 이루어지는 장소의 습도, 안전, 온도, 청결 등 환경적 요인

이 대표적이다. 이 중에서 특히 검사자의 시선에 관련한 제약은 육안검사에 직접적이고 지대한 영향을 준다. 피검사체와의 거리나 시선이 적절하게 확보되지 않은 경우에는 거울, 확대경, 망원경, 보아스코프 등 검사보조 도구를 사용하여 검사해야 한다. 이러한 검사 보조 도구를 사용하여 검사하는 경우 2-2장에서 설명한 광학적 원리와 더불어 검사보조도구의 용도 및 장단점 등 사전지식을 숙지하고 있어야 하며 앞서 제시한 제약요소들을 잘 고려하여 실제 각 검사 시에는 어떤 특징을 가진 장비를 적절히 사용해야 할 것인지를 결정하여야 한다. 여기에는 장비의 구경, 길이, 조명, 관찰 방향, 배율, 분해능, 피검사체 검사 깊이 등이 있다. 그러나 이와 같은 특성들의 일부는 서로 상충되기 때문에 이들 모두를 충족하기는 어려우므로 필요에 따라 적절히 잘 조합하여 사용하여야 한다. 예를 들면 보는 각도를 크게 할 경우, 배율은 줄어들게 되나 볼 수 있는 깊이는 커진다. 또한 검사하고자 하는 피검사체 및 검사 환경에 따라 사용해야 할 장비, 필요한 조명등이 결정된다. 특히 직접 육안검사가 불가능하여 원격 또는 간접 육안 검사를 수행할 경우 보아스코프, 또는 파이버스코프 등을 사용하여 육안검사를 수행할 때, 피검사체와 관련하여 이들 장비를 선정 사용함에 있어 상기 설명한 사항을 구체적으로 고려하여야 한다.

대부분의 산업현장, 특히 가동 중 플랜트는 검사환경이 혹독하며 특히 육안 검사를 수행할 때 눈을 보호해야 하는 경우가 간혹 있다. 고온이라든지 나쁜 검사 환경 조건 등에서는 눈을 보호키 위해 안경 등을 착용하고 기타 신체 보호를 위한 필요성이 있는 경우 안전 예방 조치를 필히 하여야 한다. 일례로 원자력발전소 수압시험 시 또는 연차 보수기간 중 고방사선 구역에서의 육안검사 시는 피폭 감소 뿐 아니라 만일의 사고에 대비해 안전 예방 조치를 하여야 한다.

【 제6절 연습문제 】

1. 다음 중에서 SI 기본 단위가 아닌 것은 ?

   A. 길이(m)   B. 질량(kilogram)

   C. 광도(candela)   D. 주파수(Hz)   E. 평면각(radian)

2. 1 footcandle은 몇 lux 입니까? 두 값의 관계식을 계산하시오.

3. 1 cd/in^2 은 몇 cd/m^2 인지 단위 환산을 통하여 구하시오.

4. 눈의 수정체는 카메라의 어느 부분과 잘 대비되는가?

   A. 망막   B. 렌즈   C. 조리개   D. 안구

5. 0.001 watt의 파장이 다른 두 빛은 동일한 시각을 일으키지 못한다. 0.001 watt의 녹색 빛은 관찰자에 밝게 보이지만 0.001 watt 의 청색 빛은 어둡게 보인다. (True, False)

6. 다음은 명순응과 암순응에 관한 설명이다. 설명 중에서 잘못된 것은 ?

   A. 밝은 곳에 오래 있으면 명순응이 된다.

   B. 어두운 곳에 오래 있으면 암순응이 된다.

   C. 명순응은 시세포 가운데 추상체(cone)가 주로 활동하며 이를 명소시 (photopic vision)라 한다.

   D. 암순응은 추체가 먼저 암순응을 하고 다음 간체(rod)가 천천히 암순응을 한다. 암순응 시 시야의 중심보다는 주변부의 광각이 더 예민해지며, 물체의 형태는 뚜렷하지 않고 색체감각이 더욱 떨어진다.(암소시 scotopic vision)

   E. 답이 없다.

7. 색각이상에 대한 설명이다. 잘못 설명된 것은 ?

   A. 선천적인 것과 후천적인 것 두 가지가 있다.

   B. 이상삼색형색각자(적색약, 녹색약, 청색약)가 존재한다.

   C. 이색형색각자(적색맹, 녹색맹, 청색맹)가 존재한다.

D. 단색형색각자는 색각이 전혀 없으며 모든 물체는 흑백사진을 보는 것과 동일하다.

E. 답이 없다.

8. 다음 중 빛을 측정하는 장비가 아닌 것은 ?

A. 광전지   B. 광전도계

C. 광전관   D. 포토다이오드   E. 포토메트리

9. Lambert의 코사인 법칙을 설명하시오.

10. 역자승법칙을 설명하시오.

11. 광원의 intensity가 I 이고 광원과 표면과의 떨어진 수직거리가 a 이면, 조도 E (lux) 는 어떻게 표시할 수 있는가? 그림을 그리고 수식을 써서 설명하시오.

12. 다음은 육안 및 광학검사에서 사용하는 물리량과 단위와의 관계를 짝지은 것이다. 잘못 짝지어진 것은 ?

A. 광도(luminous intensity) - candela

B. 광속(luminous flux) - $cd \cdot sr$

C. 조도(illuminous) - lux

D. 밝기(luminous, brightness) - cd/ft^2

E. 광속(luminous flux) - 루멘(lm)

F. 답이 없음

제 3 장 육안검사 장비

육안 검사를 수행하는데 있어서 무엇보다도 중요한 것은 바로 눈이다. 그러나 눈에는 여러 가지 제약 사항이 따른다. 때로는 눈만으로 감도가 충분하지 않거나 정확한 검사 결과를 얻지 못하며, 검사하고자 하는 부위에 접근이 불가능한 때도 있다. 이러한 것을 극복하기 위해 보조 장비들이 사용되고 있다.

제 1 절 시력보조도구(광학 장비-I)

1. 거울

거울은 눈의 직접 접근이 어려운 부분을 검사할 경우 편리하게 사용 된다. 거울에는 치과 의사들이 흔히 사용하는 거울과 긴 손잡이에 거울이 달려 있어 관찰 방향을 조절 할 수 있는 것 등, 다양한 제품들이 육안검사에 이용되고 있다.

2. 확대경(ISO3058참조)

확대경은 미세한 사항들을 관찰하거나 미세한 결함을 검출 관찰할 때 많은 도움이 된다. 확대경은 다음의 여러 가지 종류가 있다.

가. 돋보기 (확대경, Single Lens Magnifier)

피시험체를 1.5~10배 확대할 때 사용한다. 가볍고, 가지고 다니면서 사용하기에 편리하다.

나. 헤드 밴드 (Headband)

머리대로 머리에 부착시킬 수 있는 2개의 사각 렌즈로 구성되어 있다. 머리에 렌즈를 부착시킴으로써 손은 자유롭게 시편을 다루거나 측정하는데 쓸 수 있다. 아주 작은 피검사체를 세부적으로 관찰할 때 자주 사용된다.

〔그림 3-1〕 손잡이가 있는 확대경

다. 측정용 확대경

아주 작은 2개의 확대경 렌즈로 되어 있으며 배율은 보통 7~20배이다. 전면 (front surface) 유리에는 측정 눈금이 있다.

라. 접안용 렌즈 (Eyepiece loupe)

측정용 확대경과 비슷하나 측정용 눈금이 없으며 보통 눈에 직접 부착한다. 배율도 5~30배 정도이며 주로 보석 가공, 판매점에서 많이 사용되고 있다.

마. 포켓용 현미경

포켓용 현미경은 일반적으로 구경이 작은 것들이며 직경이 약 10mm, 길이가 약 150mm 정도이다. 물론 이보다 크거나 작은 것들도 있다. 배율은 25배~60배 범위이다.

3. 보아스코프

보아스코프 및 파이버스코프는 잠망경과 마찬가지로 튜브, 파이프 내부, 깊은 구멍, 펌프, 밸브의 내부 등 직접 눈으로 관찰할 수 없는 부위를 검사할 때 사용하는 장비이다. 결함을 가까이 확대하여 관찰할 수 있는 특징이 있다. 보아스코프는 아주 작은 크기에서 부터 큰 것은 구경이 15cm 이상, 길이가 30m에 이르는 것까지 다양하다. 보아스코프는 피검사체를 비추는 조명 장치를 갖추고 있으며, 보고자 하는 부위를 관찰할 수 있도록 관찰 각도 등을 조절하는 노브가 있다. 보아스코프는 검사 부위를 주사하는 능력 및 유연성이 부족하기 때문에 보아스코프의 사양 즉, 길이, 관찰 방향, 각도 등이 검사 결과에 많은 영향을 미친다.

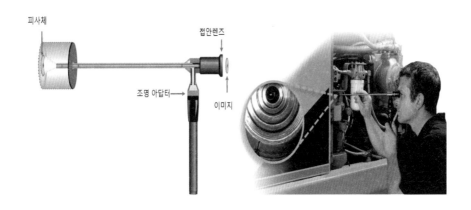

〔그림 3-2〕 보아스코프

4. 파이버스코프

파이버스코프는 대단히 유연하기 때문에 자유롭게 구부릴 수 있으며, 굴곡진 부위, 내부 형상이 복잡한 것을 검사할 때 사용된다. 구경은 약 3mm에서 약 12mm 까지 다양하며 유리섬유로 만들어져 있기 때문에 빛을 유리섬유를 통해 잘 통과시키는 이점이 있다. 파이버스코프는 보아스코프와 마찬가지로 관찰코자 하는 부위를 비추게 할 수 있는 조명장치를 갖추고 있다. 조절용 노브를 조작하여 각기 상하 120°, 좌우 120°범위에서 움직일 수 있도록 되어 있어 복잡한 구조물 또는 기기의 내부를 관찰하는데 편리하다. 따라서 그림 3-3 에서 보듯이 상하 방향을 Z축, 좌우 방향을 Y축, 파이버스코프의 길이 방향을 X축 이라 하면 Y, Z 축은 각기 ±120°, X축은 자유롭게 조정이 가능하므로 우리가 원하는 부위를 어디든지 쉽게 관찰 할 수 있다.

고질의 미세한 광섬유는 아주 유연하며 빛을 잘 통과시킨다. 이런 광섬유는 직경이 9~30미크론(μ) 정도이다. 파이버스코프에서는 수만 개의 유리 섬유가 모여 2개의 다발로 되어 있으며 이중 하나는 상 안내(Image guide) 역할을 하며 다른 하나는 피검사체에 조명을 가하는 데 사용된다. 상 안내 역할을 하는 섬유는 직경이 9~17μ이며, 이 크기는 분해능을 결정하는 요소가 된다. 파이버스코프의 초점거리를 맞추기 위해 대물렌즈를 조절해야 한다. 외부의 강렬한 빛을 피검사체에 조명하기 위해서는 다른 하나의 섬유 다발이 이용되는데 이를 조명안내(Light guide)다발이라고 한다. 보통 이들 광섬유의 직경은 각기 약 30μ 정도이다. 고품질의 파이버스코프는 대단히 고가이며, 용도에 따라 직경, 길이 등이 다른 다양한 제품이 있다.

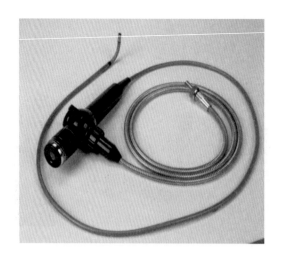

〔그림 3-3〕 파이버스코프와 관찰방향 조절

제 2 절 사진/비디오 시스템(광학장비-II)

1. 카메라

가. 표준렌즈

카메라 화면의 대각선의 길이와 비슷한 초점거리를 가진 렌즈를 그 카메라의 표준렌즈라고 한다. 표준렌즈는 일반적으로 가장 많이 쓰이는 렌즈로, 화각이 50° 안팎이며 망원렌즈와 광각렌즈 사이에서 원근감, 피사계 심도, 화상의 크기 등이 가장 육안에 가까운 묘사를 해 주는 표준적인 렌즈이며, 요즘 카메라에는 그 밝기가 f2 ~ f1.4가 보통으로 되어 있으며, 수치가 낮을수록 해상도가 좋다.

나. 망원렌즈

망원렌즈는 표준 렌즈보다 초점거리가 긴 렌즈로 가장 많이 쓰이는 것은 표준렌즈의 초점거리의 2~3배 정도의 것이다. 망원 효과를 내는 렌즈에는 망원타입과 장 초점 타입이 있는데, 망원 타입은 표준렌즈보다 다른 구성을 하고 있어서, 렌즈 경동이 초점거리보다 짧게 되어 있고, 장 초점 타입은 초점거리에 비해 경동이 긴 렌즈이다. 그러나 이 두 렌즈는 초점거리가 같으면 화상의 묘사 효과도 같아지게 된다.

〈망원렌즈의 효과〉

렌즈는 초점거리가 길수록 화상이 크게 찍히고, 그것이 짧으면 작게 찍히는 성질이 있으며, 그 정도는 정확히 초점거리에 비례해서 달라지도록 되어있다. 망원렌즈가 만드는 화상은 초점거리가 짧은 표준렌즈나 광각 렌즈가 만드는 상에 비해 같은 거리에 있는 피사체를 찍을 경우 화상은 커지고, 화각이 좁으며, 원근감은 적고 피사계 심도는 얕아지게 된다. 이런 효과는 초점거리가 길면 길수록 더욱 현저하게 나타나는 것을 알 수 있다.

다. 광각렌즈

광각렌즈는 표준 렌즈보다 초점거리가 짧은 렌즈로, 망원 렌즈와는 정반대의 목적으로 쓰여 지는 렌즈이다. 광각 렌즈를 쓰면 표준렌즈보다 화상이 작고, 화각이(시야가) 넓으며, 원근감이 과장되고, 피사계 심도가 깊어진다. 이런 효과는 렌즈의 초점거리가 짧으면 짧을수록 더욱 뚜렷하게 나타나게 된다. 일반적으로 많이 쓰여 지는 광각 렌즈는 초점거리가 표준렌즈의 2/3~1/2 정도의 것이며, 화각은 60°~ 90°범위이다.

2. 비디오 화면

TV 카메라는 비디오 시스템 전체의 질을 좌우하는 가장 중요한 장치의 하나로서 그 설계/제작에 있어서의 개인 및 가정용과 비교하여 높은 성능과 기능을 가져야 함을 물론 어떠한 환경 조건에서도 장기간 안정되게 유지될 수 있도록 세심한 주의를 기울어야 한다. 카메라 구조는 3각대(TRIPOD), 페데스탈 등의 지지대에 실려서 조작하는 거치형과 어깨에 메고 사용하는 핸디형이 있다. 거치형의 경우는 비교적 대형 줌렌즈, 촬상 디바이스 및 뷰파인더가 사용되며 TV스튜디오, 중계차 등에서 사용하고 핸디형에는 소형 VTR과 일체화하여 수록할 수 있도록 된 것이 많다. 한편 EFP(Electronic Field Pickup)나 ENG(Electronic News Gathering)가 방송 프로그램에 필요하게 되어 기동적인 카메라와 VTR이 개발되어 핸디 카메라와 휴대형(Portable) VTR이 일체화된 콤팩트한 소형 카메라가 실용화되기에 이르렀다.

가. 컬러 카메라의 구성

표준형 3관식 컬러카메라의 일반적인 구성은 헤드(Head)와 CCU(Camera Control Unit)로 나누어지며, 헤드는 줌렌즈, 카메라 헤드본체, 전자식 뷰파인더로 이루어지며 지지대 (TRIPOD)에 탑재하여 사용한다.

나. 광학적 구조

전문가용 카메라들은 빛의 3원색에 따라 각각의 CCD 촬상 장치를 갖고 있다. 전문가용 카메라는 입사광적 적, 청, 녹의 세 가지로 분광시켜주는 프리즘을 사용한다.

다. TV 카메라

흑백 TV 카메라 초기에는 아이코노스코프를 사용한 카메라가 사용되었다. 이 카메라는 감도가 나쁘고 피사체가 충분히 밝을 경우에는 양호한 화질의 영상이 얻어지지만 밝기가 부족하면 화질이 극히 저하되기 때문에 방송 프로그램 제작에는 특별히 강력한 조명을 필요로 하는 등 제작에 엄청난 시설이 필요하였다. 그 후 IO(Image Orthicon)카메라가 실용화되었으며 아이노스코프에 비해 대단히 감도가 좋고 강한 조명을 필요로 하지 않아 거의 모든 프로그램 제작이 가능하게 되었다. 그래서 IO 카메라는 흑백 방송 시대의 카메라의 주가 되었으며 IO 튜브(tube)는 초창기 컬러 카메라에서도 사용되었다. 그 사이 TV 카메라는 진공관 시대에서 반도체(transistor)시대로 전자 부품의 혁신적인 발전의 영향을 받아 트랜지스터에 의한 안정성, 신뢰성 및 조작성이 대폭적으로 향상되고 소형, 경량 및 저소비 전력화가 이루어졌다.
촬상관으로는 IO 튜브에서 새티콘(saticon), 프럼비콘(plumbicon)의 개발로 당초 1 1/4인치 프럼비콘을 사용했으나 1인치 관이 실용화되어 표준형의 소형 SP컬러 카메라가 개발되었다. 그 후 고체 촬상소자가 개발되어 프럼비콘 대신에 CCD(charge couped device)를 사용하므로 카메라를 소형, 경량화시켰고 조명문제도 개선하게 되었다.

(1) 촬상관(imagine devices)

촬상관은 렌즈에 의해 공간에서 들어온 2차원의 광학상을 차원의 시계열 전시신호로 변환하는 소자로, 빛을 전기로 변환하는 광전변화 기능에 2차원 정보를 1차원 신호로 변환하는 주사(scanning)기능을 가지고 있다. 촬상관은 TV카메라의 심장부에 해당하며 촬상관 발전의 역사는 그 자체가 TV카메라 발전의 역사이기도 하다. 물질에 빛이 닿으면 전자(광전자라 한다)를 방출하는 현상을 외부 광전효과라 하며 반도체 물질에 빛을 대면 도전도가 증대하는 현상을 내부 광전효과라 한다. 촬상관에는 외부 광전효과를 이용한 이미지형 촬상관과 내부 광전효과를 이용한 광도전형 촬상관의 두 종류가 있다.
대표적인 이미지형 촬상관의 하나로서 1945년 미국의 RCA사가 발표한 이미지 올시콘이 있다. 높은 감도와 해상도가 좋은 자연스러운 흑백의 제조 특성을 갖는 이 촬상관의 출연에 의해 처음으로 TV카메라가 실용화되었으며 흑백시대의 TV에 커다란 발전에 이바지했다. 대표적인 광도전형 촬상관은 1960년 RCA가 발표한 비디콘이 있지만 1962년 네덜란드 필립스사가 발표한 프럼비콘은 흑백TV에 이어 컬러 TV발전에 뒷받침했고 그 후 개발된 새티콘, 그리고 CCD가 추가되었다. 여기서는 새로운 촬상소자인 고체 촬상소자 (CCD)에 대해서 설명하기로 한다.

(2) 고체 촬상소자(CCD)

빛을 전기적 신호로 바꾸어주는 고체 촬상의 장치인 CCD는 수많은 화소가 수평, 수직 방행의 2차원으로 배열되어있다. 각 화소는 입력되는 빛의 양에 비례하여 전하를 축적한다. 따라서 CCD 배열은 광학적 영상을 전자적으로 샘플링 하는 것과 같은 역할을 한다. 즉, 각 화소에 축적된 전하를 차례로 읽어냄으로서 이산적인 샘플을 연속적으로 출력하는 것과 같다. 그리고 이 샘플링이 충분히 빠른 속도로 이루어지면 CCD 출력은 연속적인 신호와 거의 같은 형태를 갖는다.

CCD는 데이터를 샘플링 처리하는 다른 시스템과 비슷하게 동작한다. 따라서 CCD 화소 수의 증가는 샘플링 주파수의 증가와 같은 효과를 발생시킴으로서 해상도가 비례하여 증가한다.

(3) FT CCD(Frame Transfer CCD)

FT CCD는 영상을 받아들이는 영역과 이미 받아들인 영상을 손실없이 저장할 수 있도록 광으로부터 2개의 별도 영역으로 구분된다. 물론 이 두 영역의 크기는 동일하며 감광영역에서 저장영역으로 전하를 운반하는 기능도 필요하다. 감광영역의 각 셀은 필드동안 입력된 광량에 비례하는 전하를 축적한다. 축적된 전하는 수직 귀선기간동안 빠른 속도로 감광영역 아래 부분의 저장영역에 옮겨진다. 전하가 옮겨가고 비어있는 감광영역의 셀들은 다음 한 필드 동안 역시 입사광에 비례하는 전하를 새로이 축적한다. 감광영역이 한 필드동안 새로운 전하를 축적하는 사이 저 영역에 저장된 화상정보는 차례로 읽혀져 카메라 출력신호로 전환된다. FT CCD의 가장 큰 장점은 뛰어난 효율성이다. 각 화소는 크기가 크고 서로 인접해 있기 때문에 입사되는 광을 거의 손실 없이 받아들인다. 또한 감광영역은 입사광에 비례하여 전하를 축적하는 감광 역할뿐 만 아니라 인접 셀로 전하를 이동시키는 이동 레지스터(Shift Register) 역할도 수행한다. FT CCD의 단점은 전하를 저장 영역으로 옮길 때 생기는 신호 훼손이다. 전하를 저장영역으로 아무리 빠르게 이동시키더라도 계속 입력되는 광에 의해 전하가 추가로 발생하여 이동하는 전하에 영향을 준다. 정상 신호레벨보다 50dB 정도 작은 오차신호가 발생하는데, 이는 방송용 카메라에 사용하기에 부적합하여 이러한 현상을 수직 스미어(Smear:빛이 퍼지는 현상)라 부른다. 그러나 렌즈와 프리즘 사이에 기계적 셔터를 부착하면 이런 문제를 해결할 수 있다. 이

셔터는 수직 귀선 기간과 완전히 동기되어 있어서 전하가 이동할 때 CCD 감광영역을 빛으로부터 완전히 차단하기 때문에 신호의 오염을 원천적으로 막는다.

(4) IT CCD(Interline Transfer CCD)

IT CCD는 감광영역의 전하를 저장영역으로 전송하는 방법이 FT CCD와 전혀 다르다. 광으로부터 차단된 저장영역의 각 셀은 감광영역의 셀의 바로 옆에 위치한다. 한 필드 동안 감광영역의 셀은 입사광에 비례한 전하를 축적한다. 수직귀선 기간 동안에는 축적된 전하를 인접한 저장용 셀로 빠르게 이동시킨다.

Interline Storage Register로 불리는 이 저장용 셀은 광으로부터 차단되어있다. 다음 한 필드동안 감광용 셀이 새로운 전하를 축적하는 사이에 저장용 셀에 있던 전하를 차례로 읽혀져 카메라 신호로 출력된다. FT CCD와 비교하면 IT CCD는 저장영역을 구성하기 위해 감광부분을 제거하였음을 알 수 있다. 이로 인해 감도가 약화되나 이는 다른 방법을 통해 만회할 수 있다. IT CCD는 광에 의해 발생된 전하가 바로 인접한 저장용 셀로 이동하므로 과잉전하에 의해 오염되는 문제가 거의 없다. 그러나 매우 강한 빛이 입사되면 입사광의 일부가 CCD 내부에서 반사되어 인접한 저장용 셀의 전하를 증가시킨다. 즉 수직 스미어 현상이 여전히 존재하는데 단, IT CCD에서는 스미어 신호의 레벨이 FT CCD의 경우보다 훨씬 낮다.

(5) FIT CCD(frame Interline Transfer CCD)

FIT CCD는 IT CCD와 FT CCD의 장점만을 택해 만든 CCD로서, 수직 스미어를 실질적으로 제거한다. 그러나 CCD의 구성이 복잡하고 이에 따라 가격도 비싸다. FIT CCD는 감광영역이 축적한 전하를 우선 인접한 수직 시프트 레지스트로 옮긴다. 이어서 수직 귀선 기간 동안 이 전하를 광으로부터 완전히 차단된 저장 영역으로 빠르게 이동시킨다. 따라서 전하가 수직시 Interline Storage Register=Vertical Shift Register에 머무르는 시간이 매우 짧기 때문에 강한 광에 의해 오염될 확률이 적다.

(6) 공간보정

광에 반응하는 소자들이 인접해 배열된 FT CCD와 달리 IT CCD와 영역이 줄어든다. 따라서 CCD의 감도가 감소되지만 공간보정 기술을 이용하면 카메라의 루미너스 해상도를 효과적으로 증가시킬 수 있다. 공간 보정기술은 적색용 CCD와 청색용 CCD를 녹색용 CCD로부터 1/2 픽셀만큼 수평적으로 어긋나게 배치하는 것이다. 공간보정은 R, G,

B 각 채널의 자체 해상도를 증가시키는 것이 아니라 휘도 신호의 유효 표본(sample)수를 증가시킴으로써 전체적인 해상도를 향상시키는 기술이다. 예를 들어 각각 768개의 픽셀을 가진 3개의 CCD를 채용한 카메라의 휘도신호 해상도는 560라인으로 제한된다. 그러나 여기에 공간보정 기술을 적용하면 휘도 신호의 해상도가 700라인으로 증가한다.

라. 카메라의 신호처리

피사체에 반사된 빛이 렌즈를 통해 들어오던 프리즘 분광장치를 통과하여 CCD 촬상소자들을 활성화시키고 여기서 발생한 전기신호는 카메라의 전치증폭기(Processing Amp)로 이동시킨다. 전치 증폭기는 사용자가 조정할 필요가 없다. 다음에 오는 것이 전담 신호처리 증폭기로 각각의 CCD 촬상관들은 이 증폭기를 하나씩 갖고 있다. 창조적인 영상의 조작을 할 수 있는 곳이 바로 이단계이다. 카메라 생산자, 비디오 촬영인 모두가 주관적인 판단으로 승부를 거는 곳이 바로 이곳이다.

카메라 모델에 따라 신호처리 증폭기나 다른 기능들이 카메라 외부에 있는 장치에 의해 원격 조정될 수 있다. 일반적인 원격카메라의 기능들은 마스터 페데스탈, 파인더, 화이트 블랙 밸런스, 게인 선택, 서브 캐리어 페이스조절, 수평페이스조절, R/B 게인 조절, R/B 페데스탈조정, 바/카메라/테스트 선택, 수동 아이리스조절, 셔터 스피드선택, 그리고 VTR스타트/스톱 등이다. 몇 가지 조정은 카메라 내부의 회로 카드나 나사를 조절하기위해 드라이버를 사용해서 조정해야만 한다. 새로운 카메라 생산의 대부분의 기술은 신호처리회로들과 연관되어 있다. 각 카메라 모델에 대한 생산자의 기대가 도달하는 곳이 바로 여기이다. CCD 카메라들은 그들의 사촌인 촬상관 카메라들로 근본적인 차이점을 보이지 않기 때문에, 대부분의 카메라 생산자들은 그들의 CCD 모델들을 이전의 촬상관 모델과 비슷한 영상을 만들어 내게 하려고 노력하였다. 촬상관 카메라와 CCD 카메라가 나란히 사용되거나 복수 카메라 제작과정에서 함께 사용된 경우가 많다. 비디오 촬영인에게 있어 첨단 비디오카메라의 자동기능들을 사용하면 자기 나름대로의 창조적인 영상제작을 하지 못할 수도 있다. 사실, 이러한 카메라들은 사용자들의 솜씨 있는 조작 없이도 만족할 만한 영상을 얻을 수 있도록 디자인된 것이다.

오늘날 비디오카메라는 35mm 정사진과 비슷한 발전시기에 도달해 있다. 많은 육안 검사자들은 완전자동, 지향하고 찍기만 하면 되는 카메라들로 기술적으로 만족할만한 영상의 검사사진을 찍고 있다. 그러나 우리 시대의 진실로 훌륭한 검사 영상들은 계속해서, 이미지들을 단순히 "찍기"보다는 "만들어"내기위해 그들의 재능과 전문적인 기술을 사용하는 전문가들에게서 계속 나오고 있다. 촬영 지침서를 뛰어넘어 비디오 이미지의 창조적인 조정을 원하는 비디오 촬영 검사자들은 카메라의 신호처리 기능들을 어떻게 조작하는가를 배우는 것이 필수적이다.

카메라의 신호처리 회로는 다음과 같은 4가지 기능을 수행한다.

· 장면 내 조명의 종류와 양에 따른 정상적인 변화에 적응함.
· 렌즈와 광학 시스템상의 피할 수 없는 오차교정(쉐이딩 보정)
· 제한된 다이내믹 레인지의 교정 및 영상 녹화기의 전송 시스템과 수상 장치들의 기타 제약들에 대한 교정.
· 음극선관(CRT)상의 비선형성을 교정하기 위한 감마보정 등 의도적인 프리엠파시스 (Pre-emphasis)기능 수행.

제 3 절 광원 및 특수조명

육안검사는 빛이 없으면 검사를 수행할 수 없다. 캠코더나 카메라로 순광 조건으로 검사체를 찍은 실외에서 화면과 실내 촬영한 장면을 비교해 보면 단지 조명의 양이 풍부한 지 그렇지 않은 지의 차이로 화면의 입자나 선명도의 차이가 있음을 알 수 있다. 육안검사에 있어 외형으로 들어나는 화면의 질보다는 내용의 사실성이나 내용 그 자체가 중요한 경우도 있다. 이처럼 육안검사에서 조명은 중요한 필수 인자이며 다음과 같이 다양한 종류를 가지고 있다. 본 절에 관련된 사항은 제2장 제3절에 자세히 기술하였으므로 이를 참고하기 바란다.

제 4 절 기계보조 도구

1. 측정기준, 형판(template), 척도, 특수도구 등

가. 측정의 기본

육안검사 시 흔히 사용하게 되는 측정 장비는 여러 가지가 있다. 이들에는 자, 마이크로미터, 버니어 캘리퍼스에서 부터 여러 형태의 용접 게이지에 이르기까지 아주 다양하다. 사양서, 도면에는 각종 수치 및 허용 공차가 표시되며, 이들을 실제 확인해야 할 경우가 많다. 피검사체에 따라 어느 정도의 정밀도를 가진 측정 장비를 사용해야 할 것인지, 또한 어느 정도로 정확하게 측정해야 할 것인지 먼저 검토해야 한다.

계통적 오차의 작은 정도, 즉 참값에 대한 "한쪽으로의 치우침"의 작은 정도를 정확도(Accuracy)라 하며 우연오차, 즉 측정값의"흩어짐의 작은 정도"를 정밀도(Precision)라 한다. 정확도는 참값에 얼마나 가까운 답을 얻었는가를 나타내는 용어이고, 정밀도는 측정값의 재현성에 관한 용어이다. 즉, 두 번 세 번 반복해도 처음과 비슷한 실험값이 나오는가 하는 값이 정밀도이다.

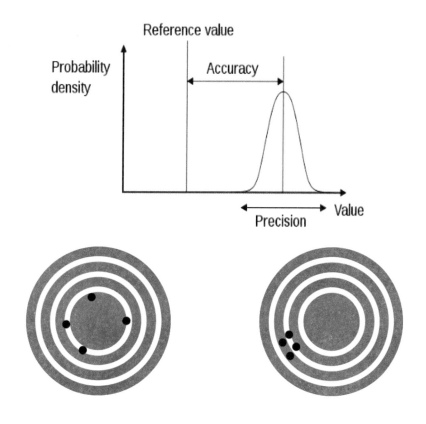

〔그림 3-4〕 정밀도와 정확도

나. 쇠 자

짧은 것에서 부터 긴 것에 이르기 까지 다양하며, 아주 정확한 길이의 측정을 요하지 않을 때 많이 쓰인다. 온도에 따라 팽창 또는 축소되므로 유의해야 하며 특히 기준이 되는 끝 부분이 마모가 쉽게 일어난다. 이 경우 측정 시 기준을 마모된 쪽으로 하지 말아야 한다.

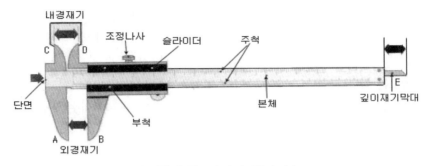

〔그림 3-5〕 버니어 캘리퍼스

〔그림 3-6〕 다이얼 캘리퍼스

다. 버니어 캘리퍼스 (Vernier Calipers)

앞서 나온 쇠자는 "정밀도"가 높은 측정 장비는 아니며, 따라서 다른 정밀 측정 장비들이 많이 있다. 이 정밀 측정은 보통 부척을 사용하는 것으로 버니어 캘리퍼스, 버니어 마이크로미터 등에 사용되고 있다. 먼저 버니어 스케일(Vernier Scale, 부척)에 대해서 설명하면 다음과 같다. 주척과 부척이 함께 있어 주척에서 큰 값을, 부척에서 미세한 값을 읽어 정확하게 측정을 한다. 버니어 캘리퍼스는 외경/내경 측정, 깊이 측정, 길이 측정 등 여러 용도로 사용 가능하다.

라. 다이얼 캘리퍼스

다이얼 캘리퍼스는 버니어 캘리퍼스와 유사하다. 단지 부척 눈금판 대신 정밀 측정이 가능하게 다이얼 지시계를 갖추고 있다. 사용 시 주의사항으로는 측정 시 접촉면 턱이 깨끗한지 확인을 하여야 하며, 다이얼 지시계가 0점이 맞는지 확인해야 하며 맞지 않으면 0점을 조정하여야 한다.

마. 마이크로미터

마이크로미터는 좀 더 정밀 측정이 가능한 장비이며 기본적으로 약 0.001 mm 내외까지 측정이 가능하다. 길이, 내경, 외경, 깊이 등을 측정할 수 있다. 아주 정밀한 측정 장비이기 때문에 큰 온도 변화에서는 오차가 유발될 수 있으므로 되도록 검사체와 거의 동일 온도를 유지하는 것이 좋다. 측정 면은 시편 표면과 평행하게, 둥근 모양을 측정할 때는 직경에 수직하게 하여 측정해야 한다. 대부분의 마이크로미터는 접촉 압력이 일정 이상이면 스핀들을 회전하여도 더 이상 꽉 조이지 않게 하는 장치가 되어 있다.

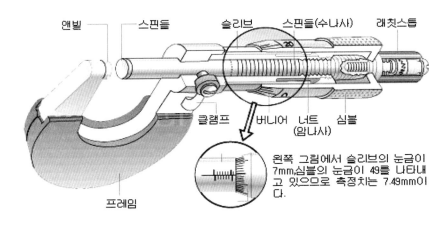

〔그림 3-7〕 마이크로미터

바. 다이얼 지시계(Dial Indicator)

다이얼 인디케이터는 미세한 치수 변화를 확대하여 크게 나타남으로써 상대적으로 쉽게 읽을 수 있도록 한 측정 장치이다. 다이얼 인디케이터라는 용어는 다이얼 게이지, 다이얼 콤패리터(dial comparator) 등과 서로 혼용하여 사용되고 있다. 다이얼 인디케이터의 용도를 살펴보면 다음과 같다.

· 내면/외면 높이 측정
· 축의 편심 측정
· 장비의 정확한 조정
· 구멍의 내경, 깊이, 테이퍼 측정
· 표면 마무리 및 표면 평평도 측정
· 파이프 플랜지 직진도 측정
· 장비 편심, 직진도 측정

〔그림 3-8〕 다이얼 인디케이터   〔그림 3-9〕 콤비네이션 스퀘어 세트

사. 콤비내이션 스퀘어 세트 (Combination Square Set)

콤비내이션 스퀘어 세트는 블레이드(자 눈금판)와 세 개의 헤드 (스퀘어, 센터, 각도기)로 구성되어 있다. 이는 조립, 레이아웃 및 작업 중 검사 등 기계 작업 시에 만능으로 쓰인다. 그림 3-9와 같이 콤비네이션 스퀘어 세트는 여러 용도로 쓰인다.

아. 나사 피치 게이지

스레드 피치 게이지는 암나사, 수나사 또는 나사산이 가공된 기계 부품에 있어 인치당 나사산의 숫자 및 스레드 피치 각도를 측정할 때 사용한다.

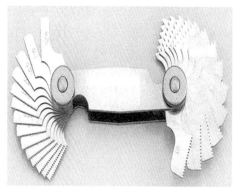

〔그림 3-10〕 나사산 피치 게이지

〔그림 3-11〕 갭 게이지

자. 갭 게이지

갭 게이지 또는 필러 게이지(Feeler gauge) 라고도 하며 두 물체의 간격 즉, 틈새를 측정하는데 사용한다.

차. 수준계

수준계는 어떤 면이 완전 수평인지, 또는 완전 수직인지를 측정할 때 사용하는 장비이다.

카. 용접부 검사용 장비

용접부 검사에는 여러 장비들이 사용되고 있다. 본 절에서는 용접 검사 시 자주 사용되는 게이지 및 각종 측정 도구들을 알아본다.

(1) 캠브리지 게이지 (Cambridge gauge)

캠브리지 게이지는 다음의 여러 가지를 측정하는데 사용된다. 그림 3.12는 캠브리지 게이지 및 이의 실제 측정 장면을 나타내고 있다.

· 개선 각도, 0°~ 60°
· 언더컷 깊이 (Undercut)
· 침식 깊이
· 필렛용접 목 (Throat)

· 필렛용접 레그 길이 (Leg length)
· 크라운 (Reinforcement, Crown)
· 어긋남 (Misalignment)

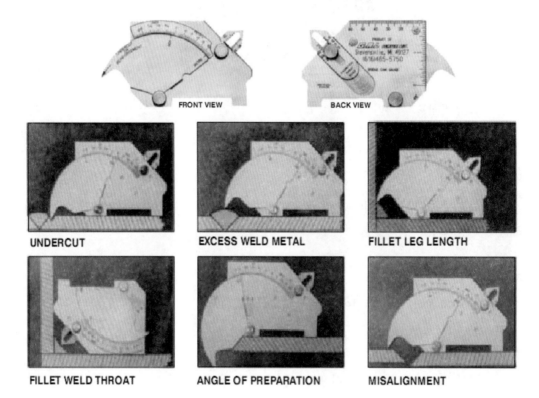

〔그림 3-12〕 캠브리지 게이지

(2) 필렛용접 게이지

필렛용접 게이지는 필렛용접부의 크기를 정확히 측정하는데 사용되며 보통 오목 및 볼록 필렛용접부 모두 측정 가능하다.

(3) 용접 게이지

용접 게이지는 일반 맞대기 용접부와 필렛용접부 각종 크기를 측정하는데 사용된다. 그 구체적 보기는 그림 3-14와 같다.

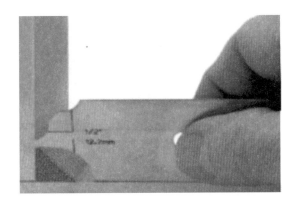

〔그림 3-13〕 필렛용접 게이지

Check Reinforcement
of Butt Weld

Check The Throat
Of Fillet Weld

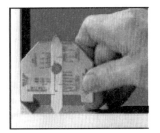

Check Leg Size
Of Fillet Weld

〔그림 3-14〕 용접 게이지

(4) 하이-로우 용접 게이지

이 게이지는 내부 어긋남 (Internal Misalignment), 정렬한 후 벽두께, 루트 간격, 37-1/2° 베벨 각도, 필렛용접 다리 길이, 맞대기 용접부의 용접 강화 등을 측정할 때 사용된다.

〔그림 3-15〕 하이 로우 용접 게이지

(5) 미니 하이-로우 게이지 (Hi-Lo gauge)

하이-로우 게이지는 앞서 설명한 하이-로우 용접 게이지와 아주 비슷하나 구경이 작은 파이프 용접부 검사에 많이 사용된다. 핏업(Fit-up)후의 내경의 어긋남, 루트 간격, 언더 카트 및 침식깊이, 외경의 어긋남, 용접 크라운의 높이 등을 측정할 때 쓰인다.

(6) 접촉 온도계

접촉 온도계는 온도를 직접 눈금으로 읽을 수 있으며, 수은 또는 다른 형태의 온도계를 사용할 수 없을 경우 자주 사용된다. 접촉 온도계는 표면 게이지나 온도 예민 크레용보 다 정확한 온도 값을 읽을 수 있다.

(7) 이중 금속 온도계

이중 금속 온도계는 금속은 온도에 따라 체적이 변하며 서로 다른 금속은 열팽창 계수 가 다르다는 원리를 이용하여 만든 온도계이다. 즉, 열팽창 계수가 틀린 두 개의 얇은 금속판을 서로 접합시켜 온도 변화에 따른 기계적 변형을 관찰하여 온도 변화를 알아낼 수 있게 한 것이다.

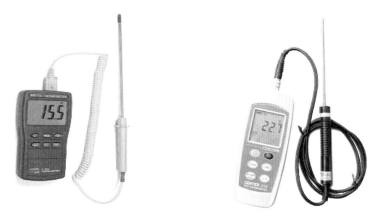

〔그림 3-16〕 접 촉 온 도 계

〔그림 3-17〕 온도 측정용 크레용

변형의 정도는 길이의 제곱 및 온도에 비례하고 두께에 반비례한다. 실제는 변형이 작기 때문에 조그만 온도 변화에 다른 변형을 쉽게 관찰하기 위해서는 변형을 증폭시킬 필요성이 있다. 이는 이중 금속 박판을 시계스프링 나선형으로 만들면 가능하다. 그림 3-16은 표면 접촉 온도계를 나타낸다.

타. 온도 측정용 크레용 (Crayon)

온도 측정용 크레용은 대략적인 온도를 측정할 때 사용된다. 300℃ 크레용을 사용하면 피검사체의 온도는 크레용 마크가 녹을 때 최소 300℃임을 나타낸다. 이렇게 온도를 측정할 경우 용접부 양쪽 25cm 이내에서 측정하여야 하며 크레용 마크를 용접부에 직접 접촉해서는 안 된다.

2. 자동화장치 및 컴퓨터로 향상된 장치

육안검사 장비는 고정 또는 이동식이 있고, 이동식은 검사 위치를 정확히 표시할 수 있어야 하며, 수동, 반자동, 자동 시스템 등 종류가 다양하다. 이송장비의 경우 주기적으로 위치표시의 정확도를 확인하여야 한다. 특히, 원자력 발전소의 원자로, 증기발생기의 일차측 수실 등 방사선으로 인하여 검사자가 직접 접근을 못하는 곳을 검사하기 위해서는 촬상용 카메라와 조명 램프를 설치하여 위치 조작이 가능한 어댑터와 카메라 원격 조작이 가능하여야 한다. 이렇게 촬영한 영상을 편집기로 보내는 카메라 제어부와 카메라 제어부의 출력을 인가받아 디지털 신호로 변환하고 문자 발생기를 통한 원하는 문자를 영상에 인자하고 모니터 및 녹화기로 송출하여 구성하여 검사하는 것을 원격 육안 검사라 한다.

〔그림 3-18〕 원격 자동화 검사 장비

3. 실증시험 시편

검사자가 방사선과 같은 피폭의 우려로 검사체의 접근이 어려울 경우에는 원격 육안검사로 검사를 하게 되는데 실제 검사체와 동등한 조건으로 Mock-up 시편을 제작하여 검사에 대비한 훈련을 할 수 있다.

원격 육안검사라함은 전원이 있는 광학장치를 이용하여 검사하는 것을 말하며 사진, 비디오 시스템, 자동화 시스템 및 로봇 등을 사용한다. 직접 육안검사를 수행할 수 없을 때 원격 육안검사로 대체 할 수 있다. 원격 육안검사는 내시경, 광학장비, 카메라 부속물이나 다른 적절한 장치와 같은 보조도구를 사용한다.

원격 육안검사를 수행하기 위한 시스템의 적정성은 실증시험 시편에서 검증되어야 한다.

4. 분해능 기준

유럽규격을 사용하는 경우, 검사자는 EN 473에 만족한 시력을 가지고 있어야 한다. 또한, 원거리 시력으로 일반 육안검사를 수행할 때 EN ISO 8596에 따라 나안이나 교정시력이 시력표에서 최소 0.63이 되어야 하고, 시력은 최소한 12개월에 1번 측정되어야 한다. 또한 원거리 육안검사를 시행할 때에는 각 규격에서 요구하는 분해능을 만족해야 하고 검사 전 및 검사 후 분해능을 측정하여야 한다.

그림 3-19는 국내 원자력발전소 원자로 내부 육안검사 시 검사 전 분해능 측정의 예를 보여주고 있다.

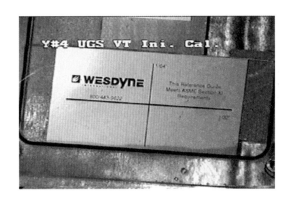

〔그림 3-19〕 원격 육안검사 분해능 측정

5. 계수선(Graticules)

계수선은 현미경, 망원경, 디지털 캠코더 등의 계수판 위의 것을 말하고, 이 계수선을 이용해 검사자들은 영상과 타이틀이 화면상 적절한 구역에 나타나는지 확인할 수 있다. 현미경에서 계수선은 오직 접안렌즈에 의해서만 확대된다. 시험체의 전체 배율은 렌즈, 배율변화, 접안렌즈, 동축 광원 등에 의해 좌우된다. 크기측정을 위해서는 보정을 해야 하는데 시편배율과 관련하여 상대적 측정을 할 때에는 보정이 필요 없다. 그러나 절대 측정을 위해서는 반드시 보정을 해야 한다. 절대측정을 위한 보정은 장비 제작사에 매뉴얼에 따라 보정하게 되어 있으며 보통 최초 1회를 하면 반영구적으로 사용할 수 있는 것으로 알려져 있다.

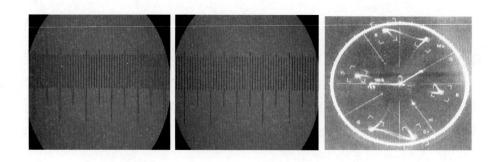

〔그림 3-20〕 비디오 및 카메라 계수선

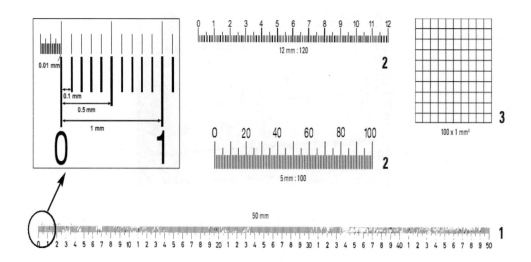

〔그림 3-21〕 현미경 계수선

제 5 절 영상기록, 전송 및 저장 장치

예전에는 영상기록매체를 사진기나 비디오의 경우에는 인화를 하여 보관하거나 비디오 자기테이프를 사용하여 저장하였다. 현재에는 대용량 하드디스크드라이브에 영상을 기록하는 차세대 디지털 캠코더가 널리 보급되어 있다. 이에 따라 업계 표준이었던 디지털비디오(DV) 테이프를 대체할 차세대 캠코더 시장은 HDD 캠코더가 차지하고 있다.

제 5 장 결함의 종류 및 특성

비파괴검사자 (결함 검출 및 평가에 국한시킬 경우)가 검사 업무를 수행하여 피검사체에 존재하는 결함을 검출하고자 할 경우, 검사자는 있으리라고 예견되어지는 여러 결함들의 종류와 특성뿐만 아니라 실제 검사에서 결함들이 어떤 모양, 어떤 지시 형태로 나타나는지에 대해 알고 있어야 훌륭한 검사 가 가능하다. 이는 환자를 진찰하는 의사가 여러 가지 병의 종류 특성 및 병의 증상 등에 대해 잘 알고 있어야 좋은 의사가 될 수 있는 것과 마찬가지이다. 따라서 본 절에서는 공장, 발전 설비 등 산업체에서 많이 쓰이는 여러 금속들에 관련된 결함들에 대해 살펴보고 이들 결함들을 어떻게 분류할 수 있으며, 제작/가공 결함, 사용 또는 환경 조건, 결함의 특성 등에 대해서 알아보기로 한다. 결함은 피검사체에 따라 수 없이 많이 있을 수 있으며 여기서 다루고자하는 결함은 발전 설비, 공장 대형 구조물 등 비파괴 검사자가 주로 검사 대상으로 삼고 있는 여러 금속들에 관련된 결함들이며, 이들을 크게 분류하면 고유결함(Inherent discontinuity), 제작 가공 결함 (Processing discontinuity), 사용 중 결함(Service-induced discontinuity)으로 나눌 수 있다.

· 고유 결함 : 고유 결함도 강괴(ingot) 에 관련된 결함으로써 기공, 파이프, 개재물 등이 있다.
· 제작 가공 결함 : 제작 가공 결함은 제 1차 가공 결함 및 제 2차 가공 결함으로 분류할 수 있으며, 제작/가공 과정과 밀접한 연관이 있다. 제 1차 가공에는 주조, 단조, 압연, 압출, 인발, 피어싱(Piercing) 등이 있으며, 제 2차 가공에는 기계가공, 연삭, 용접, 열처리, 도금 등이 있다. 즉, 이들 제작 가공과 관련된 결함을 제작 가공 결함이라고 한다.
· 사용 중 결함 : 사용 중 발생 결함은 재료, 제품 구조물의 실제 사용 중에 발생되는 결함을 말하며 설계의 적합성, 사용 상태, 환경 조건 등과 밀접한 관련이 있다. 이들 결함들을 분류표로 나타내면 그림 5-1과 같다.

· 고유결함
  파이프
  기공
  개재물

· 제작가공 결함
· 제 1차 가공결함
  주조 결함
  단조 결함
  압연 결함
  인발 결함
  압출 결함
  피어싱
  기 타

· 제 2차 가공결함
  기계 가공 결함
  용접 결함
  열처리 결함
  연삭 결함
  도금 결함
  기 타

· 사용 중 발생 결함
  균열
  피로(Fatigue)
  크립(Creep)
  터짐

  부식
  취화(Embrittlement)
  침식, 점식
  기타

〔그림 5-1〕 각종 결함의 종류

제 1 절 고유 결함

고유 결함이란 금속의 용융 및 응고와 관련하여 강괴(ingot)에 생기는 결함을 말한다. 강괴를 만들 때 용융 금속이 응고 되면서 가스 또는 슬래그 등이 함께 섞여 들어가게 될 뿐 아니라 용융 금속이 수축 응고되면서 각종 결함이 생기게 된다. 이들 결함은 크게 3가지로 구분하는데 개재물(Inclusion), 기공(Porosity), 파이프(Pipe)가 있다. 이중 개재물은 벽돌 부스러기, 모래, 슬래그, 기타 물질들이 함입되어 불순물로 포함된 것을 말한다. 기공은 가스 등이 용융 금속의 응고 과정 중 탈출하지 못하고 둥근 구 형태로 금속 내부 - 주로 강괴의 상층 부위에 남게 되어 결함이 된 것을 말한다. 또한 파이프는 용융 금속의 응고 수축에 따라 강괴 상층 중앙 부위에 공간이 형성된 것을 말한다. 강괴에는 대부분의 결함이 상층 부위에 많이 집중되게 되어, 이들 결함이 포함된 상태로 사용하기가 어려우므로 일반적으로 많은 결함이 밀집되어 있는 상층 부위 일부를 잘라내고 그 이하만을 다음 가공 시에 사용함으로써 고유 결함을 많이 배제시킬 수 있다. 그러나 얼마만큼 잘라내고 사용하느냐는 경제적 측면과 품질이 서로 상반되는 관계로 적절히 타협점을 찾아 결정되어야 할 것이다. 얼마만큼의 결함 부위를 잘라내든 일반적으로 결함이 전혀 없는 상태로 단조, 압연 등의 추가 가공을 하기가 어렵다. 따라서 추가 가공 시 사용하는 강괴 및 가공 방법에 따라 강괴에 존재했던 고유 결함들이 모양, 특성이 다른 새로운 결함으로 변하게 된다. 따라서 고유 결함과 추가 가공에 따른 결함의 변화에 대해서도 알아 둘 필요가 있다. 이는 다음절의 제작 가공 결함에서 살펴보기로 하자.

제 2 절 1차 제작 가공 결함

1. 주조 결함

주조와 관련된 결함을 살펴보면 다음과 같다.

· 모래 개재물 : 응고된 주물에 모래 부스러기 등이 섞여 들어간 것을 말한다.

· 기공(Porosity) : 기공은 응고된 금속에 가스 거품들이 밖으로 탈출하지 못하고 형성된 것이며, 주로 둥근 형태를 하고 있다.

· 블로 호울(Blowhole) : 모래에 있는 습기가 용융 금속에 의해 증발하여 이 가스압력이 커다란 공간을 형성하여 만든 결함이다.

· 슈링커지(Shrinkage) : 응고 과정 중에 금속의 수축에 의해 형성된 공간을 말한다. 용융 금속도 살이 얇은 쪽이 먼저 응고하게 되며 따라서 살이 두꺼운 부분의 용융 금속이 이동하게 된다. 그런데 이 경우 충분한 용융 금속이 보충되지 않을 경우 수축에 의한 공간(Shrinkage cavity)이 생겨나게 된다.

· 핫티어(Hot Tears) : 핫티어는 살이 두꺼운 부분과 얇은 부분의 응고 속도 차이에 기인한 응력 분포 의 갑작스런 변화에 의해 나타나는 일종의 균열 결함이다.

· 코울드 셭(Cold Shut) : 코울드 셭은 이미 응고된 금속에 용융 금속이 들어감으로써 생겨나는 결함으로써 두 금속의 경계부위가 드러나게 된다.

· 비용융 차플릿(Unfused chaplet) : 주형 내부에 있던 차플릿이 용융되지 않아 주조 결함으로 된 것을 말한다. 즉, 원래 차플릿은 용융 금속 주입 시 함께 용융되어 주물의 한 부분이 되어야 하는데 그렇지 못한 경우이다.

· 비용융 칠(Unfused chill) : 차플릿과 마찬가지로 칠도 용융 금속 주입 시 완전히 녹아 주물이 되어야 하는데 그렇지 못하고 남아있는 칠을 말한다.

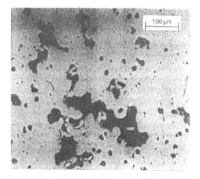

〔그림 5-2〕 슈링키지(수축공간)

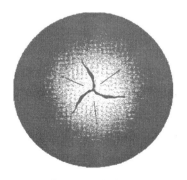

〔그림 5-3〕 핫티어 결함

〔그림 5-4〕 코울드 셥 결함(자분검사)

2. 단조 결함(Forging discontinuity)

단조는 대부분 가열상태에서 이루어지기 때문에 결함 내부에 산화물이 발견되기도 한다. 단조 결함에는 터짐, 겹침, 균열 등이 있다. 단조품 또는 단조 과정에서 파이프, 기공, 개재물 등의 고유 결함이 표면에 나타날 수도 있다. 따라서 육안검사 시 이점을 감안하여 제작 공정 중 가공 표면을 자세히 관찰하는 것이 매우 중요하다.

· 터짐 : 터짐은 내부 단조 결함이며 단조물 내부에 일정하지 않은 캐비티 (Cavity)로 나타나게 된다. 생성 원인은 너무 저온 또는 고온에서 단조가 이루어질 경우 일어난다. 단조 제품을 추가 기계 가공할 경우 이들이 외부 표면에 나타나기도 한다.

· 겹침 (Laps) : 겹침도 단조과정 중에 금속이 단조품 표면에 겹치게 된 것을 말한다. 겹침은 단조 표면에서 얕은 것에서 부터 깊은 것까지 다양하다. 겹침은 육안검사자에게는 단조 표면에 이상한 형태의 균열같이 보이며, 균열같이 선형이거나 U형태인 것도 있다. 저배율 렌즈로 겹침을 관찰할 때 결함 내부 표면에서 산화물을 종종 발견할 수 있다.

· 균열 : 균열은 고온금속 (Hot metal)의 강도를 초과하는 단조 응력이 가해 졌을 때 발생하며 빈번히 접하게 되는 단조 균열은 나선형 이다. 단조 샤프트에서 잘 발견되며 단조 시 샤프트 회전 토크 (torque) 때문에 발생한다.

3. 압연 결함

강괴에 존재하는 고유 결함은 압연 과정을 거치면 다른 형태의 결함으로 변하게 된다. 비금속 개재물(Non-metallic inclusion) 은 각재로 압연 후 스트링거(Stringer) 결함으로 변하게 되며 얇은 판으로 더 압연할 때는 라미네이션 (Lamination, 판상 결함)으로 된다. 스트링거가 표면에 나타나 육안으로 관찰할 수 있을 때 이를 종종 심 (Seam) 이라고 부른다. 금속개재물 역시 판에서 판상결함 형태를 이루게 되며 주로 압연 방향에 평행하게 되며, 기공 역시도 판상 결함의 원인이 될 수 있다.

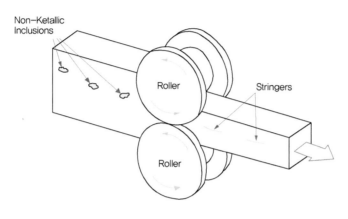

〔그림 5-5〕 스트링거 결함

· 기공도 역시 변형되어 표면에 나타나게 되면 심 (Seam) 결함이 될 수 있다. 이상 언급한 것은 고유 결함이 압연과정과 관련되어 새로운 결함으로 발전된 것을 설명하였으며 다음은 압연과 직접 관련된 결함을 살펴보자.
· 가장자리 균열 (Edge crack) : 판 재료에서 중간 과정의 연화 처리 없이 지나치게 두께를 감소시킬 때 생겨나게 되며 판재의 횡 방향으로 발생한다.
· 터짐(bursts) : 압연에서의 터짐은 단조 터짐과 거의 마찬가지이다.
· 티어(Tears) : 압연력이 고온 금속(hot metal)의 강도를 초과할 정도로 가해졌을 때 일어나며, 롤 표면의 부적절한 윤활의 경우 더욱 심하게 나타난다.

4. 인발가공 및 인발가공 결함

(1) 인발가공

봉, 선, 관 등의 제품은 압연, 압출가공 등에 의하여 제조 되나 단면적이 극히 작고 치수 공차가 작은 정확한 것을 제조하기는 곤란하므로 인발 가공에 의하여 제조한다. 인발가공은 다이의 출구 측에 인발기로서 축 방향의 인장력을 작용시켜서 단면 치수를 감축하고 다이 구멍과 같은 치수의 단면을 가지는 제품을 뽑아내는 가공을 말한다.

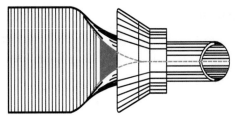

〔그림 5-6〕 인발 가공

(2) 인발가공 결함

인발가공 결함은 압연 결함과 비슷하며 결함이 가공과정에 생겼거나 고유 결함으로부터
변형되었거나 관계없이 인발 가공 제품의 전체적 파괴에 많은 영향을 미친다.

5. 압출가공 (Extrusion) 및 압출가공 결함

(1) 압출가공

압출가공은 알루미늄, 마그네슘 등과 같은 연질금속소재를 고압 하에서 다이 오리피스
(Die orifice)를 통하여 유출할 수 있게 가압하고, 환봉, 각봉, 관 등의 제품으로 단면적
을 감축하며 뽑아내는 과정을 말한다. 압출에는 큰 힘이 필요로 하므로 금속의 변형 저
항을 낮게 하기 위하여 열간에서 압출한다.

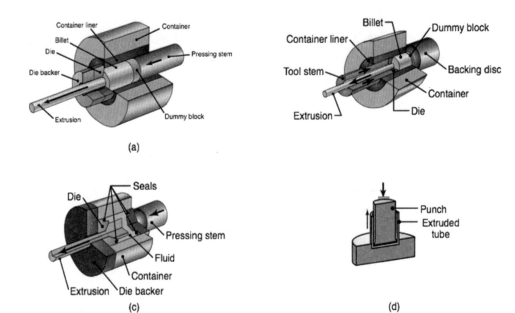

〔그림 5-7〕 압출 가공 : (a) direct; (b) indirect; (c) hydrostatic; (d) impact.

(2) 압출가공 결함

압출가공과 관련하여 발생하는 가공 결함에는 다이의 부적절한 윤활에 의하여 생기는 표면 찢어짐이 있다.

6. 피어싱 가공 (Piercing) 및 그 결함

(1) 피어싱 가공

피어싱 가공은 용접 이음이 없는 파이프 제작 시 사용한다. 그림 5-8에서 보는 바와 같이 환봉을 회전하는 두 롤러사이에 넣고 피어싱 맨드렐 (Piercing mandrel) 을 환봉 중심에 강한 힘으로 삽입시킴으로써 파이프, 관 등을 만들어 내게 한다.

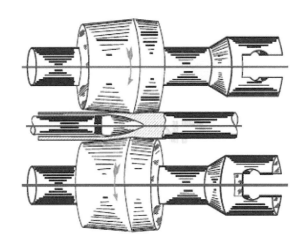

〔그림 5-8〕 피어싱 가공

(2) 피어싱 가공 결함

피어싱 가공 결함에는 스코어링 (Scoring) 이 있는데 이는 맨드렐의 부적절한 윤활에 기인하며, 금속이 찢어져 파이프의 내부에 헐겁게 달라붙은 것을 말한다.

제 3 절 2차 제작 가공 결함

1. 용접 및 용접결함

두 금속을 접합시키는 데는 여러 방법이 있다. 볼팅(bolting), 리베팅 (Reveting) 등의 반영구적인 방법이 있는가 하면 해체할 필요가 전혀 없는 경우 영구적인 방법인 용접은 강도, 중량경감, 작업의 간편 등 여러 이점을 가지고 있다. 따라서 볼트, 리벳을 대신하여 공장, 조선, 차량, 교량, 건축, 발전설비 등 전 산업 분야에서 많이 응용되고 있다. 육안검사 뿐만 아니라 대부분의 비파괴검사에서는 용접부 검사가 많은 부분을 차지하고 있다. 따라서 용접에 관련된 사항 및 용접 결함은 매우 중요하다. 따라서 용접 및 용접 결함은 따로 설명하기로 한다.

2. 기계가공 및 그 결함

(1) 기계가공 결함

기계가공 결함이란 기계가공 상태가 조립을 방해 또는 불가능하게 하거나 원래 의도했던 기능을 제대로 발휘하지 못하는 것을 말한다. 이는 기계가공 시 다음의 요소들을 잘 관리하지 못했기 때문이다.

· 치수 및 공차
· 끼워 맞춤
· 표면 가공 (마무리)
· 치수 및 공차

공차는 기계 가공제품의 치수에 있어 허용 가능한 치수오차 범위를 말한다. 예를 들자면 길이 50 mm, 직경 10 mm 의 환봉을 기계 가공 한다고 할 경우 어느 누구도 이와 같은 치수를 맞추기는 힘들다. 길이를 $50\,^{+0.1}_{-0.05}$mm, 직경을 $10\,^{+0.05}_{-0.05}$mm 라고 적어주면 길이는 최대 50.1, 최소 49.95, 직경은 최대 10.05, 최소 9.95 mm 이내에 들게 가공해야 하는 것을 의미한다. 즉, 기계 가공에 있어서 이와 같은 것을 지키지 않고 마음대로 가공된 제품은 조립 시 또는 사용 시 원래 의도했던 기능을 발휘하지 못할 것이다.

(2) 끼워 맞춤

여러 형태의 끼워맞춤이 있으나 억지 끼워맞춤, 헐거운 끼워맞춤, 보통 끼워맞춤 등이 있다. 필요한 끼워 맞춤을 제대로 하기 위해서는 위의 치수 및 공차에 정확한 기계 가공이 필수적이다.

(3) 표면 마무리(Surface finish)

제품의 표면 끝마무리 정도는 제품의 사용 목적에 따라 결정된다. 표면 마무리도 다음의 2가지 요소로 구성된다.

· 표면의 요철 차이
· 이들 요철 사이의 간격

표면 거칠기는 요철의 최대높이 (H_{max})를 나타내며 평면으로 다듬질한 면에 대하여는 그 면에서 3점 이상에서 접하는 평면을 기준으로 하고 그 면에서 부터 가장 깊은 골까지의 거리로 한다. 평면이외의 표면에 대하여는 그 면에 대한 이상 곡면으로써 기준면으로 한다. 같은 면에서도 기준면을 잡는 장소에 따라 거칠기가 달라지는 것이 보통이다. 이때 몇 개의 장소의 거칠기의 산술평균 (Ha) 으로 그 면의 거칠기를 나타내기로 하고 각 측정치는 평균치의 거칠기의 50 % 큰 것이 있어도 좋다. 표면 거칠기를 나타내는 또 다른 한 방법으로 평균 면부터 거칠기 곡선 위의 한 점까지의 거리를 자승 평균하여 그 평방근을 구하여 사용하는 것이 '자승평균평방근 거칠기', H rms 이다. 여기서 평균 면이란 이상 면에 평행하고, 또 산과 골을 메워 나타나는 면이다. 기계 설계 도면에서는 표면 거칠기를 ▽로 나타내는데 ▽▽▽▽는 약 0.8μ 이하, ▽▽▽는 6 μ이하, ▽▽는 25 μ이하, ▽는 35 μ 이상을 나타낸다. H_{max} 기준 표면 거칠기를 측정하는 장비로 옵티컬플랫(Optical flat)이 있다.

3. 용접

가. 용접의 개요

용접은 금속의 가용성을 이용하여 국부적으로 가열하고 융해하여 두 금속의 야금학적인 국부적 합일을 뜻하는 것이며, 용접법은 적당한 온도에서 두 재료 사이에 압력을 가하든가 또는 가하지 않고서 위의 목적을 실현할 수 있는 방법 이라고 말할 수 있다. 두 물체를 볼트나 리벳으로 반영구적으로 결합하는 방법이 있으나 해체할 필요가 없는 영구결합 부분에는 강도, 중량의 경감, 작업의 간편 등의 점에서 용접이 월등하다. 용접에 대한 일반적 사항만 본 장에서 언급하고 보다 전문적이며 구체적으로 알고 싶으면 용접 관련 교과서를 참고하기 바란다. 여기서는 육안검사자가 용접부 비파괴검사 시 알아야 할 기본 사항을 다루기로 한다.

나. 용접법의 분류

용접법은 융접법(Fusion welding), 압접법(Pressure welding), 연납 및 경납땜법(Soldering & brazing) 등 크게 3종류로 나눌 수 있다. 융접법(Fusion welding)은 모재의 접합부를 용융상태, 또는 고온에 의하여 그 일부분이 기화 상태에 있다고 생각되는 상태에서 모재끼리, 또는 외부로부터 접합의 중개 역할을 하는 용융된 용가제(Filler metal)를 적당한 방법으로 공급하여 용융 응고 시켜서 접합 목적을 달성하는 방법이다. 압접법(Pressure welding)은 접합할 두 금속을 점성상태, 또는 용융에 가까운 상태에서 기계적 타격 또는 압력을 가하여 압착하는 방법이다. 납땜법(Soldering or brazing)은 접합할 두 금속보다 용융점이 낮은 용가제(filler metal)를 녹여서 틈새에 유입시킴으로써 모세관 현상에 의하여 흡입 시켜 접합시키는 것인데 모재가 용융되지 않는 것이 특징이다.

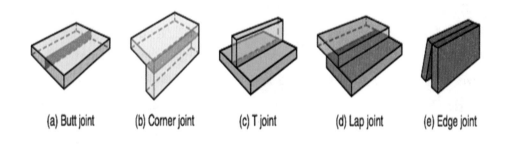

(a) Butt joint　(b) Corner joint　(c) T joint　(d) Lap joint　(e) Edge joint

〔그림 5-9〕 5가지 기본 이음부 형상 (Basic joint types)

다. 용접 이음부의 형상 및 용접자세

(1) 용접 이음부 형상

구조물의 사용 목적과 조건을 고려하여 그것에 적합한 재료와 이음부의 형상을 선택하여야 한다. 이음부 형상에는 (basic joint types) 다음 5가지가 있다.

- 맞대기 이음 (Butt joint) : 이음부가 대략 일 평면 상에 있음
- 모서리 이음 (Corner joint) : 이음부가 90°를 이루며 모서리 형상을 함.
- T 이음 (T joint) : 이음부가 90°를 T 자 형상을 함
- 겹치기 이음 (Lap joint) : 이음부가 부분적으로 겹치며 동일 평면상에 있음
- 변두리 이음 (Edge joint) : 이음부가 동일 평면상에 있으며 완전히 겹쳐지는 것

(2) 용접자세

- 아래 보기 자세 (Flat position)
  일반 용접은 이 위치에서 행하는 것이 많으며 접합해야 할 모재 판을 수평으로 놓고 용접봉을 하향하여 용접하는 자세이다.
- 수평 자세 (Horizontal position)
  판의 면이 수평면에 대하여 90° 또는 45° 이하의 경사를 가지고 용접선이 수평이 되게 판의 이음 또는 간격에 용접을 하는 방법으로써 용접 판은 수평으로 잡는다.
- 직립 자세 (Vertical position)
  수직면 도는 45°이하의 경사를 가지는 면에 용접을 하여 용접선은 수직 또는 수직면에 대하여 45°이하의 경사를 가지며 옆쪽에서 용접하는 자세이다.
- 위보기 자세 (Overhead position)
  용접봉을 모재의 아래쪽에서 위쪽을 보고 용접하는 자세로서 용접선은 대략 수평이다.

(3) 용접 형태 (Weld Types)

용접 형태는 필렛(Fillet), 그루우브(Groove), 비이드(Bead), 스팟(Spot), 플랜지(Flange), 심(Seam), 슬랏 또는 플러그(Slot or Plug)로 7가지 기본 형태가 있다. 용접 이음부의 목적은 한 부재에서 다른 부재로 이음부를 통해 힘을 전달하는 역할을 하기 때문에 이음부(Weld joint) 에 가해지는 하중 및 이음부 사용 조건 등에 따라 설계가 달라지기 마련이다. 이음부 설계는 부분용입 이음부(Partial joint penetration), 완전용입 이음부 (Complete joint penetration) 2가지로 나눌 수 있다.

- 부분용입 이음부 :
  완접 용입이 아닌 경우 용융이 되지 않는 부분이 있음.
- 완전용입 이음부 :
  용접 금속이 그루우브를 완전히 채우며 전 두께의 모재가 용융되는 이음부를 말한다.

4. 용접결함

가. 용접금속의 형성

용접모재, 용가제 등의 고체가 용융하며 고체가 액체로 되면 원자가 자유롭게 이동하게 되고 경계면 (Fusion Boundary)에서 밀착하게 된다. 표면의 산화물이 떨어져 나오고 용융 금속 속에 Fe, Cu 등이 녹게 되며 야금학적으로 용융 면이 깨끗해지게 된다.

나. 용융금속의 응고

용융금속이 식으면 원자에너지가 떨어지게 되고 따라서 응고하게 된다. 응고시 열전달은 용융금속 쪽에서 모재 쪽으로 일어나며 응고는 경계(Fusion Boundary)면에서 부터 시작된다. 경계면의 고체 원자들이 응고하는 원자들을 끌어당겨 본드를 형성하고 용융금속 안 쪽으로 격자면을 연장시키게 된다. 고체-금속의 측 방향으로 성장하게 되어 이웃 고체 영역과 뚜렷하게 구분되는 수지상정(dendrite) 조직이 생기게 된다. 용융금속 중심 쪽으로 응고가 계속되고 열전달의 반대방향으로 응고가 진행된다. 합금의 고체/액체 경계면에는 액상선과 고상선 사이에 세그리게이션이 생기고 톱니모양의 프로파일을 나타낸다. 급랭 시 고체 내에 존재하는 원소의 확산이 완전히 이루어 지지 못한다.

다. 실제용접

실제 용접 시에는 열원이 이동하게 되고 용융금속 풀(pool)이 계속 겹쳐서 이어지게 된다. 즉, 점진적으로 용융 응고가 계속되어 용접 선단에서는 용융이 일어나고 용접후단에서는 응고가 일어난다. 따라서 수지상정 조직은 상부 방향 쪽으로 그리고 앞쪽방향으로 생기게 된다.

라. 용접성

용접성(weldability)은 크게 3가지 측면에서 논한다. 즉, 재료의 용접 적합성, 용접과정의 용접가능성 여부, 실제 용접에서의 용접 안전성 등이다.

마. 용접결함

용접결함은 여러 원인에 의해 발생될 수 있으며 용접 결함을 일으키는 요인은 다음과 같다.

· 모재 결함
· 용가제 (Filler metal)

- 불완전한 용접 절차서
- 용접 절차서의 부적절한 사용
- 용접 패스간의 청결 미비
- 모재 이음부 준비 미비

육안검사자는 용접에서 일어날 수 있는 여러 가지 결함들을 인지하고 실제 검사 시 이들을 검출, 평가할 수 있어야 한다. 또한 용접 검사자(welding inspector)는 용접 전, 용접 중 및 용접 후에 결함이 발행되지 않도록 필요한 조치를 강구해야 한다. 용접부에 발생될 수 있는 결함은 여러 가지 종류가 있으며 이들을 분류하는 방법도 다양하다. 첫 번째 분류 방법으로써 용접 결함을 크게 다음과 같이 나눌 수 있다.

- 치수 형상 결함 : 변형, 치수불량, 형상불량
- 구조 조직상의 결함 : 구조, 조직, 결정, 화학적 결함

두 번째 분류방법으로써 국제용접연구소(IIW)에서는 다음의 6가지로 용접 결함을 분류하고 있다.

- 균열
- 캐비티
- 고체개재물
- 융합 및 용입부족
- 불완전한 형상/치수
- 기타 결함

먼저 IIW에서 분류한 방법으로 용접결함에 대해서 살펴본다.

(1) 균열

균열은 국부적인 높은 응력 때문에 용접부 또는 모재가 불균일하게 분리 되거나 찢어진 것을 말한다. 보통 금속이 응력을 받아 변형을 거의 수반하지 않는 취성파괴 (Brittle fracture)에 의해 형성된다. 균열의 생성위치, 방향성에 따라 여러 가지 균열이 용착금속, 열영향부, 인접모재에 발생된다. 용접과 관련한 균열은 그 발생지점(용접부 또는 모

재) 에 따라 분류할 수 있다. 일반적으로 균열은 발생위치 방향에 따라 다음과 같이 분류한다.

1) 용접부에서 발생한 균열
- 횡방향 균열(Transverse Cracks): 용접 축에 수직인 균열, 용접부를 가로질러 때로는 모재의 열영향부까지 진전되기도 한다.
- 길이 방향 균열 (Longitudinal Cracks): 용접 길이 방향에 평행인 균열
- 완전 중심선 균열: 이 균열은 용접부 루트에서부터 페이스 (Face) 까지 연결된다. 이 형태의 결함은 결함진전, 나쁜 핏업 (fit-up), 용접 금속대 모재 두께비가 너무 작은 경우 발생할 수 있다.
- 루트 균열: 이 균열은 용접부 루트에서 용접 금속의 어느 점까지 연결되며 가장 흔한 길이 방향 균열이다. 루트 균열을 없애지 않으면 계속되는 용접 패스쪽으로 균열이 진전한다.
- 크레이터 균열: 용접 크레이터의 심한 상태로서 일반적으로 용접 금속 균열은 부적절한 용접봉, 결함 있는 용접, 잘못된 용접준비, 지나친 구속, 용접금속의 금속적 특성 때문에 기인될 수 있다.

2) 모재에서 발생한 균열
- 횡방향 균열: 쉽게 경화되는 강의 필렛 용접과 일반적으로 관련되며, 열영향부 표면에서 발생하여 모재에까지 전파될 수도 있다. 이들은 용접시 열팽창/수축에 의해 기인한 잔류응력 때문에 생긴다.
- 길이 방향 균열: 용접부에 평행한 균열

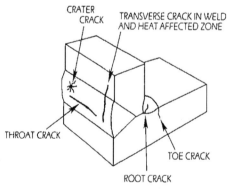

〔그림 5-10〕 크레이터 균열

〔그림 5-11〕 각종균열

- 토우 균열 (Toe crack): 용접부 토우에 존재하는 노치효과 때문에 생기며, 모재 표면에 거의 수직임

- 루트 균열 (Root cracks): 이 형태의 균열은 필렛 용접부와 관련되며, 이 균열은 용접부 루트에서 출발하여 모재 쪽 으로 연결된다.

- 비드아래쪽 균열 (Underbead 균열) : 열영향부에 있는 용접 비드 아래의 균열, 이들 균열은 용접 시 열팽창 수축에 의한 높은 잔류응력, 구속, 모재의 금속학적 특성에 기인할 수 있다. 균열은 다른 형태의 결함, 부적절한 용접조건, 좋지 못한 용접 이음부 형상으로부터 생겨날 수 있다. 후판 용접 시나 구속이 많은 이음부를 용접할 때는 대단히 주의해야 한다. 균열 방지책으로서 세심한 이음부 설계, 적절한 용접순서, 좋은 용접 절차서 및 기술이 필요하다. 추운 날 예열 및 후열처리 같은 주의를 기울이지 않을 경우 균열 발생이 쉽게 일어난다. 또한 더블 V(X) 그루우브의 뒤 용접(Back welding) 전에 루트 부위의 백가우징(backgouging)과 클리닝(Cleaning) 을 잘못하여 슬래그 보이드를 남겨두고 용접하면 용접 이음부를 약화시킬 뿐 아니라 균열 발생의 원인이 되기도 한다. 용접부 루우트 간격이 너무 크면 용접 금속이 많이 필요하고 따라서 수축이 많이 일어나 균열 발생을 일으키기도 한다.

- 용접 크레이터/크레이터 기공/크레이터 균열 (Weld Crater/Crater Porosity/Crater Crack) : 크레이터는 용접봉 아래의 용접금속 또는 용접 비드 끝부분의 표면이 움푹 들어간 것을 말한다. 이들은 아크가 중단되거나 쉴딩 가스가 용접 금속이 응고되기 이전에 차단될 때 일어날 수 있다. 크레이터는 기공 또는 균열을 수반할 수도 있다. 균열이 발생할 때 길이 (종) 방향, 횡방향 또는 별모양의 균열로 나타나기도 한다. 길이 방향 크레이터의 균열은 용접 길이 방향으로 진전하여 중심선 균열 (Centerline Crack) 로 발전될 수 있다. 뿐만 아니라 이들을 제거하지 않을 경우 용접 패스 위쪽으로 진전될 수도 있다. 이는 아크를 멈추기 전에 크레이터를 적절히 채우지 못하기 때문에 야기되며 아크를 멈출 때 백스톱 (Backstop) 또는 반대 방향 이송 용접을 함으로써 이를 바로 잡을 수 있다.

3) 고온균열

고온균열은 온도 550°C이상에서 발생되며 주로 고장력강에서 많이 발생한다.

- 용착금속 응고균열 : 순수한 금속(pure metal) 및 공정(eutectic)은 응고영역이 없으며 따라서 응고균열이 일어나지 않는다. 그러나 합금의 경우 응고온도 영역 (solidification range)이 존재하며 응고 중 세그리게이션이 일어나고 기 응고된 결

정(grain) 사이에 저용융 온도를 갖는 잔류 액체의 박막이 형성되며 여기 수축 변형률이 작용하여 저용융점 액체에 균열이 생기고 결정사이에 파괴가 일어난다. 특히, 황동주석, 알루미늄합금 등은 응고온도 영역이 넓고 용착금속 응고 시 균열이 발생하기 쉽다. 균열발생 대책으로서는 응고온도 영역을 좁히도록 해야 하며 용가제, 용접절차 및 용접형태를 잘 선택해야한다. 개선이 좁고, 깊을 때는 균열이 발생하고, 개선이 넓고, 얕을 때는 수축변형이 발생할 수 있다.

· 크레이터 균열 : 급랭에 따른 방사형 균열 발생 → 급랭 방지
· 열영향부 (HAZ) 고온 균열 : 입계(Grain Boundary)에 저용융점 혼합물 (compound)들이 존재하며 용접 시 열이 HAZ 부위로 이동하면 입계가 녹거나 취약해져서 균열이 발생, 특히 페라이트 강에 황이 많이 존재할 경우 (저용융점) 입계에 Fe-FeS 공정(eutectic) 혼합물이 형성되고 따라서 균열이 발생함. 또는 슬래그나 개재물 특히 스트링거 결함, 라미네이션 결함 등이 용접 시 HAZ 열 이동으로 인해 균열이 발생한다.

4) 저온균열

저온균열은 온도 약 300℃ 이하에서 발생한다.

· 열영향부의 경화에 의한 영향 : HAZ 부위의 마르텐사이트 조직과 베이나이트 조직에 종 방향 응력이 가해졌을 때 HAZ 부위에 균열 발생
· 잔류응력 또는 구속응력 : 구속된 상태로 배관을 연결 용접하는 경우 용접 자체에 의한 잔류 인장응력과 용접구속에 의한 응력 발생에 따라 균열 발생
· 응력집중 : 부분용입 필렛용접부 노치 부근에 응력이 집중하여 균열을 발생시킴. 용접부 크라운이 너무 클 경우에도 응력 집중이 일어날 수 있음.
· 수소에 의한 영향 : 수소 취화에 지연 균열 또는 마이크로 메조로 균열 발생
· 라멜라 티어링 : 저용융점을 갖는 황이 형성, Fe-FeS 공정(eutectic)에 의해 입계에 고온 균열을 일으키나 압연 후 띠 모양의 MnS 형성되고 용접 설계 특성상 인장하중 작용 시 띠 부위에 균열이 발생함.
· 조대입자 : 일렉트로 슬래그 용접과 같이 고온, 저속 냉각의 경우 조대한 입자를 갖게 되고 파괴인성치가 떨어져 균열발생. 해결책으로 용착금속 풀의 진동, 후열처리 등을 통해 입자를 미세하게 함.

(2) 기공, 슈링키지

기공은 탈산작용이 부족하며 O_2 가 CO_2 나 SO_2 를 형성, 기공을 만들거나 이들 가스들

이 탈출하지 못해 기공을 형성한다. 용접금속 냉각 시 체적감소에 기인한 수축 기공도 발생한다. 기공은 종류에 따라 여러 가지가 있다. 용접 조건이 나쁠 경우, 좋지 못한 가스들이 대기 또는 여러 오염 물질 (물, 구리스, 기름, 산화물 등) 로부터 용접 금속에 섞여 들어가서 밖으로 탈출하지 못하고 용융금속 이 응고될 때 그대로 남은 상태이며, 기공의 양, 위치에 따라 다음의 4가지로 분류할 수 있다.

- 일정 산포 기공 (Uniform Scattered Porosity) :
  용접 길이에 따라 일정하게 분포된 기공
- 밀집 기공 (Clustered Porosity) :
  기공들이 함께 모여 밀집된 상태
- 선형 기공(Linear Porosity) :
  용접 길이 방향에 평행하게 분포한 기공, 보통 루트 패스에 많다.
- 벌레 구멍형 기공(Wormhole porosity) :
  용접부 두께 방향으로 기공이 분포된 경우이며 벌레구멍 형상을 하는 것이 특징임

기공의 생성 원인을 살펴보면 다음과 같다.

- 모재내의 황 또는 인과 같은 불순물
- 용접물의 불순물 (녹, 기름, 구리스, 습기, 페인트, 더러움)
- 피복재의 코팅, 습기
- 과도한 아크 길이
- 과도한 전류
- 용접속도가 지나치게 빠를 때 (가스 방출 시간이 충분하지 못함)
- 불충분한 입열
- 용접 이음부의 습기
- 과도한 차폐 가스 유입, 또는 이의 반대 경우
- 차폐 가스가 끊어진 경우
- 차폐 가스의 오염

(3) 고체 개재물
1) 금속 개재물
텅스텐, 구리 등이 있으며, TIG 용접 시 텅스텐 전극 봉이 용융 풀에 접촉하거나 용

접봉 노즐, 튜브(copper) 등의 접촉에 의해 게재물이 발생할 수 있다.

2) 비금속 개재물

슬래그, 플럭스(flux), 산화물 등이 있으며, 용접사의 기술부족, 플럭스(flux)의 불완전한 용융과 차폐(쉴딩)의 불완전에 의해 게재물이 발생할 수 있다.

3) 슬래그 개재물(Slag inclusion)

용접 금속 내부 또는 모재와 용접 금속에 섞여 들어간 산화물 또는 비금속 고체 슬래그 및 비금속 고체 개재물은 다음과 같은 이유 때문에 발생될 수 있다.

- 이전 패스에서의 불완전 슬래그 제거
- 지나친 용접봉 움직임으로 인한 용접 비드사이에의 슬래그 유입
- 일정치 않은 용접봉 이송 속도
- 아크 전방의 지나친 슬래그 유입, 특히 깊은 용접 그루브 경우
- 너무 큰 용접봉 사용 시
- 슬래그 및 비금속 게재물의 탈출이전에 용접금속이 응고될 정도의 불충분한 입열
- 언더컷 또는 크레비스 같은 곳에 용접할 때
- 이중 용접 이음부에 부적절한 백-가우징(Back-gouging)

(4) 융합 및 용입부족

융합 부족은 루트부위, 패스간 또는 모재와 용착금속 경계면 등에서 일어날 수 있다. 용입부족은 용접사 기술부족, 용접변수의 잘못 등에 기인한다. 특히 융합부족 원인은 다음과 같다.

- 용접봉의 이송속도가 너무 클 경우
- 낮은 용접 전류
- 부적절한 용접봉 각도 및 용접봉 조작
- 청결미비
- 부적절한 이음부 준비
- 과도한 용접봉 크기
- 과도한 용입 : 용입부족과 반대현상으로 과도한 용입도 결함이 된다. 용접부 루트 아래에 용접 금속이 빠져나온 상태로 이송 속도가 늦을 때, 높은 전류, 루트 간격이 클

경우 또는 루트 면이 너무 작을 때 생길 수 있다.

(5) 불완전한 치수, 형상 결함

1) 치수, 형상 용접 결함

치수, 형상 용접결함이란 완성된 용접부의 치수 또는 형상이 설계/제작 도면의 허용 범위 이내에 들지 못하는 것을 말한다.

- 어긋남(Misalighnment):
  내경 표면이 과도하게 어긋난 상태 이것이 과도한 경우 불완전 용입을 유발할 수 있다.
- 언더필(Underfill) :
  모재 표면 높이 이하로 용가제 금속이 채워진 상태. 용접부가 충분한 강도를 발휘하기 위해서 용접부의 전체 단면이 용접 되어야 한다.
- 언더컷(Undercut) :
  용접과정 중 용접부 크라운의 토우(toe) 또는 루트(Root) 부위의 모재가 용융된 상태에서 용접금속이 채워지지 않은 상태
- 오버랩(Overlap) :
  용접부 루트 또는 크라운의 토우(toe)의 용융선 밖에까지 용접금속이 나온 상태. 오버랩도 용접부에 하중이 가해졌을 때 응력 집중을 일으키는 노치 효과가 있기 때문에 좋지 못하다. 오버랩은 불충분 이송속도 또는 부적합한 용접봉 각도 때문에 보통 생긴다.
- 과도 용접 덧붙임(Excessive Reinforcement) :
  용접부 루트 또는 크라운의 높이가 규격 또는 설계치 이내여야 하나 그렇지 못하고 과도한 경우 오버랩과 같이 응력 집중을 일으키는 노치효과가 있기 때문에 좋지 않다. 용접 전류가 과도할 경우 일어날 수 있다.
- 루트 오목현상 (Excessive Root Concavity, Suck up) :
  루트 부위의 용가제가 (Filler metal) 가 오목하게 들어간 상태. 이는 용융 금속의 수축 또는 위보기 자세에서의 중력 등에 의해 발생한다. 심한 경우 루트 부위 균열 발생의 원인이 되기도 한다.

필렛 용접의 치수/형상 용접 결함은 다음과 같다.

· 짧은 목 (Insufficient throat) :

목의 높이가 필렛 용접의 강도를 줄 수 있을 만큼 충분하지 못한 상태

· 언더 컷 (Under Cut) :

용접 중 모재 부위를 용융시켰으나 용가제로 채우지 않고 그대로 둔 상태

· 오버 랩 (Over lap) :

용접금속이 용접선 밖에까지 나와 붙지 않은 상태

· 과대 볼록 현상 (Excessive convexity) :

용접 형상이 과도하게 볼록하게 뛰어 나온 상태. 노치 현상에 의한 응력 집중원이
되기 때문에 아주 나쁨

· 과대오목현상 (Excessive Concavity) :

필렛 용접 크기가 과도하게 작은 상태. 필요한 강도를 갖지 못한다.

· 짧은 다리 (Insufficient leg) :

레그가 짧은 경우 요구되어지는 강도를 낼 수 없음

· 브리징 (Bridging) :

그루우브 용접에서의 불완전 용입과 같은 경우이며 루트 부위에 용접 금속이 채
워지지 않은 상태.

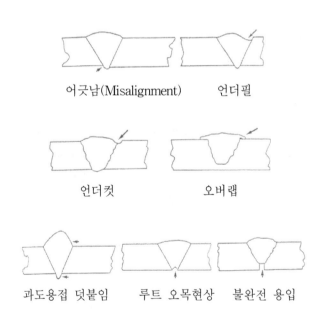

어긋남(Misalignment)　　　언더필

언더컷　　　오버랩

과도용접 덧붙임　　루트 오목현상　　불완전 용입

〔그림 5-12〕 치수, 형상 결함

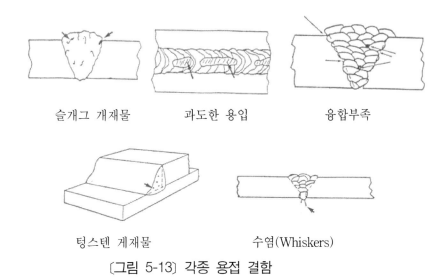

슬개그 개재물   과도한 용입   융합부족

텅스텐 게재물   수염(Whiskers)

〔그림 5-13〕 각종 용접 결함

(6) 기타 용접결함

· 수염 (Whiskers) : 짧은 길이의 용접 와이어 (Wire) 가 용접이음부에 수염 같이 내민 것. 이는 소모성 용접봉 및 자동 이송 시스템을 쓰는 GMAW 및 Flux Cored Arc 용접 시 일어난다.

· 아크 스트라이크 (Arc-Strikes) : 아크 스트라이크는 용접부 또는 모재위에 우발적으로 아크를 일으킴으로써 생긴다. 아크 스트라이크는 표면에 경화를 일으켜 노치 현상을 유발하기도 한다. 또한 용접부 또는 모재에 전파될 수도 있는 작은 균열들이 아크 스트라이크에 의해 발생될 수 있다.

· 산화 (Oxidation) : 표면 산화는 용접금속 및 모재가 냉각될 때까지 해로운 산화물을 형성하지 못하도록 대기로부터 적절히 보호되지 못할 경우에 일어난다. 산화는 쉴딩 가스의 차단 또는 중단, 불순물이 함유된 쉴딩 가스, 바람의 영향 등 가스 쉴딩을 멈추거나 방해할 때 일어나게 된다.

· 과도한 용접 스패터 (Excessive Weld Spatter) : 용접 시 용융 용접금속 또는 소모성 용가제로부터 떨어져 나간 금속 입자(particle)로서 스패터는 다른 결함을 가릴 수도 있다. 아크 길이가 너무 길 경우 거친 스패터가 발생하고, 과도한 전류를 사용할 경우 미세한 스패터가 발생한다.

바. 용접법에 관련된 결함 특성

앞서 설명한 치수 및 구조적 결함의 대부분은 어떤 용접에서도 발생할 수 있다. 그러나 슬래그 게재물과 같이 용접법에 따라 발생할 수도 있고, 그렇지 않을 수도 있는 용접 의존형 결함들도 있다. 뿐만 아니라 어떤 용접에서는 특정 결함들이 잘 발생되기도 한다. 이들을 살펴보면 다음과 같다.

(1) 피복 아크 용접 (SMAW)

· 슬래그 및 산화 개재물
· 수소가 적게 포함된 용접봉 사용 시 피복 코팅 속에 습기가 많아 기공이 쉽게 발생됨.

(2) 가스텅스텐 아크 용접 (GTAW)

· 산화 개재물.
· 텅스텐 개재물
· 용접부 루트의 산화
· 융합 불량

(3) 가스금속 아크 용접 (GMAW)

· 표면 및 표면하 기공
· 휘스크
· 용입 불량
· 산화 개재물
· 용접부 루트의 산화
· 융합 불량, 기공
· 용접 시작시의 콜드 랩 (Cold lap)

(4) 연납땜 결함

· 접합 불량 : 납과 모재사이의 접합 불량 상태 및 원인을 살펴보면 모재에 막이 있을 경우, 액상 납이 모재에 붙을 수 없으며 따라서 비금속접합이 된다. 또한 납땜된 표면이 먼저 붙었다 하더라도 금속간 층이 형성되어 납이 수축되어 떨어진다.
· 균 열 : 납땜 이음부의 균열 원인은 하중, 상이한 열팽창, 이물질, 부적절한 이음부 간격, 금속간 층 등이다.
· 부 식.
  - 갈바닉 부식 (Galvanic corrosion) :

갈바닉 부식은 모재간 또는 납과 모재간의 기전력의 차이가 아주 크고, 납땜 이음 부에 전해액(질)이 존재하면 발생한다.

- 화학 부식 :

납땜 시 부식성 잔류물이 완전히 제거되지 않을 경우 자주 발생한다.

· 브리징 (Bridging) : 납땜에 의해 완전히 연결되지 않은 다리 모양의 결함.
· 기 공 : 공기, 증기 등이 납땜 시 밖으로 빠져나오지 못하고 응고 시 그 안에 존재하게 된 것.

(5) 경납땜 결함 (Brazing discontinuities)

· 채움부족(Lack of fill) : 더러운 표면, 부적절한 틈새, 부적절한 경납땜 온도, 또는 불충분한 용가제 금속 등의 결과로 생성된 보이드(Voids)
· 피복재의 혼입 : 피복재가 경납땜 이음부에 혼입된 것
· 불연속 필렛 : 필렛에 큰 보이드가 있는 경납땜 이음부
· 모재 침식 : 일부 경납땜 용가제 금속은 경납땜하는 모재와 쉽게 합금을 이루며 모재 성분을 녹인다. 어떤 경우에는 언더컷이 생기거나 접착 면이 사라진다.

제 4 절 사용 중 결함

1. 개요

사용 중 발생 결함은 사용조건 및 다루고자 하는 특정 산업 (예 : 항공 산업, 일반산업, 원자력 등) 에 따라 매우 다양할 뿐 아니라 그 특정 산업 분야에 따라 고유 특징이 있기 때문에 모두 다루기는 어렵다. 따라서 본 장에서는 발전설비의 사용 중 결함 및 육안 검사에 대해서 언급하기로 한다. 이들 결함들을 조기에 검출하고 바로 잡지 않을 경우 예정에 없던 보수를 해야 하거나 발전소 가동중지 또는 재산 및 인명의 손실을 가져오는 대형 사고에 까지 이를 수도 있다. 따라서 철저한 육안검사를 함으로써 그러한 고장, 사고를 줄이고 발전소 신뢰도 및 안전성을 높일 수 있을 것이다. 본 장에서는 주로 원전 부품 균열의 원인에 대해 집중적으로 다루고자 한다. 균열이외 대부분의 파손(파괴)은 환경과 결합된 재료의 손상에 기인한다. 즉, 온도, 열 유동 및 부식 환경과 같은 요소들이 그것이며 이들에 의해 부식, 침식, 점식, 뒤틀림 등을 일으킨다. 균열은 때로는 육안으로 보기가 힘들 때도 있으며 액체침투검사 또는 자분검사가 필요하다. 육안검사로는 균열이 깊이를 측정하기 어려우므로 체적

검사법인 초음파검사, 방사선투과검사 등을 사용하거나 보다 정확한 측정을 위해 파괴시험을 하여 깊이를 재기도 한다.

2. 균열

여기서 다루고자 하는 균열은 환경의 영향을 받는 것과 그렇지 않은 2 가지 다. 제작, 가공 및 건설과 관련된 균열은 언급하지 않기로 한다. 균열을 분류하면 다음과 같다.
- 기계적 피로 (Mechanical Fatigue)
- 열 피 로 (Thermal Fatigue)
- 취 화 (Embrittlement)
- 응력 부식 (Stress Corrosion)
- 부식 피로 (Corrosion Fatigue)

가. 기계적 피로 (Mechanical Fatigue)

피로란 재료의 인장강도 이하의 반복되는 응력 하에서 재료 또는 부품이 파괴되는 것을 말한다.   피로엔 3 단계가 있다.
- 초기 손상 (균열 발생)
- 균열 진전
- 균열 진전
- 단면적 감소에 의한 파괴

피로는 일반적으로 재료의 인장강도의 함수이며 높은 응력에서는 빨리, 그리고 낮은 응력 하에서는 늦게 피로 현상이 일어난다. 강의 경우 파괴가 일어나지 않는 피로한도 또는 응력크기로 설명한다.   피로한도(Fatigue limit) 또는 내구한도(Endurance limit)에 대한 정의는 다음과 같다.
- 파괴를 일으키지 않고 무한히 되풀이할 수 있는 응력 진폭의 최대치
- S-N 곡선이 수평이 되는 한계 응력 진폭, 또는
- 어떤 적당한 되풀이 수 동안에 파괴를 일으키지 않고 부하할 수 있는 되풀이 응력 진폭의 최대치(예 : 10,000,000회)

피로는 다음의 요소와 관련이 있다.
- 가해지는 응력의 종류 및 특성

- 응력이 가해지는 양상
- 응력 변동 정도
- 응력의 크기
- 사용 환경
- 제작, 가공 과정

응력의 크기는 부품의 형상에 영향을 받으며 단면의 갑작스런 변화 부위에는 응력이 집중된다. 따라서 피로 파괴가 종종 응력집중 부위에서 시작된다. 이와 같은 부위는
- 단면적이 변화하는 부위
- 날카로운 필릿, 그루우브, 노치 부위
- 나사산 루트 부위
- 용접부 토우 부위
- 키홈 부위
- 금속학적 노치 부위

일반적으로 피로 균열은 낮은 온도에서는 비교적 직선형이고 한 지점에 하나의 균열이 발견된다. 피로 균열은 발전소 거의 모든 부품에서 발생할 수 있다.
- 볼트류
- 배관
- 파이프 지지 구조물
- 터빈 블레이드
- 펌프 및 팬 임펠러, 케이징 및 샤프트 등

피로에 있어 표면 끝마무리의 영향은 매우 중요하다. 거칠게 표면 가공한 것은 매끈하게 가공한 것보다 피로 저항이 약하며, 표면 가공 방법 (예 : Shot peening)은 압축 응력을 가해 피로를 줄이는데 유익하다. 피로 균열은 상대적으로 직선형이며 가지가 거의 없다. 또한 금속학적으로 보았을 때 그레인을 가로질러 일어난다(Transgranular, 입내 균열). 상대적으로 높은 응력 하에서도 여러 균열이 발생되거나 일반적으로 한 균열이 깊숙이 진전한다.

나. 열 피로 (Thermal Fatigue)
열 피로는 피로를 일으키는 하중의 성격이 기계적인 것이 아니라 열 하중(Thermal load)

이기 때문에 쉽게 기계적 피로와 구분된다. 열 피로에서 재료 내에 큰 온도차가 있으며 상당한 스트레인과 응력을 일으킨다. 열 피로를 일으키는 하중은 다음의 차등 열팽창에 기인한다.

· 서로 온도가 다른 부품사이에 있는 재료
· 온도가 다른 부품이 연결되었을 때
· 열팽창이 다른 경우

열 피로의 되풀이 수(Cycle)는 전형적으로 낮다(Low cycle). 따라서 높은 열응력으로 인해 낮은 되풀이 수에서 파괴가 일어난다. 10 Cycle 이내에서 일어날 경우 보통 열 충격(Thermal shock)이라 한다. 열 피로는 두께 변화가 큰 부위에서 잘 발생하여 이는 열을 흡수할 수 있는 양의 차이로 열구배가 크게 일어나기 때문이다. 높은 온도에서 사용되는 부품인 경우 열 피로를 예상할 수 있으며 대표적인 경우는 다음과 같다.

· 터빈 블레이드
· 배관
· 고온 튜브
· 게이징 (Casing)

재료의 선택, 설계, 형상에 이르기까지 세심한 배려가 열 피로 방지를 위해 요망된다. 열 피로 파단면은 산화 (검은 부분) 흔적이 있으며 최종 파단과 하중은 희게 나타난다. 열 피로 파괴 특징은 입계성(Intergranular) 이다.

다. 취화

취화란 사용 전 또는 사용 중 환경 상태에 기인하여 연성(Ductility)이 감소하는 것을 말한다. 취화에 미치는 주요 요소를 보면 다음과 같다.

· 온   도
· 수   소
· 액상 금속 (Liquid metal)

(1) 온도

고강도 강에서의 낮은 온도는 취성 균열을 일으킬 수 있다. 심한 냉간 가공은 저탄소강에서 취화의 한 요소가 될 수 있다. 고강도강 및 페라이트 스테인레스강(Ferritic

Stainless Steel)은 취화를 일으킨다. 고온에 노출되었을 때 취화가 일어나지만, 파손은 낮은 온도에 노출되었을 때 일어난다. 파괴는 입계성(intergranular) 이다.

(2) 수소

수소 취화는 부식, 세척 또는 도금 시 수소가 재료 내부에 침입하게 될 경우 발생할 수 있다. 강도가 높으면 높을수록 더 쉽게 수소 취화가 일어난다. 수소 취화는 지연, 저온 균열을 일으키며, 이를 방지키 위해 코팅(Coating)을 하기도 한다. 고강도강 도금 세척 후 수소를 베이킹(Baking)하여 수소를 확산 시켜야 한다. 물론 올바른 재료의 선택이 더욱 중요하다.

(3) 액상 금속 취화(LME)

이는 고온 저온에서 공히 발생될 수 있다. 400°~450°F에서 고강도 카드뮴 도금 볼트를 사용할 때 주의해야 한다. 동 합금 및 알루미늄 합금은 수은에서 균열 발생이 쉽게 된다.

라. 응력 부식 균열 및 입계 공격

응력 부식 균열은 응력 및 부식 환경의 복합적 작용 하에 일어난다. 응력 부식 균열은 표면에서 발생하여 표면에 수직하게 진전한다. 그러나 정확한 의미에서는 받은 응력에 수직하게 진전한다. 응력은 잔류응력의 영향도 포함된다. 응력 부식 균열은 특정 금속이 특정 환경 하에서 잘 일어나는 조건이 있으며 발전소에서의 경우는 다음과 같다.

· 탄소 합금강 : 부식제 (고온)
· 스테인레스 스틸 : 할로겐 및 부식제 (고온)
· 동 합금 (황동, 청동) : 암모니아 환경 (저온)
· 고강도 강 : 할로겐 (저온)
· 고 니켈 합금 : 고순도 물 (원자력발전소)

일반적으로 부식제의 농도가 커야 응력부식 균열 발생이 가능하지만 이러한 고농도 부식은 증발, 석출 또는 크레비스(Crevice)에서 일어날 수 있다. 암모니아에 의해 발생되는 응력 부식 균열은 수질 처리 화공약품에 기인할 수 있다. 응력부식 균열은 입계성 및 입내성 2 가지 다 가능하다. 입계 어택(Attack)은 부식 환경이 선택적으로 입계를 침입할 때 일어난다. 액상 금속 취화(Liquid Metal Embrittlement : LME)는 입계 어택으로 간주하지 않는 다. 발전소에서 입계 어택은 용접되었거나 85°F~ 1400°F 온도 범위에서 오래 지속된 오 스테나이트 스테인레스강에서 자주 발생한다. 위와 같이 가열이 지속된 경우 재료는 예민 화 됐다고 하며 입계 어택은 여러 환경에 노출되어 일어난다.

마. 부식 피로

부식 피로는 부식 환경에서의 피로 균열이 일어나는 것을 말한다. 즉, 부식 환경이 피로 균열의 발생과 진전을 가속시킨다. 부식 피로에서의 응력은 기계적 또는 열응력 2 가지 중 하나이며 복합적으로 작용할 때가 많다.

3. 균열 이외의 사용 중 결함

결함을 일으키는 요인들은 다음과 같다.
· 온   도
· 부식 환경
· 기계적 작용

결함을 크게 3 가지 주요 그룹으로 나누면
· 일반적인 재료 손실
· 국부적 재료 손실
· 과열 및 고온 변형

가. 일반적 재료 손실

어떤 부품의 단면적이 더 이상 하중을 지탱할 수 없도록 감소되었을 때 파괴가 일어난다. 그러한 벽두께의 감소는 여러 원인에 기인한다.
· 내부 또는 외부 부식
· 마모
· 침식 (액체, 기체 유동)

육안검사로 부식되어 얇아진 벽두께를 측정하는 것은 부식 생성 부착물을 제거 하지 않으 면 어렵다. 마이크로미터 또는 두께 측정 게이지도 잔여 두께를 측정 가능하다. 외측에서

내면의 재료 손실을 측정하기는 어려우므로 이때는 초음파 검사가 흔히 사용된다. 육안검사 시 부식의 특성, 부식 깊이, 정도 등에 대해서 자세히 기록해야 한다.

· 마모는 여러 다른 기구로 발생되며 육안검사 측정으로 쉽게 그 정도를 알 수 있다.
· 침식은 스팀 터빈 블레이드, 배관들의 증기, 액체의 유동이 많은 곳에 자주 일어난다. 침식 부식의 특이한 형태로 공동(Cavitation)이 있으며 주로 펌프 임펠라에 자주 발생한다. 압력 변화에 의해 액체가 기체 거품을 형성하게 되고 이들이 터지면서 표면에 손상과 함께 재료 손실을 가속시키는 것이다.

나. 국부 부식

표면의 한정된 영역에서 발생해서 진전하는 공격을 말하며 이 어택은 국부 영역에서 부식 반응물(보통 산소)이 박탈되거나 부식 생성물을 집적시킴으로써 구성 성분이나 용액의 부식성을 현저히 변화시켜 일어난다. 점식은 극히 일부 표면의 부식이 빨리 일어나는 것을 말한다. 크레비스 부식은 크레비스 특성상 국부적 부식이 일어나며 스테인레스 스틸 합금과 같은 부식 저항 합금의 경우 쉽게 발생한다.

다. 과열 및 뒤틀림(Distortion)

금속은 높은 온도에서 오랫동안 정적 하중을 받으면 약해질 뿐만 아니라 변형이 계속 증가하게 되는데 이를 크립 파괴라 한다. 재료에 따라 크립 특성은 다르며 따라서 고온 분위기에서 사용하게 될 재료의 선택은 매우 중요하다. 연속적이거나 간헐적으로 사용 온도가 설계 온도보다 높을 경우 금속 특성이 변하게 되고 과열에 의해 뒤틀림 또는 파괴가 일어나기도 한다. 단시간에 과도하게 과열되었을 경우 뒤틀림 및 파괴가 일어나지만 그렇지 않고 과열이 좀 덜 심한 경우는 파괴가 일어나기 까지는 육안으로 그 정도를 관찰하기는 매우 어렵다. 따라서 손상의 정도를 금속 조직적 검사나 다른 방법으로 측정하여 볼 필요가 대두되기도 한다. 크립 발생의 경우 치수 변화가 수반되며 특히 사용 수명 말기에 많이 나타난다. 크립 균열은 전형적으로 입계성(Intergranular) 이며 자주 표면에 나타난다.

【 제5절 연습문제 】

1. 결함의 종류를 크게 3 그룹으로 분류하면 어떻게 나눌 수 있나 ?

2. 단조와 관련된 대표적 3가지 종류의 결함은 ?

3. 주조 과정에서 생길 수 있는 결함을 7개 이상 예를 들고, 각 결함에 대해서 그 특성을 설명하시오.

4. 고유 결함에는 어떤 것이 있는지 예를 들고 이들 결함의 특성에 대해서 설명하시오.

5. 다음 중에서 고유 결함이 아닌 것은 ?
   A. 개재물   B. 기공
   C. 피로 균열   D. 파이프

6. 다음 중에서 영구 주형 주조는 어느 것인가 ?
   A. 모래 주조   B. 인베스트먼트 주조
   C. 다이 주조   D. 쉘 주형 주조

7. 치수의 최대 및 최소 허용 오차를 무엇이라고 하나 ?
   A. 오차   B. 공차
   C. 최소, 최대치   D. 맞춤

8. 'Defect' 와 'Discontinuity'를 구별하여 설명하시오.

9. 튜브의 과열 (Overheating) 에 의해 발생될 수 있는 대표적 결함을 2가지만 쓰시오.

10. 국부 부식에는 어떤 것이 있나 ?

11. 열 피로가 일어나는 발전설비의 대표적인 부품에는 무엇이 있나 ? 3가지만 예를 드시오.

12. 취화(Embrittlement)는 재료(제품)가 사용 중에 재료의 어떤 성질이 감소되는 것을 말하는가?

    A. 피로 강도   B. 인장 강도

    C. 항복 강도   D. 연성

13. 피로 현상에 영향을 미치는 인자는 ?

    A. 온도   B. 재료의 강도

    C. 사용 환경   D. 변동 하중

    E. 위의 전부

14. 응력부식 균열은 모든 부식 환경에서 일어난다. (O, X)

15. 과열로 발생되는 손상은 육안검사로 쉽게 발견이 가능하다. (O, X)

16. 사용 중 발생 결함 중에서 5가지 결함을 들고 설명하시오.

17. 핫티어 결함 (Hot tear) 의 발생 원인에 대해서 기술하시오.

18. 코울드 셭(Cold Shut) 결함의 발생 원인에 대해서 기술하시오.

19. 강괴(Ingot)에 존재했던 결함(고유 결함)이 압연과정을 거칠 경우, 어떤 결함으로 변형되는 지에 대해서 아는 바를 기술하시오.

20. 사용 중 발생 결함으로써 가장 중요한 것은 균열이다. 사용 중 발생 균열의 종류에 대해서 설명하시오.

21. 크립 (Creep)이란 무엇인지 설명하시오.

22. 피로 (Fatigue)가 무엇인지 설명하고 피로한도 (또는 내구한도)의 정의를 말하시오.

23. 용접부 크라운(Crown)이 지나치게 클 경우 용접부를 강화시키기 보다는 오히려 약화시킨다. 그 이유는 무엇인지 설명하시오.

24. 응력 부식 균열은 특정 금속이 특정 환경에서 응력을 받을 경우 일어난다. 동 합금의 경우 어떤 부식 환경에서 잘 발생되는지 설명하시오.

25. 균열이외의 사용 중 발생 결함에는 어떤 것이 있는지 3가지만 예를 드시오.

26. 다음 중에서 주조 결함이 아닌 것은 ?
    A. 핫티어 (Hot tear)   B. 비용융 칠
    C. 비용융칠 차플릿   D. 터짐

27. 열피로 균열은 무엇 때문에 발생하는가 ?
    A. 과열   B. 변동 하중
    C. 변동 온도   D. 과하중 (Overload)

28. 압연에 의해 비금속 개재물은 어떤 결함으로 변하게 되나 ?
    A. 스트링거   B. 찢어짐
    C. 터짐   D. 겹침

29. 라미네이션(판상 결함)은 압연 시 강괴(Ingot)에 있던 어떤 고유 결함이 발전되어 생기게 되는가 ?
    A. 파이프 및 개재물   B. 심 (Seam)
    C. 핫티어   D. 균열

30. 제 1차 제작/가공 결함과 관련된 제작/가공 과정은 ?
    A. 기계 가공   B. 열처리
    C. 압출   D. 용접

31. 조그만 별모양 형태의 균열이 용접부에서 발견되었다. 다음 중 어느 것으로 예상되는가 ?
    A. 크레이터 균열   B. 언더 컷
    C. 슬래그   D. 기공

32. 다음 중에서 아주 중요한 사용 중 발생 결함은 ?
    A. 언더 컷   B. 피로 균열
    C. 용입 불량   D. 단조 터짐

33. 병목 현상 (Necking down) 은 언제 일어나는가 ?
    A. 과하중 (Overload)   B. 금속의 겹침
    C. 압 축   D. 연성의 부족

제 6 장 육안검사 기술

제 1 절 결함 검출 능력

1. 결함의 크기

모든 검사는 허용결함에 관한 기준이 규격으로 정해져 있다. 예를 들면, 규정된 한계를 초과하는 크기의 결함은 허용할 수 없는 결함으로 분류된다. 허용할 수 있는(Acceptable) 결함과 허용할 수 없는(Rejectable)결함에 대한 분류는 다음에 근거한다. ① 설계개념에 근거한 파괴역학, ② 사용된 검사시스템의 성능, ③ 검사비용 그리고 ④ 요소의 중요성(Criticality) 등이 있다. 검출한계를 낮게 설정하면 검출해야할 결함의 수가 많아진다. 결함을 더 많이 검출하는 것이 파손방지에 필수적일지 모른다. 작은 결함을 검출하는 것은 큰 결함을 검출하는 것보다 훨씬 어렵다. 판별레벨을 위해 선택된 결함의 크기 역시 결함 유형에 의존한다. 재료 내에서 크랙의 방향성은 잘 알려져 있지 않아 크랙검출의 신뢰성은 예측이 어렵고, 판별레벨은 파괴를 유발할 수 있는 결함의 크기 보다 더 낮게 설정한다.

일단 판별레벨이 설정되면 이상적인 검사기법은 모든 결함을 허용할 수 있는 것과 허용할 수 없는 것으로 분류된다. 실제의 검사기법에서 이러한 분류가 얼마나 성공적이냐의 정도는 판별레벨에 가까운 결함검출에 대한 정밀도에 달려 있다. 실제적으로는 어떠한 기법도 실험적 오차를 포함한다. 이것은 어떤 결함의 경우에 실제 결함크기 보다 과대평가 또는 과소평가 하게 되기 때문이다. 만약 결함크기가 판별레벨에 가까우면 허용 가능한 레벨(실제 결함) 바로 위의 결함들은 검사과정 중에 놓칠 수 있는 반면, 허용 가능한 레벨 바로 아래의 결함은 거짓신호나 허용할 수 없는 것으로 분류될 가능성이 있다.

2. 결함의 모양, 방향 및 위치

결함의 모양이 결함검출의 능력에 영향을 준다. 육안검사의 경우 광학장비를 사용하든 않든 눈에 보일 수(Visibility) 있어야 검출이 될 것이다.

3. 표면상태의 영향

검사 표면의 상태는 모든 비파괴검사에서 결함의 검출 능력에 매우 중요한 영향을 미친다. 즉 표면에 있는 검사에 방해가 되는 이물질은 표면상태의 정확한 관찰을 방해하고, 거짓지

시나 유사지시를 만들어 낼 수 있다. 따라서 표면의 청결상태는 검사의 성패를 좌우한다.

4. 장비의 한계

육안검사의 경우 광학장비나 각종 측정 장비는 꼭 필요한 장비이다. 또한 이들 육안검사 장비는 장비의 정밀도가 검사의 정확성에 영향을 미치고, 접근이 불가능한 부위를 검사할 경우, 내시경을 사용하여야 하나 이 또한 분해능이 문제가 될 뿐 아니라 결함의 위치, 크기, 특성을 파악하는 데 지대한 영향을 미친다. 따라서 이들 장비는 사전 검증이 이루어져야 한다.

5. 조명의 영향

표면 조도 또는 조명도는 현장 상황에서 항상 그 적절성을 확인하여야 하고, 그 측정 장비 또한 검교정 되어야 한다. 일반적으로 규격에서는 6개월에서 1년 주기로 검교정을 요구하고 있으며, 적절한 조명도는 보통 검사의 경우 500 lx 이고 정밀 검사의 경우 1000 lx 정도가 요구된다.

6. 게이징

표면 조도 또는 조명도는 현장 상황에서 항상 그 적절성을 확인하여야 하고, 그 측정 장비 또한 검교정 되어야 한다.

7. 비교측정기

블록게이지 등의 표준게이지와 측정되는 물건을 비교해서 그 치수차를 정밀하게 측정하는 기계. 미소 길이까지 정확도(accuracy)를 높이 알기 위해서는 충분한 확대율을 지녀야 하며 확대에는 기계식, 공기식, 광학식, 전기식 등의 기구가 있다. 종류에는 미터, 오르토테스트, 옵티미터, 전기마이크로미터, 공기마이크로미터 등이 있다.

8. 측정

육안검사 시 흔히 사용하게 되는 측정 장비는 여러 가지가 있다. 이들에는 자, 마이크로미터, 버니어 캘리퍼에서 부터 여러 형태의 용접 게이지에 이르기까지 아주 다양하다. 사양서, 도면에는 각종 수치 및 허용 공차가 표시되며, 이들을 실제 확인해야 할 경우가 많다.

제 2 절 육안검사의 성능 및 한계

육안검사의 성능 및 한계는 최신 광학장비의 개발과 더불어 많은 변화를 가져 왔다. 육안검사의 장점은 아래에도 적시하였지만, 간편하게 검사가 가능하지만 단지 눈의 접근이나 광학장비를 이용한 접근이 가능한 부위만 검사가 가능한 것이 가장 큰 단점이고 한계이다. 또한 검사체 내부를 볼 수 없다는 것도 그 중 하나이다. 그리고 눈의 분해능이 한계가 있다는 점도 단점이다.

1. 적용 범위

표면결함 즉, 균열, 부식, 슬래그, 변형 검출 제작/가공 제품의 사양, 설계, 사용용도에 맞게 제작/가공되었는지의 검사

2. 장 점

· 비용이 저렴하다.
· 검사 속도가 빠르다.
· 검사가 간단하다.
· 사용 중에도 검사가 가능하다.
· 적은 훈련으로 검사가 가능하다.
· 장비를 비교적 적게 사용한다.
· 첨단장비 사용의 경우 영구기록 보존이 가능하다.

3. 단 점

· 표면검사만 가능하다. (표면 결함)
· 분해능이 약하고 가변적이다
· 눈이 쉽게 피로하다.
· 산만하기 쉽다.
· 일정 이상 밝아야 한다.
· 때로는 고가의 장비가 필요하다.

4. 참고 사항

항상 맨 먼저 육안검사법이 적용되어야 한다.

제 3 절 표면조도(표면 거칠기) 및 파상도

표면 거칠기는 표면조도라고도 하며 단위는 마이크로미터(μm, 0.001mm)를 사용한다. 우리 눈에 보이는 물체의 윤곽은 하나의 직선 또는 곡선으로 보이지만 크게 확대해 보면 매우 작고 불규칙한 요철이 모여서 이룬 선이라는 것을 알 수 있다. 그림 6-1은 수백 배 확대된 금속 표면의 3차원 영상이다. ( )안의 숫자는 금속 표면의 실제 크기를 나타낸 것이다.

1. 단면곡선과 거칠기 곡선

단면곡선(Unfiltered profile, Primary profile)은 표면 거칠기 측정 대상물의 단면에 나타나는 오목 볼록한 윤곽(Profile)을 말하며, 요철이 가장 크게 나타나는 방향으로 측정하는 것을 원칙으로 한다. 단면곡선에서 긴 파장(Wave length)을 가진 완만한 곡선을 고역필터(High-pass filter)로 걸러내는 것을 컷오프(Cut-off)라 한다.

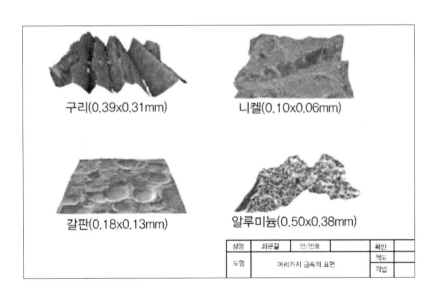

구리(0.39x0.31mm)   니켈(0.10x0.06mm)

갈판(0.18x0.13mm)   알루미늄(0.50x0.38mm)

성경	최문길	반/번호		확인	
도형		여러가지 금속의 표면		척도	
				각법	

〔그림 6-1〕 표면의 3차원 영상

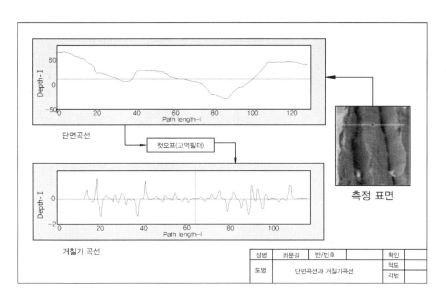

〔그림 6-2〕 단면곡선 또는 거칠기 곡선

거칠기 곡선(roughness profile)은 단면곡선을 컷오프해서 얻은 곡선이다. 단면곡선을 컷오프 할 때 고역필터를 통과하느냐 못하느냐의 기준이 되는 파장을 컷오프 값이라 하는데, KS에서는 "감쇠율이 -12dB/oct인 고역필터를 사용하였을 때 그 이득이 75%가 되는 주파수의 파장"으로 규정하고 있다. 컷오프 값은 λc로 표시하며 원칙적으로 0.08, 0.25, 0.8, 2.5, 8, 25mm 중 하나를 사용하도록 되어 있다. 단위는 mm이다. 그림 6-2는 구리(copper)의 표면으로부터 측정된 단면곡선과 컷오프된 거칠기 곡선을 보여준다.

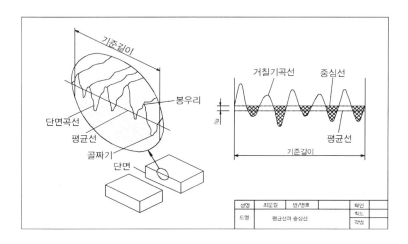

〔그림 6-3〕 거칠기 곡선의 중심선 및 면적

가. 평균선과 중심선

그림 6-3에 나타낸 것처럼 단면곡선 또는 거칠기 곡선에서 물체의 윤곽에 해당되는 기하학적 형태의 선을 평균선(mean line)이라 한다. 중심선(arithmetical mean line)은 거칠기 곡선에서 모든 봉우리의 면적의 합과 모든 골짜기의 면적의 합이 같도록 설정한 이론적인 선이다. 그림 6-3의 거칠기 곡선에서 중심선 위쪽 도형 부분과 중심선 아래쪽 도형 부분의 면적은 같다. 평균선과 중심선은 서로 평행하다.

나. 중심선 평균 거칠기 (R_a)

중심선 평균 거칠기(arithmetical average roughness)는 거칠기 곡선에서 기준길이 전체에 걸쳐 평균선으로부터 벗어나는 모든 봉우리와 골짜기의 편차 평균값을 표면 거칠기로 사용한다. 그림 6-3의 거칠기 곡선에서 중심선이 평균선으로부터 떨어진 거리(R_a)가 중심선 평균 거칠기에 해당된다. 중심선 평균 거칠기는 가장 많이 사용되는 표면 거칠기 표시 방법(parameter)이다. 도면에서 표면 거칠기를 지정할 때에는 표 6-1에 나타낸 표준 값을 사용하여 지정한다.

표 6-1 표준 값

표준 값(μm)	0.013, 0.025, 0.05, 0.1, 0.2, 0.4, 0.8, 1.6, 3.2, 6.3, 12.5	25, 50, 100
컷오프값(mm)	0.8	2.5

다. 최대높이(R_{max})

최대 높이(maximum height roughness)는 단면곡선의 가장 높은 봉우리에서 가장 깊은 골짜기까지의 수직 거리를 표면 거칠기로 사용한다.

라. 10점 평균거칠기(R_z)

10점 평균 거칠기(ten point median height)는 단면곡선에서 가장 높은 봉우리 5개의 평균 높이와 가장 깊은 골짜기 5개의 평균 깊이의 차를 표면 거칠기로 사용한다.

마. 면의 지시 기호와 표면 거칠기 값

면의 지시 기호는 표면 거칠기를 지시할 때 그 대상이 되는 면을 지정하는 기호로서 그림 6-4 (가)와 같이 표시한다. (나)는 지정된 면을 제거 가공하지 말라는 의미이다. 그림 6-4

(다)는 표면 거칠기를 중심선 평균 거칠기로 지시할 때의 표시 방법이다. 그림 6-4 (라)는 허용할 수 있는 표면 거칠기 값의 최댓값이며 $0\mu\mathrm{m}\,R_a \sim 6.3\mu\mathrm{m}\,R_a$ 범위에서 가공하라는 의미이다. 최대높이와 10점 평균 거칠기로 지시할 때에는 각각 그림 6-4 (라), (마)와 같이 표시한다. 표면 거칠기는 일반적으로 중심선 평균 거칠기를 사용하므로 이후로는 중심선 평균 거칠기에 관한 것만 논의하기로 한다.

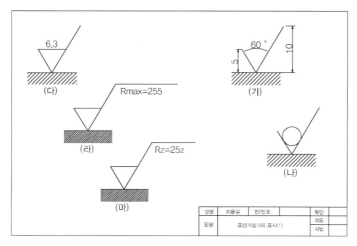

〔그림 6-4〕 표면 거칠기의 표시

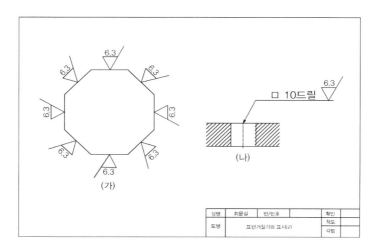

〔그림 6-5〕 면의 지시 기호와 표면 거칠기 값

그림 6-5 (가)는 대상 면의 기울기에 따라 면의 지시 기호와 표면 거칠기 값을 어떻게 표시해야 하는지 보여주고 있다. 구멍의 지름 치수를 지시선을 사용해서 기입할 때에는 (나)

와 같이 지름 치수나 가공 방법 다음에 면의 지시 기호와 표면 거칠기 값을 표시한다.

바. 표면 거칠기에 대한 요약

- 표면 거칠기의 단위는 마이크로미터(μm)를 사용한다.
- 단면곡선은 표면 거칠기 측정 대상물의 단면에 나타나는 오목 볼록한 윤곽 곡선을 말한다.
- 단면곡선에서 지정된 파장보다 더 긴 파장을 고역필터로 걸러내는 것을 컷오프라 한다.
- 거칠기 곡선은 단면곡선을 컷오프해서 얻은 곡선이다.
- KS에서 규정하고 있는 표면 거칠기 표시 방법은 중심선 평균 거칠기(R_a), 최대높이 (R_{max}), 10점 평균 거칠기(R_z) 등이다.
- 중심선 평균 거칠기는 거칠기 곡선에서 기준길이 전체에 걸쳐 평균선으로부터 벗어나는 모든 봉우리와 골짜기의 편차 평균값을 표면 거칠기로 사용한다.
- 최대 높이는 단면곡선의 가장 높은 봉우리에서 가장 깊은 골짜기까지의 수직 거리를 표면 거칠기로 사용한다.
- 10점 평균 거칠기는 단면곡선에서 가장 높은 봉우리 5개의 평균 높이와 가장 깊은 골짜기 5개의 평균 깊이의 차를 표면 거칠기로 사용한다.
- 도면에서 표면 거칠기를 지정할 때에는 KS에서 정한 표준 값을 사용하여 지정한다.
- 표면 거칠기는 면의 지시 기호와 표면 거칠기 값을 조합하여 도시한다.
- 실제의 도면에서는 표면 거칠기 값을 알파벳 소문자로 표시하는 경우가 많다.

2. 검사표면 점검

육안검사뿐만 아니라 비파괴검사 전반에 있어서 검사표면에 대한 점검은 필수적이다. 왜냐하면, 검사표면의 상태가 검사결과에 지대한 영향을 미치기 때문이다. 검사 시작 전에 검사표면의 상태가 검사결과에 어떤 영향을 미칠 수 있을 지를 미리 점검하는 것이 매우 중요하다. 특히 이 부분은 육안검사로 행해진다고 봐도 과언이 아니다. 주요한 변수들을 살펴보면 다음과 같다.

- 표면의 청결도
- 표면의 거칠기
- 검사에 방해가 되거나 검사결과에 나쁜 영향을 미치는 이물질의 존재 여부
- 기타 사항

제 4 절 기타 검사법

1. 열화상(적외선 열화상)

가. 적외선의 기초

적외선은 그 파장이 가시광선의 장파장대역(파장이 0.76~0.80μm)에서 전파영역의 단파장 대역(1mm정도)까지의 영역에 있는 전자파로, 공기는 물론 안개나 구름 속도 무난히 통과 하는 성질이 있으며 에너지적으로는 대략 1~0.01eV의 사이에 있다. 이 영역의 에너지에 대응하는 광양자는 표면근방 분자의 회전·진동 또는 고체격자의 원자진동의 변화로 인해 발생한다. 즉, 적외선 방사는 고체의 격자진동이나 분자운동이 활발한 고온에서 얻어지고, 그것의 강도는 어떤 파장범위에 분포한다.

투사한 열방사선을 모두 흡수하는 이상적인 고체는 흑체라고 하고, 이 물질에서의 열방사 를 흑체방사라고 한다. 흑체방사에 있어 단위표면적·단위시간당 방사되는 파장 λ로부터 $\lambda + d\lambda$까지의 영역에서 방사선 에너지밀도 E는 다음 Planck의 분포 식으로 주어진다.

$$dE = \frac{8\pi hc}{\lambda^5} \cdot \frac{d\lambda}{C^{ch/\lambda kT} - 1} \quad \cdots\cdots\cdots\cdots\cdots\cdots\cdots\cdots\cdots\cdots\cdots\cdots(\text{수식 } 4\text{-}1)$$

여기서, c는 광속, h는 Planck 상수, k는 Boltzmann 상수이다. 흑체 온도 T(K)가 높아지 면 방사파의 피크파장 λ_m이 단파장 쪽으로 옮겨가는 것으로 이해된다. 이것을 Wien의 변위 법칙이라고 하고, $\lambda_m T =$ 상수의 관계가 있다. 흑체의 단위면적에서 단위시간당 방 사되는 전 에너지 Et는 전 파장 영역에 걸쳐 $\lambda = 0$ 에서 $\lambda = \infty$ 까지 적분하면 $E_t = \sigma T^4$가 얻어진다. 이것을 Stefan-Boltzmann법칙이라고 한다. 여기서 σ는 Stefan-Boltzmann상수로 $\sigma = 5.67 \times 10^{-8}$ W/(m²K4)이다. 위 식은 흑체방사라는 이상상태에 서 성립되는 것으로 실제 물체에서는 그렇지 않다. 실제물체의 방사에너지는 위 식에 방 사율 ε을 곱해서 보정해야 한다. 방사율은 물체의 표면 상태나 온도뿐만 아니라 적외선 파장에 의해서도 달라진다. 즉, 실제의 물체의 방사에너지 E_q는 $E_q = \varepsilon \sigma T^4$와 같다. 실제 적외선에너지를 어떤 센서로 계측하는 경우에는 $\nu = 0 \sim \infty$까지의 전 파장을 검지하는 것은 불가능하다. 일반적으로 특정 파장범위를 검출하게 된다. 따라서 실제의 적외선 검 출기에서 받은 에너지 E_p는 방사율이 파장에 의존하지 않는다는 가정 하에 $E_p = A\varepsilon \sigma T^n$이 된다. 단, A는 비례상수, n은 파장특성과 측정온도로 결정되는 상수이다. 물체표면에서 방사되는 적외선의 에너지의 강도를 적외선센서를 이용하여 계측하면 물체의 표면온도를 추정할 수 있다. 이렇게 적외선 방사에너지의 계측 값을 프로세서에 의해 물체표면온도의 2차원분포로 계산·영상화하는 기술을 "적외선 서모그래피(Infrared Thermography)"라고 한다.

나. 적외선 센서와 열화상 계측장치

열방사에너지를 감지하여 전기신호로 변환하는 적외선 검출소자는 크게 양자형과 열형의 2종류로 나눌 수 있다. 양자형 센서는 주로 반도체소자가 이용되는데, 열형에 비해 감도가 좋고 응답속도가 빠르기 때문에 적외선 열화상 카메라에는 대부분 양자형이 사용되고 있다.

양자형 센서에는 다시 광 전동형과 광 기전력형이 있는데, 일반적으로 광기전력형 소자에는 InSb나 HdCdTe 등의 반도체 화합물이 이용되고 있다. 이 같은 반도체소자의 계측파장 영역은 3~5㎛와 8~13㎛ 등으로 나누어지며, 사용파장 의존성이 있는 냉각을 필요로 한다. 열화상 계측방식에는 단일 센서를 이용하는 주사형과 2차원적인 병렬센서로 Focal Plane Array(FPA)센서를 탑재한 방식이 있으며, 최근 후자의 방식이 주로 이용되고 있다. 열화상 계측센서는 기본적으로는 렌즈, 적외선 검출소자, 그 냉각 기구를 조합한 적외선카메라(IR camera), 이미지 프로세서, 컴퓨터 등으로 구성된다.

다. 적외선 서머그래픽 시험법의 원리

적외선 서머그래픽 시험법은 결함을 가진 시험체에 어떤 방법으로 열에너지를 가하면, 결함으로 인해 흐트러진 온도장을 적외선 서모그래피 기술을 통해 화상으로 표시하여 결함을 검출하는 것이다. 그러므로 온도장을 만들어주는 방법에 의해 크게 2종류로 나눌 수 있다. 하나는 결함이 발열 또는 흡열하는 방법에 의한 온도장(자기발열·흡열온도장)의 변화를 구하는 것이고, 다른 하나는 외부에서 열에너지를 가할 때 결함부위의 단열 온도장을 계측하는 것이다.

(1) 자기발열·흡열온도장의 계측에 기초를 둔 방법

도체에 직류전류를 흐르게 하면 주울(Joule)열에 의해서 도체는 발열한다. 이러한 도체에 균열상의 결함이 존재하고, 주울열 발열온도 분포는 결함에 의해 변화한다. 그러한 특이 전류장은 발열집중부가 되기 때문에 이것을 계측함으로써 균열의 검출이 가능하다. 균열이 표면으로 열려 있지 않은 경우라도 균열이 표층부 근방에 있으면 이 방법의 적용이 가능하다. 시험체에 어떠한 작용을 가하더라도 결함이 발열이나 흡열원인 경우, 예를 들어서 결함부에 물이나 얼음이 내재함으로써 온도분포가 생길 경우 등이 이러한 방법 분류에 들어간다.

(2) 단열 온도장 계측에 의한 방법

시험체의 외부에서 어떤 열에너지를 가하거나(가열), 열을 흡수하는(냉각)등의 조작을 하면, 내부결함의 존재로 인해 시험체 내에서 열확산이 방해를 받게 되고, 결함의 단열 효과로 시험체 표면에 국소적인 온도차가 생긴다. 이 국소적 온도변화영역의 온도분포나 형상·위치는 내부에 존재하는 결함의 형상·크기를 반영한 것이므로 이것을 적외선 서모그래피로 정량적으로 계측하면 결함의 위치나 형상을 알아낼 수 있다.

제 5 절 표면복제 기법(Replication Method)

1. 표면복제법의 필요성

발전설비 및 석유화학 설비에 사용되는 재질은 용접성을 높이기 위해 저탄소 내열강을 주로 사용하는데, 이러한 재질은 물성치의 변화가 적기 때문에 많은 경우 금속조직의 변화를 관찰하여 손상의 정도를 평가한다. 그러나 이러한 고온, 압을 받는 발전, 유화학 설비에서 직접 시료를 채취한다는 것은 매우 어려운 일이며, 이동식 연마기와 현미경을 이용한다 해도 설비구조의 복잡성 및 여건이 여의치 않아 해상능력이 떨어지는 경우가 많다. 이러한 이유 때문에 금속조직을 다른 물질에 복제 시켜 그 물질을 실험실에서 간접적으로 관찰 분석할 수 있는 표면복제법을 많이 사용하고 있다. 실제적으로 레플리카는 광학현미경으로 X50~X500, 주사현미경(SEM)으로 X100~X10,000 이상까지 관찰이 가능하다.

가. 표면복제 및 관찰법의 규격화

레플리카(replica)의 채취 및 관찰요령에 대해서는 1974년에 제정된 국제규격 ISO 3057 (Non-Destructive Testing-Metallographic Replica Techniques of Surface Examination)이 있으며, 미국의 경우에는 1987년에 ASTM ES 12의 긴급 규격이 제정되어 1990년에 ASTM E 1351(Standard Practice for Production and Evaluation of Field Metallographic Replicas)로 정식 규격화되어 있다.

나. 표면복제법의 기본원리

어떤 관찰대상이 되는 표면에 피복 시킨 후 그 막을 떼어내어 광학 현미경이나, 주사현미경(SEM) 으로 관찰하는 것으로, 1단계 레플리카법, 2단계 레플리카법, 추출 레플리카법 등으로 구별된다.

· 1단계 레플리카법 : 떼어낸 막 즉, 레플리카의 요철이 대상표면의 요철과 반대가 되어 나타나는 것이다
· 2단계 레플리카법 : 시험편의 요철이 심한 경우나 막을 손상 없이 떼어내기 힘든 경우에 플라스틱으로 두꺼운 레플리카를 만든 후 이로부터 1단계의 레플리카법과 같은 얇은 레플리카를 만든다. 이때의 레플리카의 요철은 시험편 표면과 일치한다.
· 추출 레플리카법 : 적당한 부식액으로 기지(matrix)를 먼저 녹여내어 석출물이나 개재물을 약간 돌출하게 하여 레플리카를 만들고 떼어내기 전에 다시 기지만을 더 부식시켜 석출물이나 게재물이 레플리카에 붙여서 떨어지도록 하여 이를 분석하는 방법이다.

다. 레플리카 채취법

레플리카 필름

금속조직 검사용으로 사용되는 레플리카 막은 아세틸 셀룰로즈 필름(acetylcellulose film)과 파라핀을 조합한 것으로 0.035mm, 0.08mm 두께의 두 종류가 있다. 보통의 경우 0.035mm를 사용하며, 요철이 심하고 온도가 높아 래플리카 막이 연화하기 쉬운 경우에는 0.08mm를 사용한다. 참고적으로 아세틸 셀룰로즈 필름의 비중은 1.3, 흡수율은 24시간, 침적 시 5%, 최고 사용온도 100℃, 연소성은 완연성이며, 용재로는 시약 1급 규격이상의 메틸 아세테이트(methyl acetate)를 사용한다.

(1) 레플리카 채취요령

현장에서의 레플리카 채취는 작업장소의 협소, 안전성, 석탄 및 단열재의 분진, 다른 작업자들의 왕래 등 많은 요소에서 제약을 받는다. 그러나 정밀한 분석을 위해서는 실험실에서 채취한 것과 같은 수준의 양질의 레플리카가 요구되므로 상호간의 유기적인 작업협조, 상당한 숙련과 경험이 요구된다. 또한 설비 특성상 주 검사부위가 용접부이므로 연마 면적이 증가하므로 많은 시간이 소요되며 필름을 붙이거나, 제거 시에도 어려움이 따른다.

레플리카 채취순서

1) 거친 연삭 :

연삭기(Grinder)로 약 15~20mm의 범위를 0.3~2.0mm 깊이로 연마하여 탈탄층, 가동층 등의 변질 층을 완전히 제거한다. 이 경우 기름 등에 의한 오염층도 충분히 제거하여야 한다.

2) 미세 연삭 :

#100, #220, #400, #600, #800, #1200 등 연마지를 이용하여 연마한다. 각 메시(#)마다 전 단계 연마 자국이 없어질 때까지 직각 방향으로 연마하며, 한 공정이 끝날 때마다 에칭(heavy etching)을 한 후 알코올로 세척한 후 다음 공정을 실시한다.

3) 폴리싱 :

6μ, 1μ 까지 알루미나 입자나 다이아몬드 입자를 사용하여 폴리싱하며, 폴리싱 후 연마 분을 충분히 제거한다. 또한, 폴리싱 속도가 너무 빠르면 파임을 유발시킬 수 있으므로 주의해야 한다. 이때, 최후의 폴리싱 방향은 배관의 경우는 길이 방향의 직각이 되도록 한다.

4) 에칭 :

에칭(Etching)은 레플리카 채취 시 가장 중요한 작업 중의 하나이다. 에칭 정도에 따라 캐비티 관찰여부가 결정되므로 주의를 해야 한다. 에칭은 재질의 열화도, 진단부위, 온도 등에 매우 민감하므로 일정한 시간으로 규정되어 있는 것이 아니고, 오로지 육안으로 판별을 해야 하기 때문에 많은 경험이 필요로 한다. 만약 레플리카를 채취하여 이동식 현미경 관찰 결과 과도하게 에칭된 경우 다시 폴리싱해야 하는 번거로움이 있으므로 작업의 능률이 매우 저하된다. 참고로 캐비티를 관찰하기 위해서는 가벼운 에칭을 하는 것이 좋다. 주사현미경(SEM)으로 관찰하기 위해 금 코팅을 한 후에 보면, 캐비티는 가운데 부분이 튀어나와 전자를 많이 반사하므로 중앙부분이 하얗게 나타나며, 탄화물(carbide)의 경우는 가장자리가 하얗게 나타나므로 쉽게 구별된다. 그러나 과도한 에칭이 되면 탄화물이 떨어져나가 캐비티와 구별이 어려워진다. 또한 캐비티 자체에서 탄화물이 석출되는 경우도 구분이 어려워진다.

5) 레플리카 채취단계

- 용제가 적을 시 피검사 면과 밀착성이 나빠져 정확한 금속조직을 복제할 수 없다.
- 용제가 많을 시 레플리카 필름이 녹아 기포가 발생하는 경우가 있다.
- 특히 굴곡이 심한 열영향부(HAZ)는 세심한 주의가 요구된다.
- 레플리카를 떼어낼 때 완전히 마르지 않으면 오그라들거나 쭈글거림이 생긴다.
- 레플리카를 떼어낼 때 속도가 너무 빠르면 줄무늬(Striation)가 발생하므로 가능한 한 동일속도로 천천히 떼어낸다.

6) 마킹(marking)

- 필름을 붙인 후 마르는 시간동안 레플리카 가장자리에 견출지를 이용하여 위치, 번호, 부식상태, 모재부와 용접부 경계, 붙이는 방향 등을 표시하여준다.
- 레플리카 필름에도 모재, 열영향부, 용접부 경계를 마킹해 두는 것이 현미경 관찰할 때 유리하다.

7) 슬라이드 유리(Slide Glass)에 부착

슬라이드 유리에 레플리카 조직의 이면을 양면테이프를 이용하여 붙인다. 이때 레플리카가 고른 면이 접착되도록 한다. 고르지 못한 경우 밑면이 떠서 해상도가 떨어진다.

8) 현장 레플리카 채취 시 필요장비 및 소모품 목록

- 연삭기(Angle Grinder)
- 플래퍼 연삭기(Flapper Grinder)
- 초음파경도기
- 연마기
- 현미경
- 경도기
- 작업등
- 전원 연결 코드
- 변압기
- 소모품

1 그라인더 연마석
2 플패퍼 연마석 (#80, #180)
3 안전모
4 마스크
5 솜
6 아세톤
7 알코올
8 나이탈(Nital)
9 절삭유
10 G.E.M용 부식액
11 사포#50
12 사포#120
13 사포#220
14 사포#400
15 폴리싱 파우더 6μ
16 폴리싱 파우더 1μ
17 레플리카 필름
18 핀셋
19 면봉
20 가위
21 칼
22 집게
23 하드카바 북
24 네임 펜
25 견출지
26 1회용 작업복
27 콘센트
28 플러그
29 청테이프
30 후레쉬
31 화장지
32 면장

【 제6절 연습문제 】

1. 표면 거칠기는 보통 어떤 단위로 표시하는 가 ?

    A. μ B. mm

    C. Cm   D. A 또는 B

2. 표면복제법의 목적, 방법, 절차에 대해 설명하시오.

3. 육안검사의 장점들과 그 한계점들에 대해서 기술하시오.

4. 열화상검사법의 기본 원리에 대해서 설명하시오.

5. 표면 거칠기를 나타내는 방법에는 어떤 것들이 있나?

제 7 장 육안검사 장비 개발

육안검사를 위해서는 해당 규격, 표준 및 사양서에 따른 절차서 개발과 사람의 접근이 어려운 원격 육안검사를 위한 장비개발 등이 필요하다. 검사 전에 절차서의 목적, 실제 적용범위, 책임사항, 절차서가 근간하고 있는 규격, 사양서, 표준 등을 적절하게 포함하여야 하고, 실제 적용범위에서는 검사 대상항목을 구체적으로 명시하여야 한다. 카메라, 비디오, 원격제어시스템 등 검사에 위한 보조 장비들은 다른 여러 산업분야에서 뛰어난 기술을 가지고 있다. 이러한 장비들을 어떻게 쓸 것인가는 검사자가 검사체를 얼마나 많이 알고 접근하는 것이 매우 중요한 일이라 하겠다. 육안검사와는 직접적인 관련이 없을 수는 있으나 우주에 원격체를 투입하여 그 정보를 가져오는 것은 비슷한 맥락이라 할 수 있겠다. 끝으로 우리가 살고 있는 현재의 과학기술은 그림 5.1에서와 같이 우리가 직접 볼 수 없는 곳까지도 접근하여 정보를 볼 수 있는데 까지 와있다고 하겠다. 그림 7-1은 보이저가 직접 찍은 목성과 토성사진들이다. 그림 7-2는 위성에서 바라본 비파괴검사학회 사무실 사진이다.

〔그림 7-1〕 보이저 1, 2호기가 찍은 목성과 토성

〔그림 7-2〕 위성이 찍은 비파괴검사학회 사무실

제 8 장 안전

제 1 절 안전의 필요성

육안 및 광학검사를 할 때 눈의 기능은 부적절한 어떤 광원으로 인하여 방해 받거나 손상될 수도 있다. 조명은 육안검사에 아주 큰 영향을 미칠 가능성을 가지는 아주 중요한 환경적인 요소이다. 부적절한 조도와 같은 환경요소들과 함께 잘못 굴절되는 렌즈 또는 근육의 불균형과 같이 눈의 시각적 장애는 '눈의 피로'와 같은 시각의 불쾌감을 흔히 초래한다고 알려져 있다. 시각의 불쾌감 결과에는 두통, 편두통, 안구 건조, 눈물, 목 통증, 그리고 일반적 불편감이 포함된다. 더욱 심각한 장애 및 질병은 위의 증상으로부터 출발하는 것으로 알려져 있다.

광학검사 기술의 발전을 통해 고강도의 광원 및 인공광원의 출현은 이들을 사용함에 있어서 있을 수 있는 건강 위해 가능성을 이해할 필요성이 증대되었다. 태양빛을 직접 또는 간접적으로 비추는 작업환경은 대부분의 인공광원과는 다른 광범위한 특성 강도를 제공하기 때문에 보다 적절하다고 일반적으로 받아들여진다. 사람의 눈에 흡수되는 빛의 양은 형상에 의해 제한되며 결과적으로 눈은 야간의 경우 단지 제한된 범위의 작업을 할 수 밖에 없다. 육안 검사자는 때로는 과도하게 빛, 복사, 또는 불충분한 조명 상태에 과도하게 노출되는 경우에 직면 한다. 위에 언급한 상황 아래에서 검사를 수행할 수 없으면 정확한 원인을 파악하고 해결책을 찾아야 한다. 색맹이 없는 상태에서 망막의 중심 시력 20/20은 필요로 하는 적정 시력이라고 믿는다. 사실, 이는 그렇지는 않고 검사자는 나쁜 입체 시력을 가질지도 모르며, 시력은 눈부심 또는 반사로 인해 방해받을 수도 있다. 혹은 실제 시력은 의학적, 심리적은 상태에 영향을 받을 수도 있다.

제 2 절 각종 위험

1. 레이저 위험

일반적으로 레이저는 눈 보호 장비나 옷을 이용하여 노출을 피하도록 훈련되고 위험을 잘 아는 기술자에 의해 특별한 환경에서 이용된다. 레이저 위험 관리는 사람들이 빔이 지나가는 곳에 들어가지 않도록 제한하거나 사람이 있는 장소에서 빔을 쏘지 않도록 하는 일반 상식선의 절차에 따라 이루어져야 한다. 사고로 레이저 빛에 노출된 경우, 망막의 확률적 손상은 레이저의 고 에너지 펄스의 능력 때문에 높다. 그러나 시력 손상 확률은 망막 상에 손상영역이 적기 때문에 상대적으로 낮다. 일단 순간적인 안보임 현상과 고통이 수반되면 결과로 생기는 망막상의 시야 암점(손상되어 반응하지 않는 영역)은 사고 희생으로 때때로 무시될 수도 있다. 지나치게 밝은 빛이 눈으로 들어가는 사고 동안에는 망막의 손상은 빛과 관련된 에너지와 망막 상에 접촉되는 면적에 관계된다. 빔의 단위 면적당 에너지가 크면 클수록 가능한 손상은 더욱 커진다. 그림 8-1은 다른 광원에 대해 전형적인 빔의 망막 임계치를 나타낸다. 그림 8-1에 보이는 바와 같이 태양은 망막 상에 직경 160 μm의 상을 생성한다.

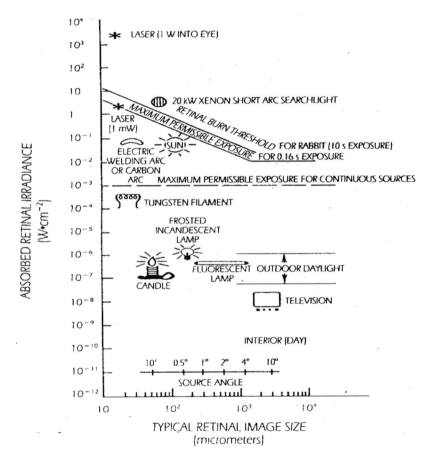

〔그림 8-1〕 전형적인 망막의 화상 임계치

2. 적외선 위험

파장이 0.7 μm ~ 1000 μm 인 가시광선 스펙트럼 밖에 있는 복사(전자파)를 적외선이라고 한다. 적외선은 많은 물질에 의해 흡수되며 그들의 주요 생물학적인 효과는 하이퍼스미아(과열)라고 알려져 있고, 이는 세포에 치명적일 수도 있다. 집중적인 복사에 대한 일반적인 반응은 자연적인 반응으로 고통을 수반하는 열을 감지하고 화상이 일어나지 않도록 열원으로부터 멀어지는 것이다.

3. 자외선 위험(Ultraviolet hazards)

산업체에서 육안 검사자는 많은 종류의 눈에 보이거나 보이지 않는 복사원, 즉 백열등, 밀집 아크 광원(태양 시뮬레이터), 수정 할로겐램프, 금속 증기(수은 및 나트륨), 금속 할로겐 방출 램프, 등을 만날 수 있다. 이들 광원은 상당한 양의 유해할 수 있는 자외선을 방출한다. 자외선(UV)은 파장이 약 185 nm 미만인 가시광선 스펙트럼의 보라색 밖의 보이지 않는 전자파이다. 강력한 광원에 노출되었을 때의 주된 위험은 UV 빛에 의한 눈과 피부 손상이다. 자외선을 방출하는 소스는 자외선 흡수 안경 또는 플라스틱 렌즈로 종종 둘러싸서 동일 환경에서 일하는 사람들에게 노출되지 않게 하여야 한다. 고강도 자외선을 이용할 때는 흡수 재료의 두께를 증가시켜야 한다.

눈에 미치는 자외선의 나쁜 영향은 장기간, 단기간 노출에서 온다. 가장 흔한 단기간의 영향은 광 각막염, 고통스러운 붉은 눈과 같은 증상을 수반한 각막 염증, 외부몸체 자극, 극도의 빛 과민증, 지나친 눈물 등이다. 대부분의 경우에 있어서, 증상은 36시간 내에 영구적인 손상 없이 스스로 회복된다. 흔한 원인은 용접사의 불꽃, 눈이나 물에 반사된 태양 빛, 광택이 나는 표면에서의 눈부심, 상당 시간 동안 태양을 직접 쳐다보거나 그 방향으로 보는 것 등이 포함된다.

장기간 노출은 백내장(cataracts)을 일으킬 수 있으며, 눈 내부의 수정체(crystalline lens)를 흐려지게 한다. 증상으로는 깨끗하지 못한 시력, 눈부심 또는 빛 예민 증, 나쁜 야간 시력, 색 인식력이 떨어지는 것 등이다. 백내장에 대한 치료는 수정체를 제거하고 인공 렌즈로 대체하는 외과적 수술이 있다. 나쁜 용접습관은 용접사로 하여금 영구적으로 시력에 영향을 미칠 수도 있다.

장파장 UV 전자파는 눈의 형광화 및 눈의 피로, 두통 등을 일으킬 수 있다. 이들 상태는 증가된 노력과 연관지어 피로로부터 오는 작업 능률을 떨어뜨리게 할 수도 있다. 상습적인 UV 전자파 노출은 피부노화와 특수한 형태의 피부암을 일으킬 수 있는 위험을 증가시킨다.

4. 사진 감광약

흔히 많이 사용되는 약, 음식 첨가제, 비누, 화장품은 가시광선 스펙트럼의 장파장에서 조차 광 독성 또는 사진 엘러지 첨가물로 확인되었다. 유색 약품 및 음식 첨가물은 피부 아래 기관에 대해 감광제가 될 수 있다, 왜냐하면 장파장의 가시광선이 몸속에 깊이 침투하기 때문이다. 고강도 광원에서 방사되는 UV 전자파에 관계되는 위험 및 건강 위험도를 연구할 때 가시광선으로부터 맥락막(Chorioretinal) 손상 가능성을 간과하여서는 안 된다.

5. 망막 손상

가시광선 스펙트럼보다 짧은 파장의 고강도 빛이 입사되는 동안 망막 화상 위험의 가능성이 있다. 실제로, 가능성 있는 위험 환경의 평가는 간단하거나 복잡할 수 있다. 위험 정도는 최대 조도, 광원의 스펙트럼 분포, 각막에 의한 흡수 및 산란, 체액, 렌즈 및 유리체액, 그리고 다양한 망막 층에 있는 흡수 및 산란에 관계된다.

6. 열적인 요소

약 1400 nm 까지의 가시광선 및 적외선은 눈의 미디어를 통해 전달되고 주로 망막 상에 상당한 양이 흡수된다. 전자파는 망막의 신경 층을 통해 지나가기 때문에 소량의 전자파는 간상체(Rods)와 원추체(Cones)에 시각 반응을 나타내기 위해 시 색소에 의해 흡수된다. 나머지 에너지는 망막의 색소 피막(Epithelium)과 맥락막(Choroid)에 흡수된다. 망막 색소 피막은 가장 조밀하며 가장 큰 온도 변화는 이 층에서 일어난다. 태양이나 인공 광원에 짧은 시간동안 노출(0.1 초~100초)될 때의 부상 기구는 단백질 변성이나 효소 불활성화(Enzyme inactivation)를 가져온다고 일반적으로 생각된다.

망막의 다른 영역은 망막의 중심와 시력에 집중된 가장 높은 시력에 다른 역할을 한다. 중심부분의 망막에 대한 손상은 그래서 시력을 갑작스럽게 떨어뜨린다.

고강도의 광원의 크기와 관련하여, 극히 일부 아크 광원은 대단히 크고 밝아서 정상적인 관측 상태에서 망막의 화상 위험이 되기도 한다. 아크 또는 뜨거운 필라멘트가 대단히 확대될 때(예를 들자면 광학 프로젝션 시스템)는 망막의 넓은 부위에 화상을 일으킬 수도 있다.

거의 모든 사고는 관찰자가 아크 바로 근방에 있는 위험한 상황에서 발생한다. 가까운 거리에서 광원 강도는 눈 깜짝할 사이에 망막에 화상을 초래할 수 있다. 망막 손상의 예를 그림 8-2에 보인다. 낮은 빛 환경에 처음 노출되었을 때, 검사자는 명시(주간 빛, Photopic) 감도의 감소 및 암시(어둠 적응 시력, Scotopic)의 증가를 경험한다. 짧은 적응 시간이 지난 후,

검사자는 어두운 환경에서 검사체를 잘 확인할 수 있다. 이것은 육안검사자가 중요한 형광 침투탐상 및 형광자분탐상에 있어서 실제 검사를 하기 전에 어둠에 왜 적응할 필요성이 있는 지를 잘 설명해준다.

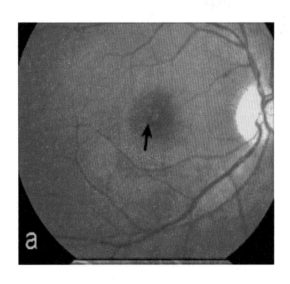

〔그림 8-2〕 레이저를 눈에 비추었을 때 십대의 망막 손상

7. 눈 보호 필터(Eye Protection Filters)

연속적인 가시 광원은 고통스런 반응을 초래할 수 있으며 따라서 눈과 피부를 손상으로부터 보호할 수가 있다. 눈의 편안함은 대략적인 위험 인자로 사용되어 왔으며 눈의 보호와 기타 위험 관리는 이것에 근거하여 종종 제공된다. 응답 형태의 눈 보호 필터는 다양한 특정 용도로 개발되어 왔다. 다른 보호 기술 중에서 강한 스펙트럼 라인을 높은 임의의 빛 환경에서 감쇠시키는 특화된 필터가 종종 사용되어 왔다.

레이저로부터 눈의 보호는 모든 다른 파장에서 가장 높은 빛 투과와 관련된 레이저 파장에서 적절한 광학밀도를 가지게 설계된다. 이런 방법으로 검사자는 임의의 검사체로부터 빛을 흡수할 수 있으며 그림 8-3 과 같이 보호 렌즈를 착용하여 해로운 레이저 빛을 차단할 수 있다.

〔그림 8-3〕 짧은 파장의 레이저를 흡수하는 렌즈를 가진 안전 보호 안경

8. 청색 위험(Blue hazards)

청색 위험은 망막이 열적인 위험을 초래할 정도로 충분하게 망막의 온도를 끌어올리지 않는 청색 빛에 의해서 손상을 일으킬 수 있다는 사실에 근거한다. 청색 빛은 장파장 가시광선 보다도 10~100배 더 많은 망막의 손상(이 스펙트럼 범위에서 스펙트럼 감도의 영구 감소)을 일으킬 수 있다고 알려져 있다. 열적 및 청색 위험이 존재하는 일부 흔한 상황이 있을 수 있다.

제 II 편

전문(Specific) & 실기(Practical)

제 1 장 배관(Piping)과 부속품(Fittings)

제 1 절 공정용 배관(Process Pipe)

1. 배관 및 튜브(Pipe & Tube)

관(Tubular) 제품은 튜브(Tube) 또는 배관(Pipe)이라는 용어를 사용한다. 튜브는 일상적으로 BWG(Birmingham Wire Gage) 또는 인치로 나타내는 외부구경(OD) 및 관두께로 나타낸다. 배관은 일반적으로 줄 수, API 호칭, 혹은 중량에 의해 지정된 관 두께를 가진 공칭 배관 크기로서 나타낸다. 표준품이 아닌 배관은 관 두께가 표시된 공칭 크기로 나타낸다. 튜브는 주로 열교환기, 계장라인을 비롯한 압축기, 보일러 및 냉동기 기기 내부를 연결할 때 사용된다.

2. 강철 배관에 주로 사용되는 크기 및 길이

제작업체에서는 1/8″에서 44″까지 정해진 배관 크기가 있다. 보통 관의 크기는 1/2″, 3/4″, 1″, 1 1/4″, 1 1/2″, 2″, 2 1/2″, 3″, 3 1/2″, 4″, 5″, 6″, 8″, 10″, 12″, 14″, 16″, 18″, 20″ 및 24″이다. 여기에서 1 1/4″, 2 1/2″, 3 1/2″, 5″는 주로 사용하지 않는 관의 크기이며(이런 특이한 크기는 주로 장비를 연결시키기 위해 필요로 하며, 연결 후에는 한 단계 더 큰 크기로 배열시킨다.) 1/8″, 1/4″, 3/8″ 및 1/2″ 배관은 주로 계장라인, 서비스 및 장비를 연결하기 위한 기타 라인에 사용된다. 또한 1/2″ 배관 라인은 스팀 트레이싱(Tracing) 및 펌프 등에서 보조 라인을 위해 널리 사용되고 있다. 일직선 관(Straight Pipe)은 임의의 길이(17ft~25ft)로 공급되며 때로는 선호할 경우 38ft~48ft로 공급되기도 한다. 이들 배관 길이의 끝단부에는 용접을 위해 평평하게(Plain End) 혹은 비스듬하게(Beveled) 제작되거나 쓰레드(thread) 및 길이 당 하나의 커플링을(Threaded and Coupled, 또는 T&C) 공급하고 있다. 관을 T&C로 주문할 경우, 커플링에 대한 등급은 표 1-1과 같이 별도로 기술되어 있으며 특수한 커플링을 위한 그루브와 같은 다른 끝단의 형태는 주문으로 구입할 수 있다.

표 1-1 스크류 배관

탄소강 배관과 단조강 부속품				
배관의 끝단 준비 및 부속품, 플랜지, 밸브 또는 장비에 연결하는 방법.				
일반 스크류 형태의 최대 배관 크기	1 1/2″			
단조강 스크류 부속품의 이용	1/8″ - 4″			
배관의 중량 및 압력등급	배관	스케줄 번호	SCH 40	SCH 80	-
		제작 중량	STD	XS	XXS
	부속품 등급		3000 PSI	3000 PSI	6000 PSI
밸브(Valves)				
최소압력등급 (PSI)	제어용 밸브	보통 300 PSI		
	제어용 밸브 이외 밸브	600 PSI(ANSI) 800 PSI(API)		

3. 배관의 구경 및 관 벽두께

모든 배관은 공칭 관경 (Nominal Pipe Size)의 크기와 동일시되며, 약어로는 NPS를 사용하고 배관 중 튜브의 구경과는 일치하지 않는다. 단, 14″ NPS 이상의 배관은 공칭구경과 동일하다. 다양한 크기의 배관은 각 배관 크기에 대하여 여러 가지의 관 두께를 가지고 있으며(SCH 40, 80, 160...) 크게 아래의 3가지로 구별된다.

가. ANSI : Schedule 수로 표시

나. ASME/ASTM : 제작업체에서 만든 치수로부터 뽑아낸 STD(standard), XS(extra-strong), XXS(double extra strong)로 표시한다.

다. API : 5L 및 5LX로 표시한다. 이러한 치수는 각각의 크기 및 관 두께와는 관계가 없다.

4. 배관 자재

엔지니어링 회사에서는 배관시스템에 사용하는 자재를 선정하기 위해 자재 기술자들을 보유하고 있으며, 대부분의 배관은 탄소강 및 서비스에 따라 ASTM A53으로 제작된다.

가. 강철배관(Steel Pipe)

직관 심이 있는 용접(Straight seam weld) 및 나선형(Spiral weld) 용접 배관은 판재를 말아서 만들고 심이 없는 배관은 관통형(Piercing)의 단단한 봉으로 만들어 진다. 탄소강 배관(Carbon steel)은 강하고 연성이 있으며 용접성, 기계가공성, 영속성 그리고 항상 다른 재질로 제작된 배관 보다는 값이 저렴하다. 가장 널리 사용되고 있는 탄소강 배관은 SCH 40, 80, STD 및 XS 크기, 전기저항 용접과 심이 없이 제작 시에 ASTM A53으로 제작된다. 표 1-1은 산업용으로 가장 많이 사용되고 있는 배관 사양을 명시해 놓았다. 표 1-2는 탄소강 및 스테인레스강에 대한 유럽규격을 나타내고 있다.

나. 철(Iron) 배관

철 배관은 주철(Cast Iron) 및 연강(Ductile iron)으로 만든다. 주로 물, 가스 및 위생 배관에 사용되고 있으며 가공하여 만든 철(Wrought iron) 배관은 자주 사용되지 않고 있다.

다. 기타 금속 및 합금 (Alloy)

배관 또는 튜브는 손쉽게 구할 수 있는 동, 납, 니켈, 청동, 알루미늄 및 여러 가지의 스테인레스강으로 만든다.

라. 플라스틱(Plastics) 배관

플라스틱으로 만든 배관은 부식이 빈번하게 일어날 수 있는 유체를 이송하는데 이용하고 있으며 특히 부식 또는 위험한 가스 및 희석 무기산(Mineral acid)을 다루는데 사용되고 있다.

제 2 절 배관 이음 방법

1. 용접 및 스크류 이음

2인치 이상의 배관 라인은 보통 맞대기 용접을 사용하는데 큰 구경의 배관을 연결하는데 있어 가장 경제적으로 누설을 방지할 수 있는 방법이다. 보통 그러한 배관은 스풀(spool)을 제작업체에 의뢰하고 설치하게 된다.   1 1/2″ 이하의 배관은 보통 스크류 혹은 소켓 용접을 적용하여 배관 작업자가 보통 도면을 보고 현장에서 직접 작업한다.

표 1-2 강 배관용 미국(USA)과 유럽 사양의 비교

	USA	UK	W.GERMANY	SWEDEN
CARBON-STEEL PIPE	**ASTM A53**	**BS 3601**	**DIN 1629**	
	Grade A SMLS	HFS 22 & CDS 22	St 35	SIS 1233-05
	Grade B SMLS	HFS 27 & CDS 27	St 45	SIS 1434-05
	ASTM A53	**BS 3601**	**DIN 1629**	
	Grade A ERW	ERW 22	Blatt 3 St 34-2 ERW	
	Grade B ERW	ERW 27	Blatt 3 St 37-2 ERW	
	ASTM A53	**BS 3601**	**DIN 1629**	
	FBW	BW 22	Blatt 3 St 34-2 EBW	
	ASTM A106	**BS 3602**	**DIN 17175***	
	Grade A	HFS 23	St 35-8	SIS 1234-05
	Grade B	HFS 27	St 45-8	SIS 1435-05
	Grade C	HFS 35		
	ASTM A134	**BS 3601**	**DIN 1626**	
		EFW	Blatt 2 EFW	
	ASTM A135	**BS 3601**	**DIN 1626**	
	Grade A	ERW 22	Blatt 3 St 34-2 ERW	SIS 1233-06
	Grade B	ERW 27	Blatt 3 St 37-2 ERW	SIS 1434-06
	ASTM A139	**BS 3601**	**DIN 1626**	
	Grade A	EFW 22	Blatt 3 St 37	
	Grade B	EFW 27	Blatt 3 St 42	
	ASTM A155	**BS 3602**	**DIN 1626, Blatt 3. with**	
	Class 2		**certification C**	
	C 45		St 34-2	
	C 50		St 37-2	
	C 55	EFW 28	St 42-2	
	KC 55		St 42-2*	
	KC 60	EFW 28S	St 42-2*	
	KC 65		St 52-3	
	KC 70		St 52-3	
	API 5L	**BS 3601**	**DIN 1629**	
	Grade A SMLS	HFS 22 & CDS 22	St 35	SIS 1233-05
	Grade B SMLS	HFS 27 & CDS 27	St 45	SIS 1434-05
	API 5L	**BS 3601**	**DIN 1625**	
	Grade A ERW	ERW 22	Blatt 3 St 34-2 ERW	SIS 1233-06
	Grade B ERW	ERW 27 ↑	Blatt 4 St 37-2 ERW	SIS 1434-06 ↑
	API 5L	**BS 3601**	**DIN 1626**	
		Double-welded		
	Grade A EFW	EFW 22	Blatt 3 St 34-2 FW	
	Grade B EFW	EFW 22 ↑	Blatt 3 St 37-2 FW	
	API 5L	**BS 3601**	**DIN 1626**	
	FBW	BW 22	Blatt 3 St 34-2 BW	
		*Specify "Si-killed" ↑Specily API 5L Grade B testino procedures for these steels		
STAINLESS-STEEL PIPE	**ASTM A312**	**BS 3605**	**WSN Designation:**	
	TP 304	Grade 801	4301 x 5 CrNi 18 9	SIS 2333-02
	TP 304H	Grade 811		
	TP 304L	Grade 811L	4306 x 2 CrNi 18 9	SIS 2352-02
	TP 310	Grade 805	4841 x 15 CrNiSi 25 20	SIS 2361-02
	TP 316	Grade 845	4801/ x 15 CrNiMo 18 10	SIS 2343-02
			4436	
	TP 316H	Grade 855		
	TP 316L	Grade 845L	4404 x 2 CrNiMo 18 10	SIS 2353-02
	TP 317	Grade 846		
	TP 321	Grade 822 Ti	4541 x 10 CrNiTi 18 9	SIS 2337-02
	TP 321H	Grade 832 Ti		
	TP 347	Grade 822 Nb	4550 x 10 CrNiNb 18 9	SIS 2338-02
	TP 347H	Grade 832 Nb		

2. 소켓 용접 이음

스크류 배관과 같은 소켓 용접은 소형크기의 배관 라인에 대하여 이용되며 누설이 없다는 장점을 가지고 있다. 이것은 가연성(Flammable), 독성(Toxic) 또는 방사선 유체가 이송될 때 중요한 역할을 하게 된다.

3. 플랜지 이음

플랜지는 값이 비싸며 대개는 플랜지로 체결되는 용기(Vessel), 장비, 밸브 그리고 주기적으로 세척을 해야 할 필요가 있는 공정 배관용 플랜지를 연결하는데 사용되고 있다. 플랜지 연결은 두 개의 플랜지 사이에 밀봉(Seal)시키기 위해서 개스킷을 삽입하고 볼트를 체결함으로써 만들어진다.

4. 끼워 맞춤(Fitting)

끼워 맞춤(Fitting)은 배관의 방향(엘보우 등) 및 배관의 구경(리듀서, 스웨지 등)을 변경시키거나 주 배관(Main pipe)으로부터 분기관(티 등)을 형성하기 위해 사용되고 있다. 이것은 평판이나 배관으로부터 제작되며 단조된 블랭크(Blank) 및 주조품을 가공하거나 플라스틱에서 주형을 떠서 만든다.

제 3 절 배관 시스템의 맞대기 용접용 부품

1. 엘보우(Elbow)

엘보우는 배관 흐름을 90도 혹은 45도의 방향으로 바꿀 때 사용한다. 엘보우는 보통 3/4″ 이상의 배관에 공칭 크기의 1.5배를 구부려 만든 중심선 반경을 가지고 있는 장반경(Long Radius)을 사용하고 있다. 또한, 공칭 배관의 크기와 동일한 각도의 중심선 반경과 일치한 단반경(Short Radius)도 이용되고 있다.

2. 리듀셔(Reducer)

리듀서는 대 구경 배관에 소구경 배관을 연결할 때 사용하는 이음 방법이다. 동심(Concentric) 또는 편심(Eccentric)으로 두 가지의 사용형태를 가진다.

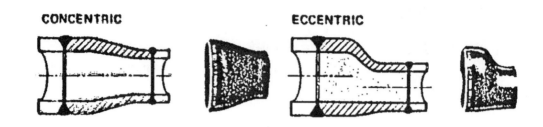

〔그림 1-1〕 리듀셔(Reducer)

3. 플랜지(Flange)

부품의 보강 또는 이음을 위하여 부품의 끝 또는 접합부 주위에 붙인 둥근 테두리를 말한다.

가. 용접 넥(Welding Neck) 플랜지

규격품의 용접 넥 플랜지는 맞대기 용접 부속품에 사용된다. 급격한 온도변화, 전단응력, 충격 및 진동에 대한 응력이 발생하는데 적합하다.

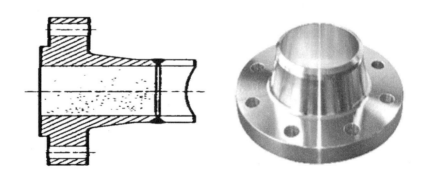

〔그림 1-2〕 용접 넥(Welding Neck) 플랜지

나. 삽입 플랜지(Slip on Flange)

삽입 플랜지는 긴 접선 엘보우, 리듀셔와 같이 사용된다. 내부 용접은 맞대기 용접보다 부식에 영향을 더 받는다. 플랜지는 충격 및 진동에 따른 저항에는 그리 좋지 못하고, 배관 구경에 불규칙적으로 사용되며 용접 넥 플랜지 보다는 가격이 저렴하나 조립하는 데는 비용이 더 많이 들고, 일직선(Align)으로 맞추기가 더 쉽다.

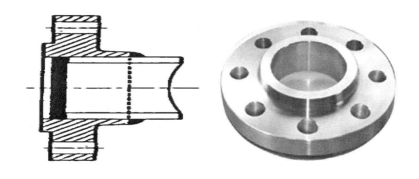

〔그림 1-3〕 삽입 플랜지(Slip on Flange)

다. 랩 조인트(Lap-joint) 플랜지

이 플랜지는 스테인레스강과 같이 고가인 배관에 사용되며, 탄소강에 적용시킬 경우에 더욱 경제적이다. 용기의 플랜지 형태로 된 노즐에 부착되는 스풀에서와 같이 볼트 구멍을 맞추기가 어려울 경우에 유용하게 사용된다.

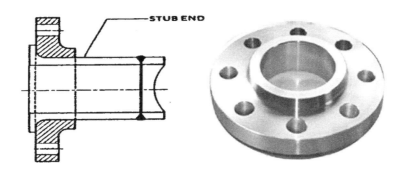

〔그림 1-4〕 랩 조인트(Lap-joint) 플랜지

4. 맞대기 용접 티(Tee)

맞대기 용접 티는 주 배관에 대하여 90도로 분기관을 형성할 때 사용된다. 주배관의 크기와 동일한 분기관을 사용한 일직선 티(Straight Tee)가 쉽게 이용될 수 있다. 리듀서 티(Reducing Tee)는 주 배관 라인에 크기가 작은 분기관을 연결할 때 사용된다.

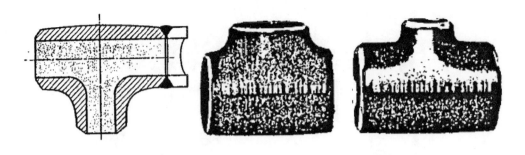

〔그림 1-5〕 맞대기 용접 티   일직선 맞대기 용접 티   리듀서 맞대기 용접 티

5. 웰도렛(Weldolet)

웰도렛은 일직선 관에 90도로 동일한 크기 또는 줄여서 분기관을 만들 때 사용한다. 다기관 (Manifold)상에서는 티(Tee)로 하는 것보다 더 가깝게 할 수 있다. 면이 평평한 웰도렛은 배관 캡 및 용기 헤드(Vessel Head)에 연결하기 위하여 이용된다.

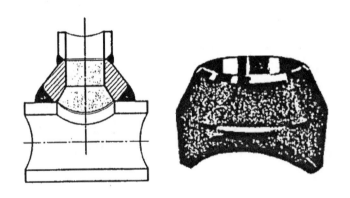

〔그림 1-6〕 웰도렛(Weldolet)

제 4 절 배관의 지지 구조물

배관 지지 구조물은 배관의 자체하중 및 열전달, 진동 등으로 인한 배관의 응력을 줄여주는 역할을 하는 장치를 말한다. 배관 지지 구조물은 그 기능 및 용도에 따라 행거(Hanger ; Rigid Hanger, Variable Spring Hanger, Constant Spring Hanger) 또는 서포트(Support), 리

스트레인트(Restraint ; Anchor, Stops, Guide), 브레이스(Brace) 또는 방진기(Hydraulic Dampener, Shock Absorber & Snubber)의 3종류로 분류한다.

· 배관계의 중량을 지지하기 위한 목적으로 사용되는 행거 또는 서포트
· 열팽창에 의한 3차원의 움직임을 구속하거나 제한하는 리스트레인트
· 앞의 중량 또는 열팽창에 의한 외력 이외의 힘에 의해 배관계가 이동하는 것을 제한하는 브레이스

스프링 행거(Spring Hanger) 또는 서포트(Support)는 온도의 변화 때문에 배관의 길이가 변화되는 것은 허용되며, 수평배관에 많이 사용되고 2 가지의 형태가 있다.

· 일정한 하중(Constant Load) 행거 : 이 장치는 하우징(Housing)안에 코일 스프링과 레버 기구로 구성되어 있다. 일정 범위 내에서 배관의 움직임은 스프링이 흡수하므로 추가적인 힘은 배관시스템에 전달되지 않는다.
· 가변 스프링(Variable spring) 행거 및 서포트 : 이 장치는 하우징(Housing)에 코일 스프링으로 이루어져 있으며 배관의 중량은 압축상태에서는 스프링에 의존하며 스프링은 열이동을 제한시킬 수 있는 양을 가지고 있다. 수직 배관 라인을 지탱하고 있는 가변 스프링 행거는 행거쪽으로 배관 라인이 늘어날 때 들어 올릴 수 있는 힘은 줄어들게 된다. 반면, 가변 스프링 서포트는 배관 라인이 서포트 쪽으로 늘어나게 될 때 들어 올릴 수 있는 힘이 늘어나게 된다. 결국 두 경우 모두 배관 시스템에 부하를 가하게 된다. 만약 위의 조건이 맞지 않을 경우, 일정한 부하 행거(Constant load Hanger)를 교체하여 사용한다.

1. 서포트(Support)

철구조물 또는 콘크리트로 만들어진 구조물을 사용해 배관의 중량을 지지 시켜주는 장치를 말한다.

2. 행거(Hanger)

구조용 강철, 콘크리트 또는 목재로부터 배관을 매달 수 있는 장치이며 행거는 일반적으로 조절할 수 있어야 하고 Variable Spring Hanger, Constant Spring Hanger, Rigid Hanger 등이 있다.

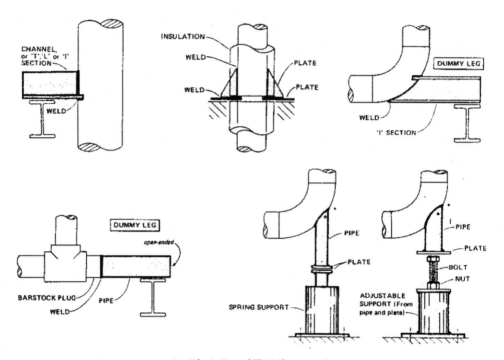

〔그림 1-7〕 서포트(Support)

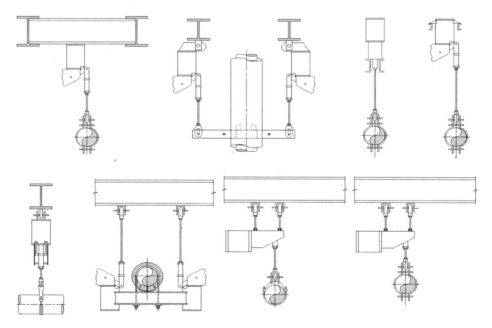

〔그림 1-8〕 Constant Hanger

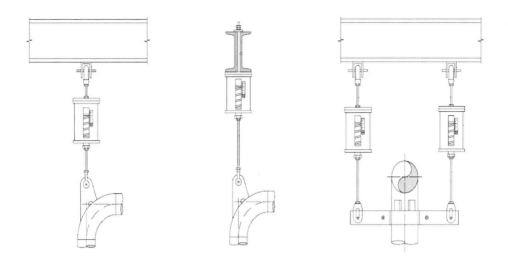

〔그림 1-9〕 Spring Hanger

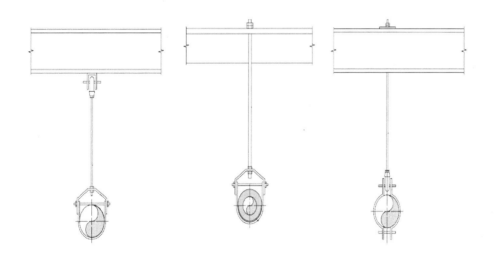

〔그림 1-10〕 Rigid Hanger

3. 앵커(Anchor)

배관의 진동, 열팽창으로 인한 움직임을 방지하기 위해 설치되는 고정 서포트인데 완전히 배관계의 일부를 고정하는 경우에 사용되고 철판, 브라케트, 플랜지, 봉 등으로부터 제작되며 배관에 앵커를 부착 시에는 배관 벽에서 응력의 분배를 더 좋게 하므로 배관을 둘러싸서 주위를 용접한다.

4. 타이(Tie)

배관의 움직임을 제한하기 위해 하나 이상의 봉(Rod)이나 바(Bar)를 부착시킨 것을 말한다.

5. 더미 레그(Dummy Leg)

배관의 엘보우(Elbow) 부위에 배관 혹은 압연 강을 연장/부착하여 배관을 지지시키는 서포트를 말한다.

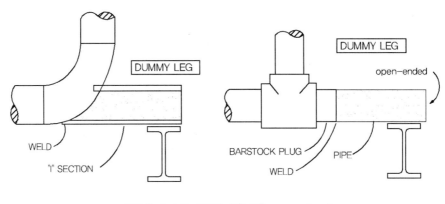

〔그림 1-11〕 더미 레그(Dummy Leg)

6. 가이드(Guide)

배관의 측면방향이 아닌 길이방향에 따라 움직일 수 있도록 설치된 것을 말한다.

7. 받침대(Shoe)

배관의 하부에 부착되어 있는 금속 소재이며 이것을 지지하고 있는 강철이 무엇이냐에 따라 달라질 수 있다. 1차적으로 이동의 지배를 받고 있는 배관 라인에 대하여 미끄러질 때 마모를 줄이기 위해 사용되며 배관 라인에 보온이 적용될 경우에 적합하다.

8. 안장(Saddle)

보온이 필요하고 축 방향 또는 회전운동을 하기 쉬운 배관에 용접되는 부착물이며 가이드와 함께 사용된다.

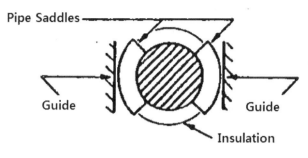

〔그림 1-12〕 안장(Saddle)

9. 슬라이드 판(Slide Plate)

슬라이드 판은 아래 그림과 같이 배관이 움직일 때 온도변화를 억제해주고 기존 서포트의
마찰시 발생하는 응력을 줄여주는 역할을 한다.

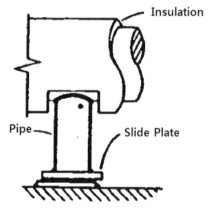

〔그림 1-13〕 슬라이드 판(Slide Plate)

10. 방진기(Snubber)

장치의 한쪽 끝단은 배관, 다른 쪽은 단단한 구조물 또는 콘크리트에 부착시킨다. 이 장치는
서서히 배관의 움직임을 흡수할 수 있도록 팽창 및 수축을 한다. 그러나 갑작스런 움직임에
는 오히려 더 이상 움직이지 않는 특성을 갖고 있다.

가. 방진기 종류 및 특성

방진기는 배관, 기기 등이 지진, 이상 상태가 발생할 때 비정상적 하중에 기인한 운동을 줄여주는 역할을 하며, 배관, 기기 등의 정상적인 가열 또는 냉각 시에 일어나는 정상적인 열 변형은 허용한다. 방진기는 기계식과 유압식이 있으며 제 기능을 발휘하기 위해 두 가지 다른 원리에 따라 작동이 된다.

· 지진 또는 비정상 상태 발생 시 기기의 운동을 제한함
· 정상적인 열 변형 시는 자유롭게 작동함.

(1) 기계식 방진기

1) 기계식 방진기의 종류

기계식 방진기에는 볼 스크류/스프링형 방진기(Ball screw/Spring assembly)와 버지 및 랙형 방진기(Verge and rack assembly) 2가지 기본 형태가 있다.

2) 기계식 방진기의 작동

· 방진기는 정상적인 열변형 운동으로 늘어나거나 줄어든다.
· 가동기준을 초과하는 지진 또는 변동하중이 가해지면 방진기에 가해진 힘이 실린더의 직선운동을 가속시키려 한다.
· 직선 가속도는 볼 및 스크류 어셈블리를 통해 회전운동으로 바뀐다.
· 교정눈금이 서포트 튜브의 외면에 표시되어 있다.
· 위치 표시 튜브의 눈금을 보고 값을 읽는다.
· 방진기상의 Hot/Cold Setting 값은 설계도면상의 값과 일치해야 한다.
· 각 방진기에는 라벨이 부착되어 있어야 한다.
· 라벨에는 다음 사항들이 포함되어야 한다.
   - 방진기 크기
   - 최대 스트로크
   - 일련번호
   - 마크번호

(2) 유압식 방진기

1) 유압식 방진기의 특징

유압식 방진기는 작동을 제어하는 밸브 또는 제어 기구가 들어있다.

2) 설치 전 고려사항

방진기 설치 시에는 사전에 검사를 수행하고 제작자의 설치 전 및 설치 시의 지침서

를 검토하여 작업을 수행하여야 한다. 주로 다음 사항에 유의하여야 한다.

· 실린더 실링부위, 피스톤 로드, 밸브, 유체통(Reservoir) 등에서의 유체 누설 흔적을 검사한다.
· 각 부위에 대해 물리적 손상 여부를 검사한다.
· 설치 전 잠금장치가 되어 있는 곳은 잠금장치를 언제 풀것인지 점검한다.
· 설치 전 교체하거나 끼워야 할 부품이 있는지 확인한다. 유체통이 구부러졌을 경우 Reservoir chipping plug를 Reservoir breather cap으로 교체한다.
· 유체통이 제 위치에 있는지 확인한다.
· 피스톤의 선적 시 위치가 "cold setting" 위치에 있어야 한다.
· 피스톤이 움직였다면 원인을 조사한다.
· 핀을 점검한다.
· 방진기 설치 문제점이 있는지 점검한다.
· 유체통의 유체높이가 적절한지 점검한다.

3) 설치 시 주의사항

· 설치 시 잘 맞추기 위해 약간의 피스톤 운동이 필요하다.
· 새로운 "Cold setting" 값을 점검하여, 한쪽 끝에 닿지 않고 필요한 운동을 할 수 있는지 확인한다.
· 제작자가 추천하는 유체량을 점검한다.
· 방진기 실린더가 클 경우 피스톤을 움직이지 말아야 한다. 왜냐하면 스프링율이 변할 수 있기 때문이다.
· 소형 방진기에 피스톤이 이동할 때 Lock-up 되지 않게 주의해야 한다.
· 연결 부위의 간격에 유의한다.

나. 방진기의 파손

(1) 일반적인 파손

방진기의 파손은 다음의 5가지 기본 요인에 의해 일어난다.

· 설계 시 고려치 않은 상황 발생
· 방진기 제작자 결함
· 설치 잘못
· 보수유지 잘못
· 열악한 사용 환경

(2) 기계식 방진기의 파손

파손 원인 중 하나는 설치 전에 선적 시 장치한 고정 나사를 제거하지 않아서 일어난다. 또 다른 파손 원인은 내부부품의 부식에 기인함.

· 전기 아크가 부품의 틈새를 좁혀 손상을 초래
· 구 베어링
· 볼 너트 안의 볼
· 진동에 의한 마모

(3) 유압식 방진기의 파손

유압식 방진기의 파손 원인

· 과하중
· 밀봉(씰링) 잘못
· 유체의 누설

제 5 절 행거 및 서포트 육안검사

1. 일반적 파손요인

행거 및 리스트레인트(Restraint)의 파손은 여러 요인에 의해 발생될 수 있다. 일반적인 파손요인은 다음과 같이 분류할 수 있다.

가. 건설 잘못

(1) 재료 또는 설치 기술이 기준 이하인 경우

(2) 파손 형태

· 모재 결함
· 용접부 결함
· 볼트류 재료의 결함
· 볼트에 토크를 적당히 가해지지 않았을 때
· 잘못된 부품을 설치했을 때
· 부품이 빠졌을 때 (워셔, 카터 핀 등)

나. 물리적 손상

사람의 실수나 기계의 동작으로 인하여 서포트의 건전성을 떨어뜨리는 경우가 해당한다. 파손모드는 다음과 같다.

- 뒤틀림, 구부러짐, 변형이 일어난 클램프, 로드 또는 빔
- 열(주로 용접 열)에 기인한 변색, 변형, 열화 부품
- 너트, 핀, 하중표시눈금, I.D. 번호 등이 누락된 것
- 균열, 전단, 파손된 키, 로드, 볼트 또는 용접부
- 쪼개지거나 갈라진 콘크리트
- 늘어난 볼트구멍, 턴바클 등

다. 과하중 (Overload)

설계하중 이상의 하중이 가해졌을 경우를 말하며 파손 모드는 다음과 같다.

- 용접부 균열
- 파손 핀
- 전단 로드
- 나사산의 손상
- 새들 판 (saddle plate)의 변형
- 볼트, 핀 등이 박힌 콘크리트부위 균열
- 구부러지거나 뒤틀린 부품
- 늘어난 볼트 또는 핀 구멍

라. 부식

재료의 일반적 부식 또는 국부부식으로 나타나고, 파손 모습 및 위치는 다음과 같다.

- 노출면에의 녹
- 부식생성물의 누적 또는 재료손실
- 하중표시 눈금의 유실
- 작동되지 않는 베어링
- 볼트류에 난 나사산의 손상
- 침식

마. 피로

피로균열을 발생시키는 되풀이 하중이 원인으로 파손 모습 및 위치는 다음과 같다.

- 용접 인접 부위 및 불연속부
- 나사산 루트 부위
- 틈새, 클램프 주위

2. 검사결과의 평가

가. 불합격 결함

(1) 패스너, 스프링, 클램프 또는 다른 지지물 품목들의 변형 및 구조적 기능저하

(2) 분실되거나 풀리거나 또는 헐거워진 지지물 품목

(3) 기계가공 공차가 너무 작은 경우(Close tolerance machined surface) 또는 미끄럼 면 (Sliding surface)에 대한 아크 스트라이크, 용접 스패터, 페인트, 스코어링, 거칠음 및 일반부식

(4) 정하중 지지물과 스프링 지지물의 부적절한 Hot, Cold 위치 세팅

(5) 지지물의 미스얼라인먼트

(6) Guides 및 Stops의 부적절한 클리어런스

나. 부적절한 조건 (기타 결함의 예)

(1) 제작표시 (펀칭, layout, 굽힘, 롤링, 기계가공에 의한)

(2) Chipped 되거나 변색된 페인트

(3) 미끄럼 면 또는 기계가공 공차가 너무 작은 경우(Close tolerance machined surface)와 다른 부위의 용접 스패터

(4) 흠집 또는 표면마모 표시

(5) 거칠음 또는 지지물의 하중을 견디는 능력을 줄이지 않는 일반부식

(6) 건설시방서, 자재, 설계에 의한 일반적 합격조건

3. 결함의 합부 판정 및 조치

다음에 대해서는 시정조치 및 재검사를 수행해야 한다.

가. 풀리거나 헐거워진 기계적 연결부

나. 정하중지지물 및 Spring 지지물의 부적절한 Hot 및 Cold 위치

다. 지지물의 불균형

라. 가이드(Guide) 및 스톱(Stop)의 부적절한 변위

제 6 절 기계식/유압식 방진기의 육안검사

방진기에 대한 육안검사를 수행하지 않거나 소홀히 하면 시스템 자체가 파손이 일어나거나 성능시험을 할 때 까지 문제점 또는 결함이 발견되지 않을 수도 있다. 표 1-3은 방진기에 대한 검사사항, 예상원인, 결함 방치 시 예상되는 결과를 요약한 것이다.

표 1-3 기계식/유압식 방진기의 육안검사

No.	검사 점검 사항	예상 결함 원인	결함방치시의 예상결과
1	Cold stroke setting	설치 잘못	신축이 끝가지 되며, 열 팽창 시 유연성이 없어짐(Rigid)
2	Hot setting	설치 잘못, 설계 잘못	
3	위치, 방향	설치 잘못, 설계 잘못	기기가 과부하를 받을 수 있음
4	볼트, 핀 연결부위가 너무 놀거나 너무 여유가 없을 때	제작 잘못, 외부진동	"Dead band"가 너무 큼. 과부하 초래
5	선적 시 고정 장치 제거 여부 (해당될 경우)	설치 잘못	부동 방진기
6	이름표 유무	제작 잘못, 열악한 환경	방진기 크기, 설계도면상의 각종 정보 확인 불가
7	녹, 구부러짐, 손상부위	열악한 환경	부동 방진기, 성능시험변수를 만족시키지 못함
8	스윙 간격 적절 여부	설치 잘못, 설계 잘못	스윙운동이 영향이 있음
9	구 베어링 각도의 허용 범위 (통상 6°이내)	설치 잘못, 설계 잘못	
10	기기와 빌딩구조물 연결부위 건전성	설치 잘못, 열악한 환경	"Dead band" 너무 큼
11	지지를 받는 기기의 진동부족	배관설계 잘못	Capstan tanks 손상초래, 실린더가 헐거워짐. Poppet/bleed valve의 헐거워짐, 실링부위 누설.
12	구 베어링의 설치 적정 여부	제작 잘못, 설치 잘못	"Dead band" 너무 커짐
13	점에 여러 개 방진기가 있을 때 기동 특성	설계 잘못, 설치 잘못	1개의 방진기에 과부하 걸림 기기에 과부하 걸림

【 제7절 연습문제 】

1. ASME/ASTM에서 배관 크기를 표시하는 표기가 아닌 것은?
   A. STD   B. XS   C. XXS   D. LS

2. 다음 중 배관에 사용되는 끼워 맞춤(Fitting)으로 보기 어려운 것은?
   A. 엘보우(Elbow)   B. 티이(Tee)
   C. 리듀셔(Reducer)   D. 웰도렛(Weldolet)   E. 행거(Hanger)

3. 대 구경 배관에 소구경 배관을 연결할 때 사용하는 이음 방법으로 동심(Concentric) 또는 편심(Eccentric)으로 두 가지의 사용형태를 가지는 끼워 맞춤(Fitting)은?
   A. 엘보우(Elbow)   B. 티이(Tee)
   C. 리듀셔(Reducer)   D. 웰도렛(Weldolet)   E. 행거(Hanger)

4. 배관의 자체하중 및 열전달, 진동 등으로 인한 배관의 응력을 줄여주는 역할을 하는 장치로 보기 어려운 것은?
   A. 파이프 서포트(Pipe Support)   B. 행거(Hanger)
   C. 보온재(Insulation)   D. 앵커(Anchor)

5. 장치의 한쪽 끝단은 배관, 다른 쪽은 단단한 구조물 또는 콘크리트에 부착시킨다. 이 장치는 서서히 배관의 움직임을 흡수할 수 있도록 팽창 및 수축을 한다. 그러나 갑작스런 움직임에는 오히려 더 이상 움직이지 않는 특성을 갖는 것은?
   A. 파이프 서포트(Pipe Support)   B. 행거(Hanger)
   C. 방진기(Snubber)   D. 앵커(Anchor)

6. 기계식 방진기와 유압식 방진기에서 육안검사에서 점검할 사항을 서술하시오.

7. 일직선 관에 90도로 동일한 크기 또는 줄여서 분기관을 만들 때 사용한다. 메니폴드(Manifold)상에서는 티(Tee)로 하는 것보다 더 가깝게 할 수 있다. 면이 평평한 것은 배관 캡 및 용기 헤드(Vessel Head)에 연결하기 위하여 이용되는 끼워 맞춤(Fitting)은?
   A. 엘보우(Elbow)   B. 플랜지(Flange)
   C. 레듀셔(Reducer)   D. 웰도렛(Weldolet)   E. 행거(Hanger)

8. 다음 중 배관 이음으로 적절치 않는 것은?
   A. 플랜지(Flange) 이음   B. 소켓 이음
   C. 용접 이음   D. 납땜

제 2 장 밸브(Valves) 육안검사

제 1 절 밸브의 기능

표 2-1은 기능에 따른 밸브를 구분하기 위한 기본적인 사항을 보여 주고 있다.

표 2-1 밸브의 사용

밸브의 작동	설명
열림/닫힘(On/Off)	흐름 정지 및 가동
조절(Regulating)	유량의 변경
체크(Checking)	한쪽 방향만으로 흐름 허용
개폐(Switching)	다른 방향을 따라 흐름 개폐
토출(Discharging)	계통으로부터 토출되는 유체

제 2 절 밸브의 각 부위 (Parts of Valves)

밸브를 제작하고 있는 제작업체의 카탈로그는 겉으로 보기에는 많고 다양하게 제작하고 있는 것과 같이 보이나 실제로는 종류가 그다지 많지 않으며 밸브를 제작하는 기본적인 각 부위를 고려하여 다음과 같이 분류하고 있다.

· 흐름에 직접 영향을 미치는 디스크(Disc)및 시트 (Seat)
· 디스크를 움직이게 하는 스템, 일부 밸브는 압력을 받고 유체가 스템을 작동시킨다.
· 스템(Stem)을 감싸고 있는 몸체(Body) 및 보닛(Bonnet)
· 스템을 움직이게 하는 작동기(Operator) 또는 압착(Squeeze)밸브에 대해서는 유체를 가압

1. 디스크(Disk), 시트(Seat) 및 포트(Port)

그림 2-1은 다양한 디스크 및 포트 배열의 형태, 흐름을 정지시키고 조절하기 위해 사용되는 메커니즘(Mechanism)을 보여주고 있다. 흐름에 직접적으로 영향을 미치고 있는 이동 부위

는 모양(Shape)과 관계없이 디스크(Disc)라고 부르고 있으며, 이동하지 않는 부위를 시트(Seat)라고 부른다. 포트(Port)는 내부 흐름이 최대로 열려 있는 부위를 말한다. (즉, 밸브가 완전히 열려 있을 때). 디스크(Disc)는 이송되는 유체에 의해 작동되기도 하고 선형(Linear), 로터리(Rotary) 또는 나선형(Helical) 운동을 가지는 스템(Stem)에 의해 움직이기도 한다. 스템(Stem)은 수동으로 움직일 수 있으며, 유압(Hydraulically), 공기(Pneumatically), 혹은 전기적(Electrically)으로 원격 또는 자동 제어 장치에 의해 구동 될 수 있기도 하고, 중력을 받고 있는 레버(Lever), 스프링(Spring) 등에 의해 기계적으로 움직일 수 있다. 밸브의 크기는 배관 등의 끝단이 연결되는 크기로 결정한다. 또한 포트 크기는 더 작을 수도 있다.

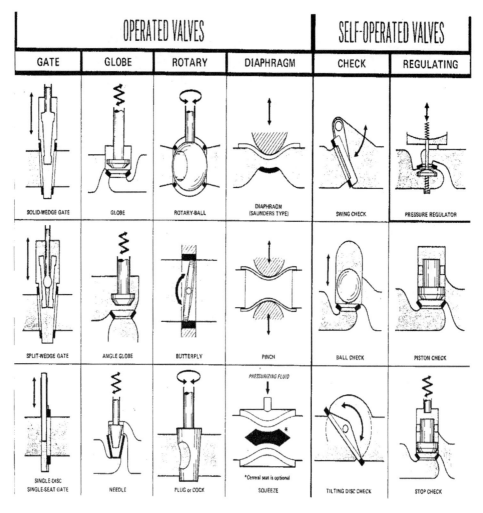

〔그림 2-1〕 밸브의 기본 메커니즘

2. 스템(Stem)

가. 스크류형 스템은 라이징 스템(Rising Stem)과 논라이징 스템(Non-rising stem) 2가지로 분류된다.

나. 라이징 스템(Rising Stem, 게이트 및 글로우브)은 내부 스크류(Inside Screw) 혹은 외부 스크류(Outside Screw) 형태로 제작된다. 또한 외부 형태는 보닛 상에 요크(Yoke)를 가지고 있으며 외부 스크류 및 요크라는 말로 부른다. 핸드 휠(Hand-Wheel)은 스템을 들어 올릴 수 있거나 스템이 핸드 휠을 통해서 올라갈 수 있다.

다. 논라이징 스템 밸브(Non-rising Stem Valves)는 일종의 게이트 밸브의 형태이다. 핸드 휠 및 스템은 밸브가 열려 있거나 혹은 닫혀 있을 지라도 동일한 위치에 있는 것을 말한다. 스크류가 보닛트 안쪽에 있으며 이송하는 유체와 접촉하게 된다.

라. 바닥에 위치한 밸브(Floor Stand)는 양쪽 스템의 형태를 사용하기 위해 스템을 연장시키며 바닥이나 플랫폼을 통해서 밸브를 작동시킬 필요가 있다. 대안으로는 유니버셜 이음(Universal Joint)으로 연결된 봉(Rod)을 운전자가 닿을 수 있는 거리 내에서 밸브 핸드 휠을 움직일 수 있도록 하기 위해 사용된다. 요구되는 밸브 및 이용되는 크기에 따라 스템의 형태를 선정 할 때는 아래와 같은 사항을 기본으로 하고 있다.

- 쓰레드로 만든 표면에 접촉하고 있는 이송되는 유체가 적합한지의 여부
- 노출되어 있는 스크류가 마찰을 일으키는 대기중의 먼지에 의해 손상을 일으키기 쉬운지 여부
- 밸브의 개폐여부를 볼 수 있는지 여부

마. 게이트 및 글로우브 밸브에 사용되는 스템에서 선행되어야 할 형태는 대부분의 다른 밸브들은 단순한 로터리 스템을 가지고 있다. 로터리-볼, 플러그 및 버터 플라이 밸브는 영구적인 레버 혹은 스템의 끝단에 있는 사각 보스(Square Boss)에 적용된 도구에 의해 움직일 수 있도록 로터리 스템이 설치되어 있다.

3. 보닛(Bonnet)

밸브 보닛에 부착되는 형태에는 스크류(유니온 포함), 볼트 그리고 끝부분을 잠그는(Breech lock) 3가지의 기본 형태가 있다. 스크류 보닛(Screwed Bonnet)은 밸브가 개방될 때 보통 봉(Stick)모양으로 회전한다. 비록 봉(Sticking)이 유니온 형태의 보닛 보다 문제는 없지만 스크류 보닛형의 밸브는 사람들에게 위험을 별로 노출되지 않는 운전에 대해서 가장 널리 사

용하고 있다. 유니온 보닛(Union Bonnets)은 단순한 스크류 형태 보다는 자주 분해 조립해야 할 필요가 있는 소형의 밸브용으로 널리 사용하고 있다.

볼트 형태의 보닛은 탄화수소(Hydrocarbon)에 적용되는 스크류 및 유니온 보닛 밸브를 대신하여 사용하고 있다. U-볼트 또는 클램프 형태의 보닛은 자주 세척 및 검사할 때 편의를 도모하고자 보통 압력상태에 있는 소형 게이트 밸브에 적용된다.

압력 밀봉(Pressure Seal)은 고압 밸브용으로 사용되고 있는 볼트 형태의 보닛(Bolted Bonnet)에서 변형된 것이며, 몸체에 따른 내부 금속 링 또는 가스켓을 단단하게 유지시키고 밀폐시키는데 이용된다.

4. 몸체 (Body)

밸브 몸체의 내부 제작 시 재질의 선정은 (공정화학(Process Chemical)에 적용되는 밸브에 대해서는 중요하다.) 보통 몸체(Body) 및 트림(Trim)에 대해 선정되며 간혹 몇 개의 밸브는 부식에 대하여 저항할 수 있도록 내부가 완전 도포된(Lined)몸체를 선정하기도 한다.

밸브는 플랜지, 스크류, 맞대기, 소켓용접 또는 호스용 마감 등으로 마감되는 몸체 끝단에 의해 배관, 부속품 또는 용기(Vessel)상에 연결되며 덮개를 씌운(Jacketed)밸브가 이용되기도 한다.

5. 밀봉(Seal)

대부분 스템(Stem)으로 작동되는 밸브에서는 스템(Stem)은 로터리(Rotary) 혹은 선형 운동을 하는 것과 관계없이, 패킹(Packing) 또는 밀봉(Seal)은 스템 및 보닛(혹은 몸체) 사이에 사용된다. 만약, 높은 진공, 부식성, 가연성 또는 독성 유체를 다루는 것이라면, 디스크 혹은 스템은 금속 밸로우즈 및 유연성이 있는 다이아프람에 의해 밀봉 된다. 가스켓은 볼트로 된 보닛 및 밸브 몸체 사이를 밀봉시키기 위해 사용된다.

플랜지 형의 밸브는 라인상의 플랜지를 밀봉 시킬 수 있도록 가스켓을 사용한다. 버터플라이 밸브는 탄력성이 있는 시트(Resilient Seat)를 라인 가스켓으로 제공할 수 있도록 연장시킨다. 압력 밀폐 보닛 이음은 실(Seal)을 단단하게 하기 위해 이송되는 유체의 압력을 이용한다.

6. 수동 작동기(Manual Operator)

가. 수동 레버(Handlever)

수동 레버는 소형의 버터플라이 및 로터리 형태의 볼 밸브의 스템을 작동하기 위해 사용된다. 렌치작동(Wrench Operation)은 콕(Cock) 및 소형의 플러그 밸브용으로 사용된다.

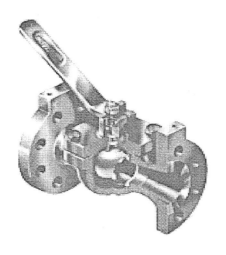

〔그림 2-2〕 소형 밸브상의 수동 레버

나. 핸드 휠(Handwheel)

핸드 휠은 게이트, 글로우브 및 다이어프람 형태와 같이 널리 알려져 있는 대부분의 소형 밸브 스템을 회전시키기 위해 일반적으로 사용되고 있는 수단이다. 게이트 및 글로우브 밸브에 대해 추가적인 작동 토크(Torque)를 줌으로써 더욱 손쉽게 작동시킬 필요가 있으며 기어로 움직일 필요가 없는 곳에서는 일반 핸드 휠 용으로 대체할 수 있는 해머 블로우(Hammerblow) 또는 충격(Impact) 핸드 휠을 사용한다.

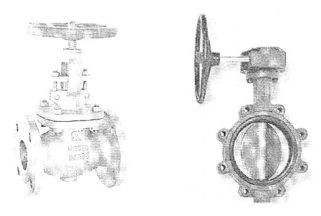

〔그림 2-3〕 해머 블로우 핸드 휠(Hammer-Blow Handwheel)

다. 체인(Chain)

체인 작동기는 핸드 휠이 미칠 수 없는 곳에 사용된다. 스템에는 체인 휠(Chainwheel) 또는 렌치(Wrench, 레버로 작동하는 밸브에 대하여)를 설치하고 체인의 루프를 작동할 수 있도록 바닥 레벨에서 3ft 이내에 있어야 한다. 규정의 핸드 휠에 부착하는 유니버셜 형태의 체인 휠(Chainwheel)은 간헐적으로 작동되는 밸브가 설치되고 있고 부착된 볼트를 풀 수 없는 부식을 일으키는 대기 중에 설치할 경우, 사고가 발생할 수 있으며 규정의 밸브 핸드 휠로 교체된 체인 휠에서는 이러한 문제가 발생하지 않는다.

라. 기어(Gear)

기어 작동기는 토크의 작동을 줄이기 위해 사용된다.

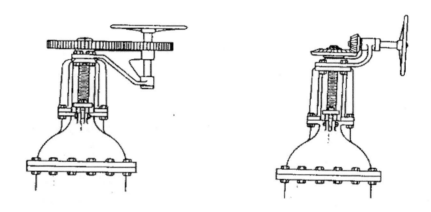

〔그림 2-4〕 톱니 모양 기어 작동기　　〔그림 2-5〕 베벨 기어 작동기(Bevel-Gear Operator)

7. 동력으로 조절되는 작동기

다음과 같은 곳에는 전기(Electric), 공기(Pneumatic) 또는 유압(Hydraulic)운전이 사용된다.
· 밸브가 주 운전 지역(Main Working Area)으로부터 떨어져 있는 곳
· 운전의 주기가 너무 많아 사람의 노력이 과다하게 필요할 경우
· 밸브를 신속하게 열고 닫아야 할 필요가 있을 경우

가. 전동기(Electric Motor)

밸브 스템은 줄임 기어(Reducing gear)를 통해서 전동기에 의해 작동된다.

나. 솔레노이드(Solenoid)

솔레노이드는 신속하게 작동되는 체크 밸브 및 On/Off밸브에 사용되고 있다.

〔그림 2-6〕 전기모터 작동기　　　　〔그림 2-7〕 공기 및 유압 밸브

다. 공기 및 유압 작동기(Pneumatic & Hydraulic Operator)

공기 및 유압 작동기는 가연성 증기가 발생할 수 있는 곳에 사용되며 다음과 같은 형상을 이룬다.

(1) 공기, 물, 연료 또는 직접적으로 스템을 작동시키는 다른 액체에 의해 구동되는 이중 작동피스톤(Double Acting Piston)으로 된 실린더(Cylinder)

(2) 기어링(Gearing)을 통해서 스템을 작동시키는 공기 전동기(Air Motor)

(3) 직접 스템을 조작하면서 동시에 어떤 한 부위의 케이싱 안에서 회전운동을 제한하는 이중 작동 날개(Double Acting Vane)

(4) 압착형(Squeeze Type) - 압착 밸브(Squeeze Valve 라는 말을 사용)

8. 비 회전 밸브용 퀵 작동기

수동으로 신속하게 작동시키기 위한 작동기는 게이트 및 글로우브 밸브에 사용되며 다음과 같이 2 개의 스템 운동을 하는 곳에 사용한다.

가. 레버에 의해 회전되는 스템
나. 스템이 레버에 의해 상하로 오르내리는 슬라이딩 스템

증기 및 공기 휘슬과 같은 것은 글로우브 밸브에 슬라이딩-스템 퀵 작동기를 부착하여 사용한 예를 보여주고 있다.

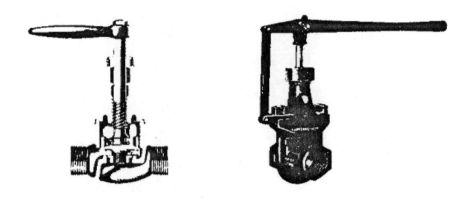

〔그림 2-8〕 밸브 상에 부착된 신속한 작동 레버(Quick-Acting Levers)
(좌:글로우브 밸브의 회전 스템, 우:게이트 밸브의 슬라이딩 스템)

제 3 절 On/Off 및 조절 밸브

특수한 용도로 사용된 밸브의 적합성 여부는 기계적인 설계뿐만 아니라 이송되는 유체와 관련하여 제작되는 재질에 의해 결정되며 선정 과정은 다음과 같다.

1. 제작의 재질(Material of Construction)
2. 디스크 형태(Disc Type)
3. 스템 형태
4. 스템을 작동시키는 수단 - 작동기
5. 보닛 형태
6. 몸체 끝단(End) - 용접, 플랜지형 등
7. 인도 시기(Delivery Time)
8. 가격(Price)
9. 까다로운 조건 (Severe Conditions)에서의 성능 보정

표 2-2, 표 2-3은 밸브를 선정하는 기준이며 각 서비스에 대해 사용되는 밸브를 보여주고 있다.

· 먼저 액체, 기체 또는 동력이 밸브로 조작되는지를 확인한다.
· 다음으로는 식료품인지 혹은 위생학적으로 다루어져야 할 약품인지, 부식성이 있는 화학 약품인지 혹은 유체가 실제적으로 중성 혹은 비 부식성인지에 대한 유체의 성질을 고려한다.
· 그 다음 단계로는 밸브의 기능을 고려한다. -단순히 열고 닫힐 수 있는 운전(On/Off) 또는 제어 혹은 주입(Dosing)을 위해 조절되어야 하는지 여부 등.

제 4 절 On/Off 운전에 적용되는 주요 밸브

산업용 배관에서 흐름상에서 On/Off 제어를 할 수 있는 가장 일반적인 것은 게이트 밸브이다. 게이트 밸브의 대부분의 형태는 조절용으로는 적합하지 못하며 시트와 디스크의 침식은 디스크)의 진동 때문에 스로틀링(Throttling) 위치에서 일어난다. 몇몇의 유체에서는 On/Off 서비스 및 확실하게 닫힐 수 있도록 하기 위하여 글로브 밸브를 사용하는 것이 바람직하다.

1. 단단한 쐐기 모양의 게이트 밸브(Solid Wedge Gate Valve)

단단한 웨지 게이트 밸브는 딱딱하거나 혹은 유연성이 있는 웨지 디스크를 가지고 있다. On/Off 서비스에 추가하여 이들 밸브는 보통 6″ 이상에서 조절용으로 사용되나 왕복 운동을 통해서 디스크를 완전히 가이드 하지 못할 경우 소리가 나게 되며(Chatter) 증기, 물, 연료, 공기 및 가스를 포함하여 대부분의 유체에 적합하다. 유연성 있는 웨지(Wedge)는 작동 토크를 최소화 할 수 있다. 유연성이 있는 웨지는 대단히 짧은 축을 지지하는 두 개의 휠(Wheel)에 비유 될 수 있다.

표 2-2 밸브 선정 가이드(Valve Selecting Guide)

이송되는 유체	유체의 성질	밸브 기능	디스크의 형태	특징
액체 (Liquid)	중성 (물, 연료, 등)	On/Off	게이트 로터리 볼 플러그 다이아프람 버터플라이 플러그 게이트	없음 없음 없음 [연료용은 천연 고무는 안 됨] 없음 없음
		조절	글로브 버터플라이 플러그 게이트 다이아프람 니들	없음 없음 없음 [연료용은 천연 고무는 안 됨] 없음(소량 흐름에만)
	부식성 (알카리, 산, 등)	On/Off	게이트 플러그 게이트 로터리 볼 플러그 다이아프람 버터플라이	반부식,(외부스크류),(벨로우즈 실) 반부식,(외부스크류) 반부식,(외부스크류),(라이닝) 반부식,(외부스크류),(윤활),(라이닝) 반부식,(외부스크류),(라이닝) 반부식,(외부스크류),(라이닝)
		조절	글로브 다이아프람 버터플라이 플러그 게이트	반부식,(외부스크류),(다이아프렘/벨로우즈실) 반부식,(라이닝) 반부식,(라이닝) 반부식,(외부스크류)
	위생설비	On/Off	버터플라이 다이아프람	특수 디스크, 투명 시트 위생 라이닝, 투명 다이아프람
		조절	버터플라이 다이아프람 스퀴즈 핀치	특수 디스크, 투명 시트 위생 라이닝, 투명 다이아프람 투명 플렉시블 튜브 투명 플렉시블 튜브
	슬러리	On/Off	로터리볼 버터플라이 다이아프람 플러그 핀치 게이트	마모 방지 라이닝 마모 방지 디스크 탄력성 시트 마모 방지 라이닝 윤활(라이닝) 없음 중심 시트 부착
		조절	버터플라이 다이아프람 스퀴즈 핀치 게이트	마모 방지 디스크 탄력성 시트 라이닝 없음 없음 단일시트, V자 모양의 디스크
	섬유질의 부유물	On/Off 및 조절	게이트 다이아프람 스퀴즈 핀치	단일시트, Knife 중앙디스크, V자 모양의 디스크 없음 없음 없음

기체 (Gas)	중성 (공기, 스팀 등)	On/Off	게이트 글로브 로터리볼 플러그 다이아프람	없음 (합성 디스크),(플러그형 디스크) 없음 없음(중기서비스용에는 부적합) 없음(중기서비스용에는 부적합)
	부식성 (산중기, 염소 등)	조절	글로브 니들 버터플라이 다이아프람 게이트	없음 없음(소량의 유량에만 적용) 없음 없음(중기서비스용에는 부적합) 단일시트
		On/Off	버터플라이 로터리 볼 다이아프람 플러그	반 부식 반 부식 반 부식 반 부식
		조절	버터플라이 글로브 니들 다이아프람	반 부식 반 부식, 외부스크류 반 부식(소량의 유량에만 적용) 반 부식
	진공	On/Off	게이트 글로우브 로터리 볼 버터플라이	벨로우즈 실 다이아프람 또는 벨로우즈 실 없음 탄력성이 있는 실
고체	마찰을 일으 키는 분말가루 (실리카 등)	On/Off 및 조절	핀치 스퀴즈 나선형 Sock	없음 (중심 시트) 없음
	윤활 작용 분말 (흑연 운모 등)	On/Off 및 조절	핀치 게이트 스퀴즈 나선형 Sock	없음 단일 시트 (중심 시트) 없음

표 2-3 밸브 선정 가이드

1) 이송되는 유체의 형태를 결정하라 - 액체, 기체, 슬러리 또는 분말(Powder) 등
2) 유체의 성질을 결정하라
· 다양한 연료, 음용수, 질소, 가스, 공기, 등과 같이 강산 또는 강 알카리성이 아닌
  실질적으로 중성
· 부식성 - 산성 또는 알카리성 화학적 반응
· 위생 - 음식, 약품, 화장품 또는 기타 산업용으로 사용되는 물질
· 슬러리 - 밸브 등에 마찰의 효과를 가져 올 수 있는 액체 속에 포함되어 있는
  고체입자의 부유물, 목재-펄프 슬러리와 같은 비 마찰 슬러리는 밸브 메커니즘을 막
  을 수 있다.
3) 작동을 결정하라
· On/Off - 완전 개방 또는 완전 폐쇄
· 조절 - 폐쇄 조정 포함 (Throttling)
4) 선정에 영향을 미치는 다른 요인을 조사하라
· 이송되는 유체의 압력 및 온도
· 작동되는 스템의 방법 - 폐쇄시간을 고려한다.
· 비용 (Cost)
· 이용도 (Availability)
　라인 상에 밸브를 용접하는 것과 같은 특수한 설치 문제. 용접 열로 인하여 때로는
밸브가 비틀어 질수 있으며 소형 밸브를 밀봉(Sealing)시키는데 영향을 미친다.

2. 이중 디스크 평행 시트 게이트 밸브
(Double Disc Parallel-Seats Gate Valve)

이 밸브는 스프레더(Spreader)에 의해 평행 시트를 향하여 마감재(Closure)를 누르고 있는 2
개의 평행한 디스크를 가지고 있으며 정상적인 온도에서 액체와 기체에 대하여 사용되나 조
절용으로는 부적합하다. 중간에 막히는 것(Jamming)을 방지하기 위하여 보통 핸드 휠을 위
로 향해 수직으로 설치한다.

3. 이중 디스크 웨지 게이트밸브
   ## (Double Disc Wedge Gate Valve)

스프레더(Spreader)를 사용하지 않고 경사진 시트에 마주하는 디스크 웨지로 이중 디스크 평형 시트 게이트 밸브에 대한 설명이 적용되고 있으나, 소형의 밸브는 증기 운전용으로 제작되었다.

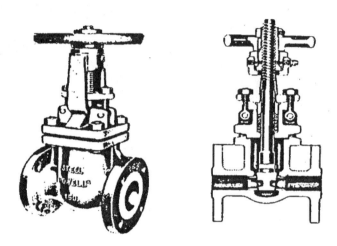

〔그림 2-9〕 웨지 게이트 밸브(Solid Wedge Gate Valve)

4. 싱글-디스크 싱글-시트 게이트 밸브 또는 슬라이드 밸브
   ## (Single-Disc Single-Seat Gate Valve or Slide Valve)

이 밸브는 제지 펄프 슬러리 및 기타 섬유질 부유물로 취급되며 저압 가스용으로 사용된다. 시트 상에 적절하게 유입되는 기능은 없으며, 완전 밀봉을 시킬 필요가 없을 경우 유량을 조절하는데 적합하다.

5. 싱글-디스크 평행-시트 게이트 밸브
   ## (Single Disc Parallel-Seats Gate Valve)

싱글 시트 슬라이드 밸브와는 달리 이 밸브는 어느 한쪽 방향에서 흐름을 차단하는데 사용된다. 스템 및 보닛 상 걸리는 응력은 웨지 게이트 밸브보다 더 낮다. 기본적으로는 액체 탄화수소 및 가스에 사용된다.

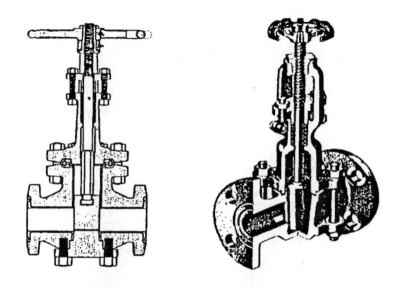

〔그림 2-10〕 싱글 디스크 평행 시트 게이트 밸브와 플러그 게이트 밸브

6. 플러그 게이트 밸브(Plug Gate Valve)

이 밸브는 상하로 움직이는 둥근 테이퍼로 된 디스크를 구성되어 있고, 조절 및 완전한 흐름을 위해 적합하며 소형크기에만 사용된다.

7. 플러그 밸브(Plug Valve)

메커니즘은 그림 2-10과 같으며 디스크는 테이퍼 및 원통형으로 되어 있다. 이 밸브의 장점은 구조가 간단하고 90도로 스템을 회전시킬 수 있다. 테이퍼로 된 플러그는 잘 막히는 경향이 있으며 높은 운전 토크가 필요하다. 이것은 마찰이 낮은 시트나 윤활유를 사용함으로써 어느 정도는 극복할 수 있다. 마찰 문제는 그것을 회전시키기 전에 시트로부터 디스크를 들어 올리거나 편심(Eccentric)설계를 함으로써 해결할 수 있다. 주로, 물, 연료, 슬러리 및 가스 등에 사용된다.

8. 라인-블라인드 밸브(Line Blind Valve)

이 밸브는 기본적으로 스펙터클 판(Spectacle Plate) 혹은 블라인드(Blind)를 가운데 삽입한 플랜지로 구성된 정 방향 폐쇄 장치이다.

제 5 절 유량 조절용 밸브
(Valves Mainly for Regulating Service)

1. 글로우브 밸브 (일직선 형 및 앵글 형)

이것은 조절용으로 가장 널리 사용되고 있는 밸브이다. 6인치 이상의 배관에 사용하는 경우, 유량을 조절하는 밸브로 보통 게이트 혹은 버터플라이 밸브에 적합하다. 스로틀링 (Throttling) 위치에 있는 시트에 마주하는 디스크 떨림을 방지하고 폐쇄(Closure)를 용이하게 하기 위해 제작자들은 밸브를 통한 유량의 흐름이 스템에서 시트 방향으로 향하는 방법을 추천하고 있다. 그러나 다음과 같은 경우에는 유량의 흐름(Flow)이 시트에서 스템의 방향으로 되어야 한다.

· 디스크를 스템으로 분리하고 밸브를 잠글 때 위험이 있을 경우
· 합성(Composition) 디스크가 사용될 경우

2. 앵글 밸브 (Angle Valve)

이 밸브는 90도 엘보우를 사용하지 않기 위해 몸체 끝단이 직각으로 제작된 글로우브 밸브의 형태이다. 그러나 배관의 각도는 밸브의 형태를 고려해야 하는 일직선(Straight) 흐름보다도 더욱 높은 응력을 발생한다.

3. 디스크 글로우브 밸브 (Regular-Disc Globe Valve)

이 밸브는 디스크 및 시트가 좁은 접촉면을 가지고 있어서 폐쇄 조절용으로는 적합하지 않다.

4. 플러그 형 디스크 글로우브 밸브 (Plug-type Disc Globe Valve)

보일러 급수 및 블로우 다운(Blow-down) 운전과 같은 모래 자갈이 포함된 액체를 조절해야 할 필요가 있는 운전용으로 사용된다. 일반적인 시트(Seat)로 된 밸브 보다는 폐쇄 조절상태에서 마모가 적다.

5. Y자형 몸체 글로우브 밸브 (Y-Body Globe Valve)

이 밸브는 라인상의(In-line) 포트(Port)와 스템이 약 45도로 형성되어 있다. 그래서 Y자라 부르고 있다. 부드러운 흐름 패턴 때문에 침식이 있는 유체에 적합하다.

6. 합성 디스크 글로우브 밸브(Composition Disc Globe Valve)

이 밸브는 거칠게 조절해야 할 필요가 있고 확실하게 닫을 필요가 있는 곳에 적합하다. 교체할 수 있는 합성-디스크 제작은 수도 꼭지(Faucet)와 거의 유사하다. 그릿(Grit)은 시트 손상을 막기 위해 부드러운 디스크에 파 묻혀 있으며 이는 폐쇄를 확실하게 하기 위함이다. 그리고 조절하여 밸브를 폐쇄시키는 것은 급속하게 시트를 손상시키는 결과를 초래하게 된다.

7. 니들 밸브 (Needle Valve)

니들 밸브는 유체의 양을 조절하고 액체와 기체에 사용되는 소형 밸브이다. 저항은 비교적 큰 시트에 의해 간단하게 조절될 수 있으며 스템의 나사에 홈을 깎아서(Threading) 조절한다.

8. 압착 밸브 (Squeeze Valve)

이 밸브는 유체의 흐름이 복잡한 액체, 슬러리 및 가루 분말 등의 흐름을 조절하는데 적합하다. 또한 이 밸브는 중앙 부위에 핵심(시트) 밸브의 형태를 변형한 것을 사용하여 완전히 닫지 못할 경우, 최대 조절될 수 있는 범위는 약 80% 정도이다.

9. 핀치 밸브 (Pinch valve)

이 밸브도 위와 마찬가지로 유체의 흐름이 까다로운 액체, 슬러리 및 가루 분말의 흐름을 조절하는데 적합하다. 특수하게 설계 되지 않는 경우, 완전 폐쇄는 가능하지만 유연성 있는 튜브가 급속하게 마모되는 경향이 있다.

제 6 절 조절 및 On/Off 서비스용 밸브
(Valves for Both Regulating & On/Off Service)

1. 로터리 볼 밸브 (Rotary Ball Valve)

이 밸브는 운전 토크가 낮고, 큰 배관에 적합하고 복잡하지 않으며 90도 스템 회전 운동을 하며, 마모된 부위를 조립된 상태에서 교체할 수 있다는 장점을 가지고 있다. 유체가 밸브 몸체 내에서 흐르지 못하고 고여 있게 되는 단점과 마모를 줄이기 위해서 시트 뒷면의 재질은 탄력이 있는 단점이 있다. 후자의 문제는 볼이 약간 떨어져 있어서 편심(Eccentric Version)이 있는 단일 시트를 사용함으로서 해결할 수 있다. 주로 물, 연료, 슬러리, 기체 및 진공용으로 사용되고 있다.

2. 버터플라이 밸브 (Butterfly Valve)

이 밸브는 스템이 회전 운동하고(90도 이하) 복잡하지 않으며 포켓팅(Pocketing) 현상이 발생하지 않는 장점이 있고 모든 크기의 배관에 사용된다. 또한, 가스, 액체, 슬러리, 가루 분말 및 진공용으로 사용되고 있다. 이러한 보통의 탄력성이 있는 플라스틱 시트는 온도 제한치를 가지고 있으나 고온에서 완전한 폐쇄는 디스크 주위의 금속 링 실을 개조하여 이용할 수 있다. 만약 밸브가 플랜지 형태라고 하면 어떠한 형태의 플랜지 사이에서도 이를 지탱할 수 있다. 슬립온 및 스크류 플랜지는 또한 라인 가스켓을 제공하여 연장시킨 탄력성이 있는 시트에서는 몇 개의 웨이퍼로 된 형태로 적절한 실(Seal)을 만들지 않는다.

제 7 절 역류 체크용 밸브 (Valves for Checking Backflow)

이러한 부류의 모든 밸브는 한 방향으로 액체 또는 가스가 흐르고 흐름이 역류한다면 닫힐 수 있도록 설계해야 한다.

1. 스윙 체크 밸브 (Swing Check valve)

일반적인 스윙 체크 밸브는 디스크가 심하게 닳거나 흐름이 역류가 빈번하게 발생하는 곳에는 적합하지 않다. 모래 액체용에 사용할 때에는 복합 디스크(Composition disc)는 시트의 손상을 줄이는 것이 바람직하다. 이는 위로 흐름 방향 일 때는 수직형 혹은 수평형으로 부착해도 된다. 수직으로 부착된 밸브는 흐름 속도가 느리게 변경될 경우 열려 있는 상태로 남아 있는 경향이 있다. 선택적인 레버 및 외부 중량은 폐쇄를 도와주거나 혹은 부분적으로 디스크를 평행하게 유지시키며 압력이 낮은 유체에 의해 열 수 있도록 되어 있다.

2. 경사진 디스크 밸브 (Tilting-Disc Valve)

역류가 빈번하게 발생할 수 있는 곳에 적합하다. 밸브는 신속하게 더 양호하게 닫힐 수 있으며 유사한 스윙 체크 밸브 보다도 쾅 하는 소리 (Slamming)가 적게 난다. 이는 비교할 수 있는 스윙 체크 밸브에 비하여 큰 흐름 속도에서는 더 많은 압력차를 작은 속도에서는 더 낮은 압력차를 가지고 있다. 아래에서 위로 흐를 때는 수직 혹은 수평으로 설치해도 무관하다. 디스크의 운동은 통합된 제동 장치 (Dashpot) 또는 완충기(Snubber)에 의해 제어 될 수 있다.

3. 리프트 체크 밸브 (Lift Check Valve)

이 밸브는 피스톤 체크 밸브와 유사하다. 디스크는 가이드 되나 제동장치(Dashpot)의 특색은 없다. 스프링이 누르고 있는 형태는 어떤 방향에서도 작동될 수는 있으나 다시 튀지 않는(Unsprung) 밸브는 디스크가 중력에 의해 닫힐 수 있도록 배열해야 한다. 복합 디스크 밸브가 모래가 섞인 유체에 이용될 수 있다.

4. 피스톤 체크 밸브 (Piston Check Valve)

이들 밸브는 통합된 제동 장치 때문에 맥동치는 흐름에 훨씬 덜 지배를 받고 있기 때문에 흐름의 방향이 자주 변경하는 곳에 적합하다. 스프링이 누르고 있는 형태는 어떤 방향에서도 작동될 수 있다. 다시 튀지 않는 밸브는 중력(Gravity)에 의해 닫힐 수 있도록 방향을 가리켜야 한다. 이는 모래 액체용으로는 적합하지 않다.

5. 정지 체크 밸브 (Stop Check valve)

사용상의 주요한 예로는 밸브를 각 보일러 및 주 스팀 헤더 사이가 들어가 있는 여러 개의 보일러에 의한 스팀 발생 장치에 사용되고 있다. 기본적으로 체크 밸브는 선택적으로 자동 혹은 수동으로 닫힐 수 있도록 되어 있다.

6. 볼 체크 밸브 (Ball Check Valve)

볼 체크 밸브는 대부분의 계통에 적합하다. 이 밸브는 점착성 혹은 고무성(Gummy) 퇴적물이 형성되는 것을 포함하여 기체, 증기 및 액체를 조작할 수 있다. 중력 및 역압(Backpressure)에 의한 볼 시트는 접촉하고 있는 표면을 깨끗하게 유지할 수 있도록 닳는(Wear) 것을 골고루 분배시켜 주고 도와줄 수 있도록 자유롭게 회전한다.

7. 웨이퍼 체크 밸브 (Wafer Check Valve)

이 밸브는 플랜지 사이에 설치된 링 모양을 하고 있는 몸체에 있는 중앙부 양쪽에 경첩이나 있는 두 개의 반원형 문에 의해 닫히는 효과가 있다. 이는 간단하고(Compact) 비교적 저비용으로 인하여 오염되지 않는(Non-fouling) 액체에 대하여 빈번하게 사용되고 있다. 싱글 디스크 형태가 또한 이용되고 있다.

8. 풋 밸브 (Foot Valve)

이는 잠수 펌프 (Sump pump)의 흡입 측에 수두 (Head of water)를 유지시키기 위해 주로 사용하고 있다. 밸브는 기본적으로 스트레이너가 부착된 리프트 체크 밸브이다.

제 8 절 흐름을 개폐시킬 수 있는 밸브 (Valves for Switching flow)

1. 다중 포트 밸브 (Multi-port valve)

이는 주로 유압 및 공기 조절 회로에 사용되고 있으며 때로는 공정용 배관에 직접 사용되고 있다. 이들 밸브는 흐름을 개폐할 수 있도록 배열된 한 개 이상의 출입구를 가지고 있는 로터리 볼 또는 플러그 형태의 디스크를 가지고 있다.

2. 전환되는 밸브 (Diverting Valve)

2가지 형태의 전환되는(Diverting) 밸브가 제작되어져 있다. 2개 모두는 2개의 출구 중에 하나로 들어가는 배관 라인으로부터 흐름을 개폐한다. 하나의 형태는 2개의 출구 중에서 하나를 닫을 수 있는 교차점에 경첩이 된 디스크가 Y자 모양을 하고 있으며 이는 가루 분말 (Powder) 및 다른 고체를 조작하기 위해 사용되고 있다. 두 번째 형태는 액체만을 조작할 수 있으며 움직이는 부분이 없다. 흐름은 2개의 공기 제어 라인에 의해 개폐되어 6인치 배관에 이용하고 있다.

제 9 절 토출용 밸브 (Valves for Discharging)

이들 밸브들은 배관 계통 내부에서 대기(Atmosphere), 배수(Drain) 혹은 낮은 압력 상태에서 다른 배관 계통 또는 용기(Vessel)로 내부의 유체를 제거하기 위해서 사용되고 있다. 운전은 보통 자동(Automatic)으로 된다. 릴리프 및 안전 밸브, 스팀 트랩 및 파열판 (Rupture disc)이 이 부분에 속한다. 압력 감쇠 밸브 (Pressure Relieving valve)는 보통 스프링이 내재 (Loaded) 되어 있으며 그러한 밸브들은 레버 및 중량을 쉽게 사람에 의해 작동할 수 없도록 되어 있다. 첫 번째 3개의 밸브는 계통 압력에 의해 작동되어지며 보통 수직, 직립한 위치에서 보호가 될 수 있도록 배관 또는 용기 상에 직접 부착한다. 외부 리프팅 장치(수동레버, 등)에 대한 요구사항을 포함하여 이들 밸브 적용에 대해서는 적용되는 코드(Code)를 참조하라.

1. 안전 밸브 (Safety valve)

안전밸브는 공기 및 다른 기체에 대하여 신속하게 개방(분출 작용) 할 수 있는 완전 흐름 밸브(Full-flow valve)에 사용되고 있다.

2. 릴리프 밸브 (Relief Valve)

완전하게 유량을 배출시킬 필요가 없는 액체 및 다른 상태에서 과도한 압력을 경감시키고, 액체를 소량으로 방출함으로서 급속하게 압력을 낮게 할 필요가 있을 때 사용된다.

3. 안전 릴리프 밸브 (Safety Relief Valve)

액체가 들어 있는 용기에서 화학 작용에 의해 급격히 그리고 제어되지 않는 열 때문에 갑작스럽게 증기 상태로 변하는 기체 혹은 액체의 과도한 압력을 경감시킬 필요가 있을 경우에 사용된다.

4. 볼 플로트 밸브 (Ball Float Valve)

이들 자동 밸브들은 다음 용도로 사용된다.

가. 공기 계통으로부터 물을 제거하기 위한 공기 트랩(Air Trap)으로 액체 계통으로부터 공기를 제거하고 진공 차단기(Vacuum Breaker) 또는 호흡기 밸브(Breather valve)로서 작용한다.

나. 탱크에서 액체의 수위를 조절하고자 할 경우에 사용된다.

다. 그들은 응축수(Condensate)를 제거할 목적으로 사용하지는 않는다.

5. 분출 밸브 (Blowoff valve)

보일러 코드의 요구사항과 일치하는 여러 글로브 밸브 및 특히 보일러 분출 운전용으로 설계되며, 때로는 블로 다운 서비스(Blowdown service)에 적합하다. 보통 Y자(Wye pattern) 모양과 앵글 형이 사용되며, 보일러 등으로부터 공기 및 다른 기체를 제거하기 위해 사용되며 수동으로 작동된다. 플러쉬 하부탱크 밸브(Flush-Bottom Tank valve) 보통은 글로브 형태이며 Pocketing을 최소로 하고, 일차적으로 탱크의 하부 지점에서 액체를 편리하게 토출하기 위해서 설계된다.

6. 파열판 (Rupture Disc)

계통으로부터 과도한 압력이 걸렸을 때 터질 수 있도록 설계된 안전장치이며, 급속히 가스 또는 액체를 토출토록 되어 있다. 보통은 플랜지 사이에 끼워 넣으며 교체할 수 있는 금속판 디스크의 형태로 만들어 진다. 디스크는 흑연 혹은 낮은 압력 상태에서 터질 경우에는 플라스틱 막으로 만들어진다.

제 10 절 제어용 밸브 및 압력 조절기
(Control valve & Pressure Regulators)

1. 제어용 밸브 (Control valves)

제어용 밸브(Control valve)는 자동으로 압력 및 유량을 조절하기 위해 사용되며, 어떠한 압력에서도 이용되고 있다. 만약, 플랜트에서 서로 상이한 계통 압력이 존재할 경우에 때로는 모든 선택된 제어용 밸브는 서로 교환할 수 있도록 하기 위해서 300PSI의 등급(Rating)을 가지고 있어야 한다. 그러나 계통의 압력이 150PSI를 초과하지 않을 경우에는 불필요하다. 보통, 글로브 형태의 밸브가 제어용으로 사용되며 이들의 끝단은 유지 보수를 쉽게 하기 위해 플랜지 형태로 제작된다. 디스크는 유압, 공기, 전기 또는 기계적인 작동기에 의해 움직일 수 있다.

2. 압력 조정기 (Pressure Regulator)

글로브 형태의 제어 밸브는 액체 또는 기체(스팀 또는 증기 포함)의 하류 압력(Downstream pressure)을 요구된 값 (설정 압력)으로 낮추기 위해 조절된다.

3. 배압 조정기 (Back Pressure Regulator)

제어용 밸브는 계통에서 상류(Upstream) 압력을 유지하는데 사용된다.

제 11 절 밸브의 육안검사

1. 밸브의 사용 환경

밸브의 사용 환경은 어떤 부분을 어떤 주기로 어떻게 검사해야 하느냐에 많은 영향을 준다. 밸브가 한 작동위치에 장시간 그대로 있으면 다음 사항들을 점검하여야 한다.

- 만족스런 작동 여부
- 사양서에 따른 작동 토크
- 사양서에 따른 작동 속도

만약 밸브가 적절히 작동하지 않으면 아래 사항들을 점검한다.

- 스템 나사산과 너트에 윤활이 적절하게 되는지 여부
- 패킹 압력의 적정여부

- 내부 부품의 상태
- 모터 작동 전압 적정 여부
- 작동 공기압 또는 수압

2. 밸브의 누설

가. 패킹 부위 누설

밸브의 패킹 부위 누설을 검사할 때는 세심한 주의를 하여 관찰해야 한다. 게이트 밸브는 스템의 백시트(Back seat)에 대해 완전히 열어서는 안 된다. 왜냐하면 완전히 열었을 경우 "Stuffing box"를 라인 압력과 분리시킬 수 있기 때문이다. 글로브 밸브 상류 쪽에 정상적으로 설치될 경우에는 "Stuffing box"가 새는지를 점검할 때 부분적으로 개방하여야 한다. 그렇지 않을 경우 "Stuffing box"가 하류 압력만을 받기 때문이다.

나. 밸브의 내부 누설

허용되는 한 밸브의 내부 누설검사는 주기적으로 시행하여야 한다. 격리밸브의 과도한 누설은 다음 사항으로 쉽게 알 수 있다.
- 작동하지 않는 펌프가 반대방향으로 작동
- 배수 저장고가 계속 가득 참
- 배수라인에 유체가 계속 흐름
- 계통 격리 부분에 압력이 올라감

밸브의 종류에 따른 누설 검사 시는 다음 사항에 유의하여야 한다.

(1) 스윙체크 밸브, 리프트 체크 밸브

스윙체크 밸브의 실링 압력은 유체의 역류 압력차에 비례하므로 정해진 압력 차에서 누설량을 결정해야 한다. 낮은 압력, 비정상 유체 유동 하에 작동되는 밸브는 마모와 손상을 입기 쉽다.

(2) 게이트 밸브

게이트 밸브가 통상 개방되어 있으므로, 하류쪽 보디 시트의 부식 때문에 누설이 발생된다. 게이트 밸브가 잠김 상태로 있는 시간이 더 많을 경우 미세한 누설을 바로 잡지 않을 경우 부식이 촉진되어 누설이 많아질 수 있다.

(3) 콘트롤 밸브

게이트 밸브와 거의 마찬가지며, 캐비테이션 손상을 일으키기도 한다. 캐비테이션은 보통 많은 잡음을 수반한다.

(4) 볼 밸브

볼 밸브가 오랫동안 부분 개방 상태 하에서 사용되면 볼의 실링 부위에 누설이 발생된다. 또한 상류 쪽의 개방된 볼 주위 및 하류 쪽의 보디에 부식 및 캐비테이션 손상을 일으킨다.

(5) 다이아프람 밸브

다이아프람 밸브는 주로 다이아프람의 노후 및 손상이 자주 발생되며, 일부 또는 거의 잠겨진 상태에서 사용되는 밸브의 경우에는 보디의 파티션 부분이 부식과 캐비테이션 손상을 입는다.

3. 밸브 종류별 주요 결함 부위

가. 밸브의 사용 중 검사

사용했던 밸브를 검사할 경우에 맨 처음 다음 기록들을 검토하여야 한다.
· 사용 전 검사 기록
· 보수 유지 기록
· 이전 검사 기록

두 번째는 승인된 검사 절차서에 따라 검사 (분해 등 포함)를 수행하여야 한다.

나. 밸브의 주요 결함 부위

(1) 게이트 밸브

· 웨지-보디 시팅 표면의 물리적 손상, 즉 균열, 스크레치, 점식, 자국 등을 검사한다.
· 접촉면을 관찰하여 틈새, 마모, 부식, 어긋남 등을 검사한다.
· 내부 보디 면을 관찰하여 부식, 마모 등을 검사한다.
· 스템-웨지 연결부위의 마모, 부식을 검사한다.
· 스템 및 너트의 나사산을 검사한다.

(2) 글로브 밸브

· 디스크-보디 시팅 면의 물리적 손상을 검사 한다.(균열, 스크레치, ...)
· 접촉면의 마모, 틈새 등을 검사한다.
· 보디 내부표면의 부식, 마모 등을 검사한다.
· 스템-디스크 연결부위 간격을 검사한다.
· 스템 및 스타핑 박스의 부식을 검사한다.

(3) 리프트 체크 밸브

· 글로브 밸브와 동일

(4) 스윙 체크 밸브

· 디스-보디 실링면의 물리적 손상 검사
· 시트 링 부위 누설 검사
· 디스크 설치 점검
· 힌지 핀, 힌지 및 디스크의 마모, 간격, 어긋남 검사

(5) 볼 및 플러그 밸브

· 시팅 면의 물리적 손상검사, 특히 수평 중심선 일치여부
· 스타핑 박스-스템 베어링 면의 부식, 마모 검사
· 플러그 교체 시 간격 점검
· 볼 또는 플러그의 보디와의 어긋남 여부 검사

(6) 버터플라이 밸브

· 시팅 면의 물리적 손상검사 특히 수평중심선
· 씰링의 손상
· 실-디스크의 어긋남 여부
· 베어아링 면 및 스톱 부위의 마모 검사

(7) 다이아프람 밸브

· 실링 파티션 면의 부식, 침식, 손상여부 검사
· 다이아프람의 노후화, 손상 검사
· 스타핑 박스의 부식 검사

(8) 콘트롤 밸브

제작자의 지침에 따라 검사함

【 제12절 연습문제 】

1. 다음 표는 기능에 따라 밸브를 구분하기 위한 기본적인 사항을 보여주고 있다. ( )안을 채워서 서술하시오.

밸브의 작동	설명
( )	흐름 정지 및 가동
조절(Regulating)	( )
체크(Checking)	한쪽 방향만으로 흐름 허용
개폐(Switching)	다른 방향을 따라 흐름 개폐
( )	계통으로부터 토출되는 유체

2. 플랜트와 같은 산업 설비에는 동력(전기, 유압, 공압)으로 조절되는 밸브가 사용되는 경우가 있다. 다음 중 적절치 않은 장소는?

    A. 밸브가 주 운전 지역(Main Working Area)으로부터 떨어져 있는 곳

    B. 운전의 주기가 너무 많아 사람의 노력이 과다하게 필요할 경우

    C. 밸브의 신속하게 열고 닫혀야 할 필요가 있을 경우

    D. 모두 정답

3. 다음 중 역류 체크용 밸브로 보기 어려운 밸브는?

    A. 스윙 체크 밸브 (Swing Check valve)

    B. 경사진 디스크 밸브 (Tilting-Disc Valve)

    C. 풋 밸브 (Foot Valve)

    D. 피스톤 체크 밸브 (Piston Check Valve)

4. 다음 밸브에서 주요 결함 부위들을 서술하여 쓰시오.

    (1) 게이트 밸브

    (2) 글로우브 밸브

    (3) 리프트 체크 밸브

    (4) 스윙 체크 밸브

    (5) 버터플라이 밸브

    (6) 볼 및 플러그 밸브

    (7) 콘트롤 밸브

제 3 장 펌프 육안검사

제 1 절 펌프관련 기본 용어

펌프에 관련된 용어들은 다음과 같다.

(1) 총 양정(Total head) ; 펌프에 의해 액체에 가해져야 할 에너지 또는 일의 총량. m 또는 feet로 나타냄. 총양정은 총 배출 양정과 흡입양정의 차이이다.

(2) 유 량(Capacity) ; 단위시간당 배출할 수 있는 액체의 체적. 갤런/min, $m^3/\min$ 등의 단위로 나타낸다.

(3) 제동동력 (Brake horse power) ; 펌프 샤프트를 구동하는데 필요한 마력 또는 펌프를 구동하는데 요하는 에너지. 제동동력은 유량에 따라 달라진다.

(4) 유효흡입수두 (Net positive suction head; NPSH) ; 물을 임펠러에 밀어 넣는데 필요한 총에너지(단위 : 양정과 동일). 실제 계통에서는 캐비테이션이 발생하기 때문에 펌프가 필요한 NPSH 보다 더 높은 NPSH가 요구된다.

(5) 정적양정(수두) ; 흡입과 배출 레벨의 수직 양정 차, 물이 대기로 배출될 때의 높이와 흡입 시의 물의 높이 차가 정적 양정(static head)이 된다.

(6) 서브머젼스(Submergence) ; 흡입 레벨에서 흡입 물 레벨까지의 수직거리. 이 값은 2가지 이유 때문에 매우 중요하다. 첫 번째, 실 NPSH를 계산하는데 이 값이 필요하며, 두 번째, 소용돌이가 흡입 레벨을 들어가지 못하도록 적절한 서브머젼스가 필요하기 때문이다.

(7) 수위(Water level) ; 수위는 가능한 NPSH 양을 결정하는데 매우 중요하다. 보통 고수위(High water level), 설계 수위 (Design water level), 저 수위 (Low water level) 3가지로 구분한다. 고 수위는 펌프가 작동하는 최대 수위이며 설계수준은 설계기준으로써 펌프가 주로 이 수위에 운전된다. 저 수위는 펌프가 작동하는 최저 수준을 말한다.

(8) 반경류 (Radial flow) ; 압력을 원심력의 작용에 의해 생성시키는 펌프가 Radial flow pump 이다. 유체가 임펠러로 들어와서 원주 방사상으로 흐른다. 이런 형태의 펌프는 보일러 급수 펌프와 같이 높은 수두를 요하는데 사용된다.

(9) 축류 (Axial flow) ; 축류펌프는 프로펠러 펌프라고 불리기도 하는데, 수두의 대부분이 날개의 상승력에 의해 발생된다. 유체가 임펠러를 샤프트에 축 방향 또는 평행하게 들어와서 배출된다. 이런 유형의 펌프는 주로 저 수두용으로 사용된다.

(10) 혼합 유동 ; 위에서 설명한 반경류(radial flow)와 축류(axial flow)가 혼합된 형태로, 유체가 임펠러를 축 방향으로 들어와서 샤프트의 축과 원심방향 중간 각을 가지고 배출된다. 이 유형의 펌프는 순환펌프와 같이 중간 수두용으로 사용된다.

(11) 원심펌프 ; 회전하는 임펠러를 가진 펌프는 모두 원심 펌프이다.

(12) 단펌프 ; 한 개의 임펠러로 총 수두를 발생시키는 펌프

(13) 다단펌프 ; 2 개 이상의 임펠러로 총 수두를 발생시키는 펌프

(14) 반경류형 ; 케이징이 나선형으로 만들어진 펌프

(15) 단단흡입펌프 ; 임펠러의 한쪽으로만 유체가 흡입되도록 된 펌프. 임펠러는 1 개 이상일수도 있다.

(16) 양단흡입펌프 ; 임펠러의 양쪽에서 유체가 흡입되도록 1개 이상의 임펠러를 갖춘 펌프

제 2 절 펌프의 종류

펌프는 다음과 같이 다양한 종류가 있다. 즉 원심펌프, 로타리펌프, 왕복펌프, 터빈펌프, 단단 펌프(순환펌프), 다단펌프(응축 및 보일러 급수펌프) 등이다. 그 중에서 몇 가지만 간단히 언급한다.

1. 원심펌프 (Centrifugal pump)

1개 또는 1개 이상의 임펠러가 회전운동을 함으로써 압력과 수두를 발생시키고 따라서 유체의 이동을 일으킨다. 유체의 속도 또는 에너지는 임펠러 팁의 속도와 임펠러 배출구의 베인 각도에 좌우된다. 즉 임펠러는 펌프의 심장부에 해당된다.

2. 응축계통 펌프

응축계통 펌프도 원심펌프이며, 축을 기준하여 수평 또는 수직이다. 응축펌프의 특징은 NPSH가 대단히 낮으며, 1단 또는 다단으로 되어있다. 임펠러는 혼합유동형이다.

3. 순환펌프

순환펌프에는 3가지 형태가 있다.

· Double suction split case dry pit

- Vertical dry pit volute
- Vertical wet pit column

가. 양단흡입 분할형 펌프 (Double suction split case pump)

- 이중 흡입 임펠러가 주어진 펌프속도에서 NPSH를 감소시킴.
- 임펠러가 두 베어링 사이에 끼워짐
- Split case가 보수 유지가 쉽게 되어있다.

나. Vertical dry pit volute pump

- 1개의 흡입 임펠러로 되어있다.
- 수두에 따라 임펠러는 나선유동 또는 혼합유동을 나타낸다.

다. Vertical wet pit pump

- 사용 수두 범위가 광범위하다.
- 임펠러가 항상 유체에 잠긴다.
- 축류 또는 혼합유동이다.
- 통상 디퓨져 펌프라고 불린다.

제 3 절 펌프 결함 발생 요인

1. 수격 작용 (Water Hammer)

수격 작용은 유체의 유동변화에 기인하여 모든 펌프의 작동 시에 발생될 수 있다. 수격 결과로 밸브, 배관, 펌프 등이 파손될 수 있으며, 용량이 큰 계통에 유체를 채우거나 빼낼 (순환펌프)때 주로 문제가 된다.

2. 진동

진동, 특히 과도한 진동이 재료의 피로한도를 넘을 경우에는 파손을 일으킬 수 있으며 따라서 진동정도를 펌프 운전 시 주의깊게 감시하여야 한다. 과도한 진동의 주요 원인은 다음과 같다.

- 회전부품의 균형
- 헐거운 부품 또는 파손부품
- 어긋남 (Misalignment)

3. 펌프 노이즈

펌프 노이즈 그 자체는 크게 문제되지 않으나 노이즈로 부터 여러 가지 징후를 알 수 있다.

- 설계 관점을 벗어난 운전
- 흡입유동의 이상
- 캐비테이션

4. 부식 및 침식

펌프는 유체와 가까이 하기 때문에 부식 침식이 항상 문제가 된다. 부식 금속을 육안으로 관찰하였을 때 나타나는 양상에 따라 다음과 같이 분류할 수 있다.

- 균일부식
- 침식부식
- 응력부식
- 크레비스 부식
- 갈바닉 부식
- 점식
- 입계부식
- 선택적 여과부식

(1) 균일부식 - 부식정도가 균일하게 된 것.
(2) 응력부식 - 부품이 다축 인장 응력을 받을 때 응력부식이 발생한 응력부식 피로균열은 부품의 되풀이 피로하중에 의해 발생한다.
(3) 갈바닉 부식 - 갈바닉 부식은 부식분위기에서 이종 금속의 접촉 또는 전기적으로 연결된 경우 발생
(4) 입계부식 - 금속의 입계 또는 입계주위에서 부식이 일어나는 것으로 오스테 나이트계 스테인레스에서 잘 발생함. 사용온도가 예민화를 잘 일으키는 800°F ~ 1600°F 영역에서

사용되는 강에서 일어남.

(5) 침식부식 - 기계적 마모와 부식이 함께 복합되어 발생되며 유체속의 고체 또는 유체의 높은 유속 때문에 일어날 수도 있다.

(6) 크레비스 부식 - 나사산, 가스켓, 플랜지, 구멍, 볼트머리등에 유체가 고여 있는 부위에 크레비스 부식이 일어난다. 크레비스 부식의 결과는 갈바닉 부식과 비슷하다.

(7) 점식 - 국부 부식으로 최종적으로는 관통구멍이 발생된다. 높은 산성 분위기 때문에 보통 화학적 부식을 일으키며 액체 속에 염화물이 점식을 일으키는 요인이 된다.

(8) 선택적 여과부식 - 부식제 속에서 금속의 특정한 합금 원소가 제거되는 부식과정을 말한다.

(9) 온도 - 온도는 문제점 발생의 징후가 될 수 있으며 특히 베어링이 그렇다. 윤활이 잘되지 않거나 윤활유가 부족할 경우 베어링 온도를 상승시킨다. 베어링 온도가 높을 경우 불시정지의 요인이 되며 패킹 박스의 온도를 검사하는 것이 매우 중요하다.

(10) 캐비테이션

캐비테이션 과정은 가스 또는 가스-증기를 함유한 물방울이 터지는 과정으로 이때 방출되는 에너지에 의해 금속이 심하게 침식된다. 캐비테이션으로 인해 여러 가지 나쁜 결과를 낳는다.
· 잡음 및 진동
· 양정감소 및 효율저하
· 임펠러 깃의 점식

제 4 절 펌프의 분해

1. 응축 및 보일러 급수 펌프

가. 임펠러

(1) 침식 및 캐비테이션 손상을 검사한다.
(2) 깃(Vane) 입구가 매끄럽고 둥글어야 한다.
(3) 모든 임펠러는 100 퍼센트 액체 침투 탐상을 한다.
(4) 균열이 발견되면 수리하든지 교체한다.

나. 디퓨저

임펠러와 동일하게 검사한다.

다. 슬리브 및 링

(1) 치수 검사 수행

(2) 마모 육안 검사

라. 샤프트

(1) 직진도 검사

(2) 액체에 노출되는 립 및 릴리프 (Relief)의 침식 검사

(3) 샤프트 베어링 저널에 대해 표면검사수행

(4) T.I.R (Total Indicator Reading) 또는 런아웃(Runout)

   1) 부품의 회전 시 완전한 상태에서 벗어난 정도

   2) 직진도, 진원도, 편평도, 평행도를 점검

   3) 값을 취할 때는 다이알 인디케이터 사용

   4) 베어링 표면, 링 표면, 슬리브표면을 점검

(5) 사용했던 샤프트의 상태를 검토할 때 기계가공중심(Machining center)에 샤프트를 설치해서는 안 된다.

(6) 샤프트를 V-block으로 지지하여야 한다.

마. 베어링 또는 바빗 슈즈 (Babbited shoes)

(1) 표면의 마모, 균열여부 검사

(2) 바빗 재료는 무르고 액체 입자에 쉽게 자국이 남.

(3) 액체침투 탐상으로 바빗에 대해 라미네이션, 세퍼레이션을 검사한다.

바. 케이징

(1) 침식여부 검사

(2) 점식, 마모여부 검사

(3) 접합 연결부의 침식, 실링여부 검사

사. 베어링

(1) 슬리브 베어링에 대해 점식, 표면, 자국, 크기 등을 검사한다.

(2) 갭 게이지(Gap gages)를 이용 틈새를 측정 설계 값과 비교한다.

(3) 롤 베어링, 무 마모 볼의 표면 상태 검사

2. 순환펌프

가. 청결한 물을 이용하여 라버 베어링을 청소한다.

나. 검사 및 조립 전에 표면 불순물을 제거한다.

다. 임펠러의 침식, 균열 여부를 검사한다.

라. 입구, 출구 깃(Vane) 부위를 주의 깊게 검사한다.

마. 디퓨저에 대해 임펠러와 동일하게 검사한다.

바. 부식 침식 부위를 수리하거나 매끄럽게 연마한다.

사. 샤프트 슬리버에 대해 긁힌 자국을 검사한다.

아. 베어링은 마모, 손상을 검사하고, 라버, 바빗 재료는 백킹 본드여부를 검사한다.

자. 스타핑 박스(Stuffing box)는 패킹을 제거하여 샤프트의 긁힌 자국을 검사한다.

차. Wearing ring에 대해 틈새를 점검하고 침식 마모를 검사한다.

카. 케이싱 또는 칼럼 부위는 침식, 도장 손상, 점식, 마모, 접합 연결부위의 침식을 점검한다.

타. 샤프트는 TIR 또는 런아웃(Runout)을 점검하고 부식 여부를 검사한다.

【 제5절 연습문제 】

1. 펌프는 유체와 가까이 하기 때문에 부식 침식이 항상 문제가 된다. 부식 금속을 육안으로 관찰하였을 때 나타나는 양상은?
   A. 침식부식   B. 응력부식
   C. 크레비스 부식   D. 갈바닉 부식   E. 모두 정답

2. 부품이 다축 인장 응력을 받을 때 발생하는 피로균열로써 부품의 되풀이 피로하중에 의해 영향을 받는 것은?
   A. 침식부식   B. 응력부식
   C. 크레비스 부식   D. 갈바닉 부식   E. 모두 정답

3. 부식분위기에서 이종 금속의 접촉 또는 전기적으로 연결된 경우 발생하는 부식은?
   A. 침식부식   B. 응력부식
   C. 크레비스 부식   D. 갈바닉 부식   E. 모두 정답

4. 나사산, 가스켓, 플랜지, 구멍, 볼트머리등에 유체가 고여 있는 부위에 생기는 부식은?
   A. 침식부식   B. 응력부식
   C. 크레비스 부식   D. 갈바닉 부식   E. 모두 정답

5. 가스 또는 가스-증기를 함유한 물방울이 터지는 과정으로 이때 방출되는 에너지에 의해 금속이 심하게 침식되는 현상은?
   A. 캐비테이션   B. 수격현상
   C. 진 동   D. 터 짐

제 4 장 육안검사 절차서 작성

비파괴검사 절차서의 목적은 해당 규격, 표준 및 사양서에 따라 비파괴검사를 수행하는데 필요한 서면 지침서 및 요구사항을 기술하는 데 있다. 육안검사 절차서는 검사대상 항목, 적용되는 규격에 따라 다르지만 기본적으로 갖추어야 할 사항은 비슷하다. 본 장에서는 일반 산업 현장의 육안검사에 적용될 절차서 작성을 예로 들어 설명함으로써 비파괴검사 절차서 작성에 관한 이해를 돕고자 한다.

제 1 절 절차서 주요 항목

절차서의 주요항목 요소들을 절차서에 포함시키되 어떤 형태 또는 형식으로 정리하느냐는 절차서 작성자에 따라 달라질 수 있다. 그러나 절차서 작성 시 꼭 명심해야할 사항은 검사자가 현장에서 검사를 수행할 때 사용하게 된 서면화될 기록을 검사자에게 제공해 준다는 사실이다. 만약 절차서가 복잡하고 절차서대로 수행하기 어렵다면 훌륭한 절차서는 되지 못할 것이다. 본 절에서 예를 든 보기는 절차서에 포함된 주요 요소의 목적을 기술하는 데 있으며, 실제 현장 적용을 위해서는 규격 사항 및 실제 적용에 맞게 많은 부분들이 추가되어 야 할 것이다. 육안검사 절차서에 포함되어야 할 주요 항목은 다음과 같다.

가. 적용범위(Scope)

적용 범위에는 크게 절차서의 목적, 실제 적용 범위, 책임사항, 절차서가 근간하고 있는 규격, 사양서, 표준 등이 포함된다. 실제 적용 범위에는 검사 대상 항목이 구체적으로 명시되어야 하고, 해당 규격, 사양, 표준 및 이들의 발행년도 등을 표시해야 한다.

나. 검사자(Personnel)

검사자 자격인정 및 자격인증 시 적용된 규정(Company Written Practice), 육안검사 수행자가 취득해야 할 자격, 검사자의 신체검사 등에 대해서 기술해야 한다.

다. 재료 및 검사 장비(Apparatus)

본 절에서는 실제 육안검사 시 필요로 하거나 사용될 재료, 검사 장비를 구체적으로 명시해야 한다. 특히 육안검사 장비 중에서 육안 보조도구 및 기계 보조 도구, 조명 상태, 조명 장치 등에 대해서 기술해야 한다. 조명의 적절성 여부를 확인하는 방법, 필요한 분해능을 확인하는 방법 등도 본 절에서 언급되어야 한다.

라. 보정

육안 검사에서 보정은 원격 육안검사 장비 사용 시 매우 중요하다. 정기적 장비 보정 기간도 명시해야 하며, 장비 보정 절차서도 여기에 언급(절차서 번호 등) 되어야 한다.

마. 검사

절차서의 검사 항목 난에는 육안검사를 실제 어떻게 수행할 것인지에 관해 규격, 사양 요구사항 뿐만 아니라 세부 지침을 기술해야 한다. 검사 과정을 흐름도 (Flow Chart) 로 표시하면 검사자가 쉽게 이해하기 쉽다. 또한 직접 육안검사 및 원격 육안검사의 요건, 수행방법 등에 대해서 구체적으로 기술해야 한다.

바. 기록기준

기록 기준에는 육안검사 시 관찰한 사항을 어느 정도 까지를 기록해야 할 것인지 기술해야 한다. 즉 검사자에게 기록해야 할 지침 또는 일련의 규칙을 여기에 명시해야 한다. 때로는 합격 기준치를 명시할 때도 있다. 각국 규격들의 경우 합격 기준치가 거의 확립되어 가는 상태이므로 이를 절차서에 명시할 경우 많은 참고가 될 수 있다. 펌프 케이싱 및 밸브 몸체의 육안검사 기록 기준을 예로 들면 다음과 같다.

· 모든 균열이 있을 경우 전부 기록하고, 발견된 균열의 위치, 균열길이 기록
· 마모, 부식, 침식 또는 점식이 있을 경우 위치 및 그 정도를 기록
· 압력 경계면 기밀의 상태 즉, 누설 흔적, 미소한 스크레치 등을 기록

사. 기록

관련 규격 등에서도 기록에 포함되어야 할 최소한의 사항을 규정하고 있다. 본 기록란에는 육안검사 기록으로 포함되어야 할 사항 모두를 명시해야 한다. 예를 들면, 검사 날짜, 검사 시간, 조명장치, 검사자 이름, 자격 등급, 검사 항목, 사용한 육안검사 보조장비, 원격 육안검사 장비, 검사 결과 등이다. 보통 검사 데이타 기록 양식은 절차서 끝에 첨부된다. 검사자가 주의를 기울여 점검해야 할 사항을 점검표로 만들어서 사용하면 검사 시 중요한 사항을 빠지지 않고 검사할 수 있을 뿐 아니라 검사 결과 기록에도 많은 도움이 된다.

아. 평가/합격기준

기록된 지시에 대한 평가는 해당 규격, 사양서 등의 합격기준에 따르면 되므로 적용하게 된 합격기준이 무엇인지에 대해 언급한다. 또한 평가자에 대한 자격을 본란에서 기술할 수도 있다.

제 2 절 육안검사 절차서 요건

육안검사는 대부분 규격에서 절차서에 따라 수행하도록 규정하고 있으며 절차서에 포함되어야 할 최소한의 사항을 열거하고 있다. 다음은 각종 규격에서 육안검사 절차서에 최소한 포함되어야 할 내용들에 대해 알아본다.

1. ASME Sec. V, Article 9

가. 육안검사 수행방법
나. 검사표면상태
다. 표면준비 방법, 공구
라. 직접 또는 간접 육안검사
마. 인공조명, 장비, 기기
바. 검사순서
사. 작성 데이터
아. 보고서 양식 또는 작성 일반 문구

2. ASME/ANSI-OM (Part 4)

가. 범위
나. 관련자료
다. 선결사항
라. 주의 및 한계점
마. 검사순서
바. 장비
사. 합격기준
아. 데이터 양식

3. EN 13018

가. 검사체, 검사위치, 접근성 및 기하학적 형상
나. 검사범위
다. 검사기술 및 순서

라. 검사 표면 조건

마. 검사 표면 준비

바. 검사 수행 시 제조공정 또는 가동 기간

사. 검사자 요구사항

아. 합격기준

자. 조명 (방식, 세기와 방향)

차. 육안검사장비

카. 검사 후 문서작성

【 제3절 연습문제 】

1. 배관 용접부 육안검사 VT-1 절차서를 ASME Section V, Article 9 및 AWS D 1.1 에 따라 작성하시오.

2. 원전 부품 육안검사 VT-2 절차서를 ASME Section XI 규격을 충족시킬 수 있도록 작성 하시오.

3. 배관 용접부를 육안검사하기 위한 (VT-1) 육안검사 점검표(Checklist)를 작성하시오.

4. 검사 절차서에 포함되어야 할 기본 사항에 대해 기술하시오.

5. 원자력 배관 부위 (Pipe line)에 대해 육안검사 VT-2를 수행하려 한다. ASME Section XI 을 충족시킬 수 있는 검사 흐름도(Flow diagram)를 작성해 보세요.

제 5 장 용접부 육안검사

제 1 절 개 요

육안검사는 보통 제작 전, 제작 중 및 제작 후에 수행되며 제작과정에서 발견된 결함의 수리 후 뿐만 아니라, 부품의 사용 중에도 적용이 된다. 물론 원전에서의 육안검사 대상항목, 검사주기, 합격기준 등에 대해서는 해당 규격에서 구체적으로 규정하고 있다. 다음은 용접부 결함 검출과 관련된 육안검사 요건, 검사방법 결함 등에 대해 알아보자.

1. 육안검사 일반 요구사항

육안 검사자는 검사를 시작하기 전에 다음의 요건들 (1) 검사자 자격, (2) 장비, (3) 절차서, (4) 표면준비상태, (5) 도면, (6) 검사 조건이 잘 갖추어졌는지 확인할 필요가 있다.

가. 검사자 자격

ASME Sec. CP-189 요건과 관련하여 검사자 자격사항은 다음과 같다.
- CP-189에 준하는 자격을 갖추어야 하고
- 검사자는 "Written practice"에 따라 교육, 훈련, 경험을 갖춰 자격인정을 받아야 함.
- 시력검사는 매년 근거리, 원거리 시력, 색맹의 여부를 검사해야함.
- 자격 갱신은 Level I, II는 3년, Level III는 5년마다 해야 하며 시험을 봐야 한다.

나. 장비

필요한 장비가 무엇이며, 적절하게 교정 되었는지 확인한다.
- 조명장치
- 광학장비 : 카메라, 비디오 장비, 확대경, 현미경, 망원경 등
- 기계 보조 장비 : 측정 장비
- 각종 용접 게이지

다. 절차서

절차서에는 최소 다음 사항이 포함되어야 한다.
- 육안검사 수행방법

- 표면상태
- 표면처리방법
- 직접 또는 원격 육안검사
- 조명장치 및 장비
- 검사순서
- 작성해야할 자료
- 보고서 양식
- 절차서의 적정여부 입증

라. 표면준비상태

검사표면에는 슬래그, 구리스, 용접똥, 기타 검사를 방해할 수 있는 어떤 이물질도 있어서는 안 된다. 통상 용접부 및 인접 모재 1″까지 청결상태를 유지해야 한다.

마. 도면

검사자는 검사시작 전 필요한 도면을 잘 이해하여야 한다. 용접부의 표면결함 검출 뿐 아니라 용접부 크기, 모양, 형태 등이 잘 만족되는지 검사할 수 있어야 한다. 즉, 도면상의 용접 요건을 잘 이해하고 실제 용접이 도면, 사양에 따라 이뤄졌는지를 점검해야 하고 해당 용접기호를 잘 숙지해야 한다.

바. 검사조건

검사표면과 눈의 각도는 30°이상, 눈과 검사체 표면과의 거리는 24 ″이내여야 하며, 조명은 500 lux 이상 되어야 한다.

제 2 절 용접 검사자의 역할

1. 용접 전 검사

(1) 용접절차서 인증 상태 점검 확인
(2) 용접사 자격 및 자격한계
  - 용접모재, 용접재료의 한계

- 모재두께, 직경 한계
- 용접자세
- 자격 유효 기간

(3) 검사 표면의 밝기 적정여부

(4) 모재 I.D. 확인 및 용접 조인트 준비 상태 점검
- 용접 절차서에 따른 모재 적합성 여부
- 도면에 따른 용접
- 용접 준비상태 및 청결여부 (녹, 페인트, 기름, 구리스, 이물질, 습기 등)
- 용접준비상태 ; 불균일, 노치여부, 표면상태, 그루브 상태
- 모재결함여부 (라미네이션, 랩, 비금속 개재물, 기공 등)

(5) 일반 용접 절차서 및 세부 용접 절차서의 중요 조건

(6) 필요한 치수 검사

2. 핏업 후 용접 전 검사

(1) 용접 조인트 및 핏업(Fit-up) 치수 점검 확인
- 부품의 정렬상태
- 루트 면 및 갭 치수
- 그루브 각도
- 백킹 링, 스트립 또는 인서트의 간격

(2) 태그용접 상태 점검

(3) 태그용접 결함 검사

(4) 배관 내부 청결여부 육안검사

(5) 용가재 및 모재 금속 정보 추적가능여부 기록

(6) 용접사 자격 인증 점검

3. 용접 중 검사

(1) 청결, 패스 간 용접똥, 슬래그, 산화물의 제거

(2) 용접 비드면, 모재 그루브면의 결함 검사

(3) 용접 절차에 따른 패스 간 온도 확인

(4) 용접 전류, 전압의 확인

4. 용접 후 검사

(1) 필요한 치수 검사
(2) 용접 절차서에서 규정한 최종 용접부 치수 검사
　　· 필렛 용접부의 다리크기 및 형상
　　· 루트부 오목, 볼록 현상
　　· 용접 덧붙임
　　· 용접부 두께 천이 부위
　　· 용접조인트 기울기
(3) 용접표면 결함검사
(4) 핏업 러그 제거
(5) 밀봉 용접(Sealing welds) 완전 여부 확인

제 3 절 용접부 결함 육안검사

1. 치수 형상 결함 검사

치수 형상 결함은 실제 용접부의 크기, 모양, 형상 등이 도면, 사양서에 명시된 것과 상이한 것을 말한다.　이들 결함은 다음과 같다.
(1) 맞대기 용접부 덧붙임
(2) 필렛용접 크기
(3) 필렛용접 목
(4) 필렛용접 다리길이, 간격
(5) 콘케비티 (오목)
(6) 콘백스티 (볼록)
(7) 기울어짐

2. 구조적 결함 검사

구조적 결함이란 용접부 표면 또는 내면의 건전성에 영향을 주는 결함을 말한다.　대표적인 결함들은 다음과 같다. 제 1 편을 참고하기 바란다.

(1) 균　열
(2) 용입 부족
(3) 슬래그
(4) 기　공
(5) 수소취화
(6) 개재물
(7) 언더컷
(8) 아크 스트라이크
(9) 크레이터균열
(10) 융합부족
(11) 겹침 (overlap)
(12) 스패터
(13) 언더필
(14) 라멜라 티어링

【 제4절 연습문제 】

1. ASME Section V, Article 9 의 육안검사 규정을 충족시키는 배관 용접부 육안검사 절차서를 작성하시오.

2. ASME Section V 에서 정밀 육안검사를 수행할 때 (예 : 미세 균열 관찰) 필요한 조명의 정도는 얼마이상이어야 한다고 규정하고 있나 ?
    A.   100 lux   B.   300 lux
    C.   500 lux   D.   700 lux
    E. 1000 lux

3. 직접 육안검사 VT-1 을 수행할 때 피검사체와 눈과의 각도는 몇도 이상이어야 하나 ?
    A. $10°$ B. $20°$
    C. $30°$ D. $50°$

4. 육안검사자에게 자격증을 부여할 때 무엇을 근거로 하여야 하나 ?
    A.   교육, 훈련   B.   시 험
    C.   교육, 훈련, 시험   D.   훈련, 시험

5. 근거리 시력검사 시 사용하는 것은 ?
    A.   Jaeger   B.   Barnes - Hind
    C.   Rorschach   D.   Ishihara규격 및 표준

제 6 장 규격 및 표준 개요

제 1 절 표준화

설계, 제작, 건설, 운전 및 보수유지의 많은 단계는 규격, 표준, 사양서에 따라 이루어진다. 기술 표준 또는 규격은 규정된 요건이거나 표준이다. 이는 공학적인 또는 기술적인 기준, 방법, 절차, 공정, 실행절차 등을 규정한 문서이다. 규격 및 표준은 가끔씩 서로 혼동되기도 한다. 항상 최선은 어떤 문서들을 준수해야하는 지 어떤 표준을 이용하지 말아야 하는지를 관련법령들을 점검해보아야 한다. 사양서나 규격의 이용은 계약문서나 규격에서 인용될 때만이 반드시 따라야 한다. 많은 구매 조직에서는 그들 요건들을 충족하도록 설계된 사양서를 개발하여 발행한다. 일단 그러한 사양서가 구매문서에 인용되면 그 사양서들은 제품의 품질과 육안검사자의 작업에 영향을 미친다. 그러한 사양서들은 특정한 상황의 필요성을 반영한다. 안전 및 신뢰성에 대한 대중의 관심이 국가적 또는 산업적인 규격 및 사양서의 개발을 가져왔다고 볼 수 있다.

규격 및 표준은 발행기관에서 주기적으로 개정한다. 서비스 계약의 서명이 이루어질 때, 현재의 참조 문서가 어떤 특별한 개정판이 규정되지 않는 한 적용된다고 봐야한다. 새로운 개정판이 출판될 때, 보통 계약자가 새로운 요건을 충족하기 위한 현장 적응 기간 동안 (예 6개월) 유예기간을 준다.

대표적인 규격은 미국기계학회 규격(American Society of Mechanical Engineer (ASME) Boiler & Pressure Vessel Code (B & PV))이다.

1. 표준화의 목적

표준은 산업제품의 생산 및 사용 동안 일어나는 다양한 활동을 지배하거나 제시하는 문서이다. 표준은 재료, 공정, 제품, 시스템, 또는 서비스에 대한 기술적인 요건을 기술한다. 또한 절차서, 방법, 장비, 요건들이 충족되었는지 결정하기 위한 검사 등을 기술한다. 공정의 표준화는 일정한 특성을 가진 제품을 계속 생산하기 위해 공정 변수들을 설정하는 것으로 정의할 수 있다.

가. 표준화의 목적

(1) 명확한 소통

문서화된 표준은 사용자나 고객이 생산자와의 소통을 쉽게 한다.

(2) 경제성

구매자 또는 설계자는 바람직한 검사 수준에 대해 무엇이 요구되는지 무엇이 가능한 지 일반적인 아이디어를 가질 수 있다. 모든 가능한 파라미터들과 변수들이 문서에 구체화되고 현장에서 전문가에 의해 준비되고, 표준으로서 출판된다면 혼자서 모든 것을 준비하는 데 노력이 절약될 것이다.

(3) 최소 성능

산업계에 일반적으로 수용된 출판 규격 및 표준은 규제기관 또는 구매자에게 그 제품 또는 서비스가 표준에 명시된 최소한의 성능을 보일 것이라는 신뢰를 제공할 것이다.

(4) 역사적 기록

제품이 사용에 들어간 후, 제품 또는 검사를 위해 사용한 표준의 일대 기록이 그 것을 만들어 내는 과정의 충분한 기록이 될 수 있을 것이다.

(5) 지혜의 응집

동의를 거쳐 개발되는 표준은 제작자, 사용자, 및 일반 대중들로부터 기술적인 전문가가 개입된다. 그러면 일정하고 적절한 제품이나 서비스의 품질을 통해 소비자의 관심을 보호하는 데 도움이 될 것이다. 기술적인 논의와 토론을 거쳐 만들어지는 표준의 전체적인 개발과정은 참여자들의 집단적인 지혜에 근거한 문서가 만들어지게 된다.

(6) 인생의 질 개선

표준은 좋은 품질의 제품을 계속 생산하는 데 도움이 되고 이는 생활의 질 향상에 바로 연결된다. 즉 잘 입고, 잘 먹고, 건강함을 의미한다. 좋은 환경에서 좋은 여행, 안전한 생활을 할 수 있다.

(7) 국제 협력

국제 표준을 사용함으로써 국가 간에 무역에서 각국의 서로 다른 기술적 장벽을 제거할 수 있다. 국가 간에 서로 통용되는 국제 표준을 각국이 사용함으로써 국가 간의 이해가 증진되고, 여행, 무역, 노동이 촉진된다.

제 2 절 육안검사와 관련된 표준 발행 기관

(1) Aerospace Industries Association (AIA)

(2) American Bureau of Shipping (ABS)

(3) American National Standards Institute (ANSI)

(4) American Society for Non-destructive Testing (ASNT)

(5) American Society for Testing and Materials (ASTM)

(6) American Society for Mechanical Engineers (ASME)

(7) American Welding Society (AWS)

(8) Department of Defense (DOD)

(9) Ship Structure Committee (SSC)

(10) Society of Automotive Engineers (SAE)

(11) American Petroleum Institute (API)

(12) French Association of Standardization (AFNOR)

(13) British Standards Institute (BSI)

(14) The European Committee for Standardization (CEN)

(15) German Institute for Standardization (DIN)

(16) International Organization for Standardization (ISO)

(17) Japanese Industrial Standards Committee (JISC)

제 3 절 육안검사 규격 및 표준

1. 미국, 유럽, ISO 규격

가. 육안검사에 자주 사용되는 미국 표준

육안검사 요건은 많은 규격이나 표준에서 규정되어 있다. 이는 미국, 유럽, ISO 규격으로 대별된다. 여기서는 그 제목들만 나열한다.

- (1) ASME (B & PV) Code
  - Section III "Rules for Construction of Nuclear Power Plant Components"
  - Section XI "Rules for ISI of Nuclear Power Plant Components"
  - Section V "Non-destructive Examination", Article 9 Visual Examination
- (2) ANSI B 31.1 (Power Piping)
- (3) American Petroleum Institute (API) Standard for Welding

  Pipelines and Related Facilities. Section 6 (Standards of Acceptability - Non-destructive Testing) of API 1104 (Standard for Welding Pipelines and Related Facilities) RT와 VT 요건 명시
- (4) AWS D 1.1 (Structural Welding Code - Steel).

나. ISO or EN 규격

- (1) ISO 3057 2nd edition(1998):Non-destructive testing - Metallographic replica techniques of surface examination
- (2) BS EN 13927 (2003) : Non-destructive testing Visual testing Equipment
- (3) BS EN 13445-5 (2002) : Unfired pressure vessels
- (4) ISO 3058 2nd edition(1998):Non-destructive testing-aids to visual inspection-Selection of low-power magnifiers
- (5) BS EN 12454 (1998) : Founding- Visual examination of surface discontinuities- Steel sand castings
- (6) BS EN 1330-1 (1998) : Non-destructive testing - Terminology, (Part 1: List of general terms)

(7) BS EN 1330-2 (1998) : Non-destructive testing - Terminology,
(Part 2: Terms common to the non-destructive testing method)

(8) BS EN 13018 (2001) : Non-destructive testing- Visual testing -
General principles

(9) BS EN 970 (1997) : Non-destructive examination of fusion welds -
Visual examination

(10) BS EN 12454 (198) : Founding- Visual examination of surface
discontinuities- Steel sand castings

(11) BS EN 1370 (1997) : Founding- Surface roughness inspection by
visual tectile by visual tactile comparators

(12) ISO 5817 (1992) / BS EN 25817 (1992) : Arc-welded joints in steel -
Guidance on quality levels for imperfections

(13) BS EN 10163-1 (2004) : Delivery requirements for surface
condition of hot-rolled steel plates, wide flats and sections Part 1:
General requirements)

(14) BS EN 10163-2 (2004) : Delivery requirements for surface
condition of hot-rolled steel plates, wide flats and sections (Part 2:
Plate and wide flats)

(15) BS EN 10163-3 (2004) : Delivery requirements for surface
condition of hot-rolled steel plates, wide flats and sections (Part 3:
Sections)

(16) Pr EN 13445-5 (2002) : Unfired pressure vessels (Part 5:
Inspection and testing)

(17) EN 473 (2008) : Non-destructive testing - Qualification and
certification of NDT personnel- General principles

(18) ISO 9712 (2005) : Non-destructive testing- Qualification and
Certification of Personnel

【 제4절 연습문제 】

1. ASME Section XI 에서는 비파괴검사 방법 (Examination Methods) 을 크게 어떻게 분류하였으며, 각 검사법에는 어떤 것들이 있는가?

2. ASME Section XI 에서 육안검사 VT-1 은 어떤 사항을 점검할 때 적용되는지 기술하시오.

3. ASME Section XI 에서 육안검사 VT-2 은 어떤 검사를 말하는가 ?

4. ASME Section XI 에서 육안검사 VT-3 은 어떤 것을 검사할 때 적용되며 어떤 사항을 점검해야 되는지를 설명하시오.

5. ASME Section V 에서 일반 육안검사 수행 시 필요한 조명을 얼마 이상이어야 한다고 규정하고 있나 ?
>   A.   100 lux   B.   300 lux
>   C.   500 lux   D.   700 lux
>   E.   1000 lux

6. 육안검사 VT-1 수행자는 어떤 규정에 따라 자격을 갖추도록 하고 있는가 ?
>   A.   SNT-TC-1A   B.   ANSI-N45.2.6
>   C.   ASME Section V, Article 9   D.   ASME Section XI

7. 직접 육안검사 VT-1 에서 피검사체와 눈과의 거리는 얼마이내여야 하나 ?
>   A.   24 inch   B.   30 inch
>   C.   40 inch   D.   50 inch

8. 비파괴 검사자 자격과 관련하여 시력검사는 몇 년에 한 번씩 검사를 받아야 하는 가 ?
>   A.   반년   B.   1 년
>   C.   2 년   D.   3 년
>   E.   5 년

9. 육안검사 VT-2 및 VT-3 수행자는 어떤 규정에 따라 자격을 갖추도록 하고 있나 ?

    A.   SNT-TC-1A   B.   ANSI-N 45.2.6

    C.   ASME Section XI   D.   ASME Section V

10. 육안검사와 관련하여 여러 가지 규격이 사용되고 있다. 육안 검사 관련 규격을 아는 대로 기술하시오.

11. ASME Section V 의 육안검사 관련 Article 은 ?

    A. 2   B.   4

    C. 5   D.   7

    E. 9

12. ASME Section XI 에서 대안 검사법을 사용할 경우의 조건은 무엇인가 ? 구체적으로 설명하시오.

13. 육안검사 VT-2 의 가장 큰 장점은 ?

    A.   기계적 결함을 알 수 있다.

    B.   전 시스템을 한꺼번에 시험할 수 있다.

    C.   단열재가 쌓여져 있는 부분은 단열재 제거 없이 검사가 가능하다.

14. 다음 중 피로파괴와 가장 밀접한 관련이 있는 것은 ?

    A.   금속 취화   B.   되풀이 하중

    C.   크 립   D.   과 열

제 7 장 육안검사 기록 및 합부 판정

본 장에서는 육안 검사 후 데이타 기록을 어떻게 할 것인지 예를 들어 간단히 설명하기로 한다. 검사 결과 기록은 육안검사 절차서가 어떤 형식으로 작성되었는 지에 따라서 많이 달라질 수 있다. 따라서 여기서 기술코자 하는 내용은 검사 결과 기록의 전형적 한 형태에 지나지 않는다. 실제 육안검사 기록은 육안검사 목적, 적용 대상, 검사 항목에 적절하고도 충분한 검사 결과의 정보를 포함할 수 있으면 만족하다 하겠다.

제 1 절 육안검사기록

육안검사 기록 양식에는 여러 형태가 있으며 보기로 5가지 양식을 본장의 끝에 첨부하였다. 먼저 보고서 양식의 해당란에 기입해야 될 사항에 대해서 설명하면 다음과 같다.

1. 고객 또는 사업명
2. 계약번호/현장
3. 날짜 : 검사가 수행된 날짜, 날짜 뿐 아니라 시간까지를 기록하면 좋은 정보가 될 경우가 많다.
4. 부품/시스템 : 육안검사 수행 부품 (넓은 범위)
5. 조립체/검사 대상 기술 : 세부적으로 기술
6. 검사 대상 품목명 : 구체적으로 검사품목, 실제 I.D 등을 구체적으로 명시
7. 절차서 번호
8. 검사자
9. 검사자 자격 등급
10. 육안검사 : 직접 또는 원격 육안검사 여부
11. 육안 검사 보조도구/장비 : 실제 사용한 것을 기술
12. 기준점 선정 : 실제 검사결과를 기록하기 위한 기준점을 어떻게 선정 하였는지를 기술
13. 결함 지시 번호
14. 결함 지시 위치 : 기준점을 기준으로 하여 기록한다.
    가. 어떤 기준점 (출발점)을 정하고 그곳에서부터 용접부 길이 방향으로 결함까지의 거리
    나. 용접부 중심선 또는 어떤 기준점에서의 거리
15. 크기

16. 선형 지시/원형지시 : 사용할 규격에 명시되어 있음.
17. 상태 : 결함의 상태를 기입, 즉 점식, 언더컷, 아크 스트라이크 등
18. 검토 날짜
19. 자격 등급
20. 재료
21. 두께 : 공칭벽 두께, 결함 평가 시 유용한 정보가 된다.
22. 표면 : 내면 또는 외면을 검사했는지의 여부
23. 도면 번호
24. 검사 제한 사항 : 실제 검사를 전부 행하지 못하고 일부만 검사했을 경우 검사 못한 부분 및 그 이유를 명시함.

제 2 절 육안검사 합부판정

육안검사 기록 양식에는 여러 형태가 있으며 보기로 4가지 양식을 본장의 끝 육안검사를 위한 합부판정기준은 사용 규격에 따라 작성된 절차서 혹은 발주자와의 계약형태에 따라 등급에 따른 여부를 결정한다. 법적인 요건에서 인용된 경우, 합부판정은 주로 인용된 규격에서 정하는 대로 하면 되고, 그렇지 않은 대부분의 경우, 구매자와 제작자, 설치자, 사용자와 합의하여 결정한다. 전형적인 육안검사 합부판정 기준을 다음의 경우를 예를 들어 설명한다. 원자력발전소 가동중검사 요건인 ASME Section XI 요건 중에서 기기 지지구조물에 대한 합격기준은 다음과 같다.

1. 계속 사용에 불합격인 기기구조물 조건

(1) 패스너, 스프링, 클램프, 다른 스포트 항목들의 변형 또는 구조적 기능저하
(2) 빠짐, 분리되었거나 느슨하여진 지지 항목들
(3) 정밀 기계 가공되었거나 미끄럼 면에 있는 아크 스트라이크, 용접똥, 페인트, 스코링(긁힌 자국), 거칠음, 또는 일반 부식
(4) 일정하중 스포트 및 일정하중 스포트의 부적절한 핫 세팅 및 콜드 세팅
(5) 스포트의 어긋남.
(6) 가이드 및 스톱부의 부적절한 간격

2. 계속 사용에 불합격인 기기구조물 조건

위에 언급한 것을 제외하고, 다음 사항은 무 관련 조건 상태의 예들이다.

(1) 제작 흔적(예, 펀칭, 레이아웃, 굽힘, 압연, 기계가공된 것)

(2) 깨지거나 변색된 페인트

(3) 공차를 갖는 기계 가공되었거나 미끄럼 면이 아닌 부위에의 용접 똥

(4) 스크래치 및 표면 분사 흔적

(5) 스포트의 하중전달을 감소시키지 않는 거칠음 또는 일반 부식

(6) 재료, 설계 및/또는 건설 사양서에서 합격인 일반 상태들

FROM 1.

CUSTOMER : 1				CONTRACT NO : 2		COMPONENT : 4
DESCRIPTION : 5						
ID : 6		PROCEDURE :		MATERIAL : 22	THICKNESS : 23	SURFACE : 24
TEST METHOD : 25	NO.POSITIONS 12	PROCEDURE :	DISTANCE : 7	12	1 REF.: 12	DATES : 3
EXAMINERS : 8			ID : 26		LEVEL : 9	
EXAMINERS : 8			ID : 26		LEVEL : 9	
EQUIPMENT TO BE USED - (IF ANY) : 11					NOTES : 18	

IND. NO	PART ITEM OR POSITION A	PART ITEM OR POSITION B	STATUS	SIZE (INCHES) A	SIZE (INCHES) B	DESTANCE FROM (INCHES) A	DESTANCE FROM (INCHES) B	DESTANCE FROM (INCHES) 1	DESTANCE FROM (INCHES) 2	SURFACE	REMARKS
13	14A	14A	16	15		14A	14A	14B	14B	14C	17

REVIEWED BY : 19	LEVEL : 21	DATE REVIEWED : 20	FIGURE NO. : 27

FORM 2.

TYPICAL EXAMINATION RECORD

PROJECT NO. : 1

SITE : 2

DATE(DAY-MON.YR) 3

	TIME :(24HR.CLOCK)	SHEET NO
	EXAM STARTED 31	29
	EXAM ENDED 31	

EXAMINATION AREA : (SYSTEM/COMP) 4

(LINE/SUBASSEMBLY) 5

(IDENTIFICATION) 6

METHOD 10	W₀ LOCATION 34	WELD LENGTH (MEASURED AT THE OF
DIRECT ☐ REMOTE ☐		WELD TYPE : (FLOW) 30

EXAMINER 8

SNT LEVEL 9

PROCEDURE NO.   REV.   DEV. 7

DESCRIBE : VISUAL AIDES 11

WELD) 12

EXAMINER 8

SNT LEVEL 9

IND NO.	L LOCATION	W LOCATION	LOCATION UP/DOWN STREAM	TYPE ROUND OR LINEAR	SIZE DIA OR LENGTH	REMARKS		INI.
13	14A	14B	14C	15A 15B	15A 15B	17		32

EXAMINATION AREA LIMITATION(IF NONE, SO STATE) 28

REVIEWED BY : 19	SNT LEVEL 21	DATE 20	PATE OF 33

제 7 장 육안검사 기록 및 합부 판정 | **291**

FORM 3.

TYPICAL EXAMINATION RECORD

PROJECT NO. : 1	SITE : 2	DATE(DAY-MON.YR) 3	TIME:(24HR.CLOCK)	SHEET NO 29
			EXAM STARTED 31	
			EXAM ENDED 31	WELD TYPE : (FLOW) 30

EXAMINATION AREA : (SYSTEM/COMP) 4

(LINE/SUBASSEMBLY) 5	PROCEDURE NO. 7 / REV. DEV.	(IDENTIFICATION) 6	METHOD 10	Wo LOCATION 34
			DIRECT ☐ REMOTE ☐	Lo LOCATON 12
			DESCRIBE : VISUAL AIDES 11	WELD LENGTH 12

EXAMINER 8	SNT LEVEL 9
EXAMINER 8	SNT LEVEL 9

IND NO.	L LOCATION	W LOCATION	LOCATION UP/DOWN STREAM	TYPE ROUND OR LINEAR	SIZE DIA OR LENGTH	REMARKS :					INI.
13	14A	14B	14C	15A / 15B	15A / 15B	VT-1 ☐	VT-2 ☐	VT-3 ☐	VT-4 ☐		
						17			35		32

EXAMINATION AREA LIMITATION(IF NONE, SO STATE) 28

REVIEWED BY : 19	SNT LEVEL 21	DATE 20	PATE OF 33

육안검사 기록지

검사부위		도면번호(ISO)	Sheet No.

발견소

사진
- □ 유 □ 무
- □ 촉벽 □ 천연색

방법
- □ 직접
- □ 간접
- □ 비디오

소개처
- □ 유 □ 무
- □ 장비 □ 기율 □ 기타

조명
- □ 일반
- □ 플래쉬
- □ 기타

분해능
- □ 1/32" 눈금
- □ /32"(화/색카드)

공구
- □ 자
- □ 마이크로문미터
- □ CALIPER
- □ 길이측정기
- □ 비파측정기
- □ 수준계

검사종류
- □ VT 1 □ VT 2 □ VT 3

검사자서 번호
개정번호
임시변경번호
검사지
검사자
검사님짜

정치서 번호
SNT Level
SNT Level

검사항목

용접부/모재
- □ 연삭자국
- □ 언더컷
- □ 부식
- □ 피지굿
- □ 누설흔적
- □ 균열
- □ 아크 스트라이크

만족 / 불만족

□ 방전기
□ 붙트음, 편연경부
□ 샤표누설
□ 유체노설상태
□ 샤표트 청검도
□ 구형 배이음
□ 코티핀 밖이점
□ 붙트, 연경부 활가굿

□ 기기내부 및 재공표연
- □ 피팅
- □ 부식
- □ 참식
- □ 이물질
- □ 피진자국
- □ 민도
- □ 누설흔적
- □ 균열

만족 / 불만족

□ 방전기
설정치 □ HOT □ COLD
- □ 어긋남
- □ 깨진자국
- □ 피진자국
- □ 아크 스트라이크
- □ 연삭자국
- □ 군중자국도
- □ 기타

□ 붙트음
- □ 군열
- □ 부식
- □ 피진굿
- □ 나사순상
- □ 누설흔적
- □ 기타

만족 / 불만족

* 불만족한 부위에 대해서는 다음 정을 이용 자세히 기
   록하시오
** 기타 검사 부위도 세부적으로 기술하시오

비고

검토 _____ SNT Level _____

육안검사 보충 기록지

발전소				검사부위				도면번호(ISO)		Sheet No.
절차서 번호 :					날짜		검사자		SNT Level	위치
개정 번호 : .										
임시 변경 번호										

비 고

검 토		SNT Level	날짜

【 찾아보기 】

ㄱ

ㅇ

| 참고 문헌 |

(1) A safety guide "Surveillance of items important to safety in Nuclear Power Plants" Safety Series No.50-SG-08, International Atomic Energy Agency, Vienna.

(2) Allgaier, Michael. M, Ness. Stanley, McIntire. Paul and Moore, Patrick.O, "Nondestructive Testing Hanbook" Second Edition, Volume 8, Visual and Optical Testing, American Society of Non-destructive Testing (ASNT); U.S.A.

(3) ANSI B 31.1, Power Piping, American National Standards Institute, New York, U.S.A.

(4) ANSI B 31.7, Nuclear Power Piping, American National Standards Institute, New York, U.S.A

(5) ANSI N 45.2.6, Qualifications of Inspection, Examination, and Testing Personnel for Nuclear Power Plants, American Society of Mechanical Engineers, New York, 1978

(6) ANSI/ASME PTC-25.3, Safety and Relief Valves - Performance Test Codes, American National Standards Institute, New York, U.S.A

(7) API-1104, Standard for Welding Pipelines and Related Facilities, American Petroleum Institute, Washington D.C

(8) ASME Boiler and Pressure Vessel Code, Section III, Rules for Construction of Nuclear Power Plant Components, 1989 Edition, The American Society of Mechanical Engineers, New York

(9) ASME Boiler and Pressure Vessel Code, Section IX, Welding and Brazing Qualifications, 1989 Edition, the American Society of Mechanical Engineers, New York

(10) ASME Boiler and Pressure Vessel Code, Section V, Nondestructive Examination, 1989 Edition, The American society of Mechanical Engineers

(11) ASME Boiler and Pressure Vessel Code, Section VIII, Pressure Vessels, 1989 edition, The American Society of Mechanical Engineers, New York

(12) ASME Boiler and Pressure Vessel Code, Section XI, Rules for Inservice Inspection of Nuclear Power Plant Components, 1989 Edition, The American Society of Mechanical Engineers.

(13) ASTM D 2563, "Specification for Classifying Visual Defects in Glass-Reinforced Laminates Parts made Therefrom", American Society for Testing & Materials, Philadelphia, U.S.A

(14) AWS A 2.1, Welding symbols, American Welding Society, Miami, FL, U.S.A

(15) AWS A 2.4, Symbols for Welding and Nondestructive Testing, American Welding Society, Miami, FL

(16) AWS D 1.1, Structural Welding code - Steel, American Welding Society, Miami, FL

(17) Bailey, Bill, "The Case for Eye Test Standardization", Materials Evaluation, Vol.40, No.8, ASNT, Columbus, OH

(18) Case Histories in Failure Analysis, American Society for Metals, Metals Park, OH, 1979

(19) Centrifugal Pump Performance Test Codes, ASME, New York, U.S.A

(20) Chattarji, M.B, "Handbook of Opthalmology" 4th Edition, CBS Publisher's & Distributers, Delhi 110032 , India.

(21) Component Support Snubber Design Application and Testing, PVP-42, ASME, New York

(22) Criteria for Nuclear Safety - related Piping and component Support Snubbers, PVP-45, ASME, New York, U.S.A

(23) David BROEK, Elementary Engineering Fracture Mechanics, Sijthoff & Noordhoff, 1978, The Netherlands

(24) Designers & Manufacturers of "Support & Restraint Systems" for Piping and Equipment, Corner & Lade Co., Inc.

(25) Dimargonas, D. Andrew, "Vibration Engineering", West Publishing Co (1996); New York, U.S.A.

(26) Failure Analysis and Prevention, Metals Handbook, Vol.10, American Society for metals, Metals Park, OH, U.S.A

(27) Fink, Donald. G; and Beaty, Wayne. H "Standard Hand Book for Electrical Engineers" Seventh Edition, McGraw Hill Book Company, New York, U SA.

(28) Fink, G. Donald and Chrisliengen, Donald, "Electronics Engineers Hand Book", Second Edition, Mcgraw Hill Book Company, New York, U.S.A.

(29) Fontana, Mars and Norbert Greene, Corrosion Engineering, McGraw Hill Book Co., New York, U.S.A.

(30) Goldstein, M.A. "A Dictionary of Physics", CBS, Publishers & Distributors, Delhi - 110032, India.

(31) Halmshaw, R, "Non-destructive Testing"- (Metallurgy and material science), Hodder and Stoughten Limited, 41 Bedford square, London WC1B 3DQ, UK.

(32) Hetzverg, Richard W., Deformation and Fracture Mechanics of Engineering Materials, John Willey & Sons, New York, 1976

(33) Hydraulic Institute Standards and Engineering Data Handbook, Cleveland, OH

(34) ITT Grinnell Pipe Hangers Catalog, PH-81, Providence, RI

(35) Kaplan, Irving, "Nuclear Physics", Addison - Wesley Publishing Co. Inc. Reading Massachusetts, U.S.A.

(36) Karassik, Krutzsch, Fraser, and Messina, Pump Handbook, McGraw Hill Book Co. New York, U.S.A

(37) KS 0061, 용접 기호

(38) KS B 0056, 용접부 비파괴 시험 기호

(39) Lal, Brij, Subrahmanyam, "A Text Book of Optics", S. Chand & Company Ltd., New Delhi - 110055.

(40) Lampman, Steven.R and Zorc, Theadore.B, "Metak Handbook" Ninth Edition, Volume 17, Nondestructive evaluation and Quality control, ASM International Handbook Committee, U.S.A.

(41) Level III - BASIC, EPRI NDE Center / J. A. Jones Applied Research Company

(42) Level III - Specific, EPRI NDE Center / J. A. Jones Applied Research Company

(43) Materials and Processes for NDT Technology, American Society for Nondestructive Testing, Columbus, OH

(44) McCall, J.L. and French, P.M. Eds., Metallography as a Quality Control Tool, Plenum Press, New York, 1979

(45) Mcmaster, Robert C. Nondestructive Testing Handbook, Vol. I & II, American Society for Nondestructive Testing, Ronald Press Co., New York, 1959

(46) Metallography, Structures and Phase Diagrams, Metals handbook, Vol. 8, American Society for Metals, Metals Park, OH

(47) Miller, H.J. Stephen, "Parson's Diseases of The Eye", Eight Edition, Churchill Livingstone Edinburgh, London, U.K.

(48) Morris. S. Alan, "Principles of measurement and Instrumentation", Prentice

Hall International (UK) Ltd, 66 Wood Lane End, Hemel Hempstead, Hertfordshire, HP2, 4RG.

(49) Nondestructive Inspection and Quality Control, "Metals Handbook", Vol. 11, American Society for Metals, Metals Park, OH, U.S.A

(50) Nondestructive Testing --- A Survey, National Aeronautics and Space Administration, NASA SP-5113, Washington, DC, 1973

(51) Nondestructive Testing - Introduction, General Dynamics, San Dieago, CA. U.S.A

(52) NRC-IE Bulletin No. 81-01, Surveillance of Mechanical Snubbers, Nuclear Regulatory Commission, Washington, DC

(53) Parker, Nelson "Advanced Level Physics" Seventh Edition, Heinemann Publishers (Oxford) Ltd., U.K.

(54) Robert Clark Anderson, Visual Examination, American Society for Metals, 1983

(55) RSEM, 1990

(56) Say, G.H, "Electrical Engineers Handbook" 15th Edition, Newness - Butterworths, London.

(57) Sharpe, S.R; "Research Technique in Non-destructive Testing", Volume VIII Academic Press Inc. (London) Ltd. London NW1 70X, U.K.

(58) SNT-TC-1A, Personnel Qualification and Certification in Non-destructive Testing, American Society for Nondestructive Testing, Columbus, OH

(59) Structual Welding Code - Steel, 1988,   American Welding Society (ANSI/AWS D 1.1 - 88)

(60) Technical Training in Nondestructive Testing, Visual Examination Level I/II, Southwest Research Institute, U.S.A.

(61) Thielsch, Helmet, Defects and Failures in Pressure Vessels and Piping, Reinhold, New York, U.S.A.

(62) Training for Inspection and Test Personnel in Mechanical Systems and Components, Vol. I & II, May 6 - 25, 1985, Presented at Nuclear Training Center, Korea Advanced Energy Research Institute in Cooperation with Argonne National Laboratory.

(63) Visual Examination Technology, Competency Area 101 (Level I), General, EPRI NDE Center / J.A. Jones Applied Research Company

(64) Visual Examination Technology, Competency Area 101 (Level I), Specific/Practical, EPRI NDE Center / J. A. Jones Applied Research Company.

(65) Visual Examination technology, Competency Area 102 (Level II), General, EPRI NDE Center / J. A. Jones Applied Research Company

(66) Visual Examination Technology, competency Area 103, Level III - Method, EPRI NDE Center/ J.A. Jones Applied Research Company

(67) Visual Examination Technology, Competency Area 102 (Level II), Specific/Practical, EPRI NDE Center/ J. A. Jones Applied Research Company

(68) Warren Peter, " Physics Alive" John Murray (Publishers) Ltd, 50 Albemarle Street, London WIX 4BD, U.K.

(69) Welding Inspection, American welding Society, 1968, 234 pages

(70) 한국공업 규격, KS D 0208, 강의 소지흠 육안 시험 방법, 한국공업표준협회

■ 著 者 略 歷 ■

이 종 포

- 한국과학기술원(KAIST) 기계공학과 공학석사
- 한국과학기술원(KAIST) 기계공학과 공학박사
- 미국비파괴검사학회(ASNT) Level III
  (VT, UT, RT, NRT, ET, LT, PT, MT, TUV UT3, RT3, PT3, MT3)

現, 앤스코주식회사 대표이사

전력산업기술기준 비파괴검사(KEPIC MEN) 분과 위원

ISO/TC 135 비파괴검사 위원

한국비파괴검사학회 이사, 한국압력기기공학회 이사

문 용 식

- 충남대학원 기기계공학과 석사
- 미국비파괴검사학회(ASNT) Level III
  (VT, UT, RT, ET, LT, PT, MT)

現, 한국수력원자력(주) 원자력발전기술원

엔지니어링실 ISI기술팀 팀장

전력산업기술기준 가동중검사(KEPIC MI) 분과 위원

비파괴검사 이론 & 응용 ❼
육안검사

발 행 일		2012년 1월 10일
저 자		한국비파괴검사학회
		이종포, 문용식
발 행 인		박승합
발 행 처		노드미디어
등 록		제 106-99-21699 (1998년 1월 21일)
주 소		서울특별시 용산구 갈월동 11-50
전 화		02-754-1867, 0992
팩 스		02-753-1867
홈페이지		http://www.enodemedia.co.kr
I S B N		978-89-8458-256-9-94550
		978-89-8458-249-1-94550 (세트)

정가 29,000원